監修
姫野順一
Junichi HIMENO

外国語教授法のフロンティア

附：パイルの『蘭文英文典』（1857）
日本最初の英語教則本（復刻）

Frontier of foreign language teaching methods

Attachment: First English learning book in Japan (reprint)

新長崎学研究叢書
Series of New Nagasaki Studies

2

はじめに

　本書は、長崎外国語大学新長崎学研究センターが刊行する研究叢書第二巻である。第一巻は『資料に見る　長崎英学史』という題で、古賀十二郎先生の先行研究に導かれながら、わが国で最初に拓けた英語・英学・英語教育の歴史を「長崎英学史」として検証した。長崎がこのような特権的地位を占める理由は、過去450年間にわたる外国人との接触の歴史があったからである。ポルトガル・スペイン、オランダといったヨーロッパの来訪人と直接接触し、言語通訳の伝統を引き継ぎ、長崎で英語は、幕末に日本の門戸を開いた米英外国人との交渉のなかで培われた。

　この研究叢書第二巻は、長崎で出版された日本最初期の英語学習書を写真版復刻で甦らせ、その実践的な意義を振り返るとともに、長崎外国語大学が現在取り組む外国語教授法の研究を公開するものである。

　そのため第一部では、パイル『初心者のための英語学習書（蘭文英文典初歩）』（長崎奉行所西役所1857年）を、解題を付けて復刻する。本書は、安政4（1857）年の開国条約に先駆けて、奉行所が輸入したオランダの印刷機と活字で印刷されたオランダ語による英語教則本である。この年長崎では、開国に備えて日本最初の英学校となる英語伝習所が開設された。英米外国人と直接対話し、交渉を記録するために直説法の英語教育が求められたのである。

　第二部では、長崎外国語大学が現在授業で実践し、研究している外国

語教授法を紹介する。第1章（辰己）は、文法や逐語にとらわれない翻訳法として、読む・書く・聞く・話すの4技能を統合した、状況を再構成する翻訳プロセス（サイト・トランスレーション）の紹介である。第2章（アイソン・ワシントン）は、英語クラスで、若い世代がなじむSNSなどソーシャル・メディアを用いて英語によるソクラテス型の対話を導入することで、自主的で市民的な関わりが生まれる事例紹介である。第3章（クマー）は、各種の英語教授法を比較し、教師の準備負担が軽くて双方向で学生の自主的な関与を創り出すESA（関与・学習・活性）の方法を推奨する。

　第4章（坂本）は、ドイツ語教授法が書写・翻訳から小学生向け読本を読む時代を経て、アメリカ由来の外国人向け教材を利用するようになった経緯を紹介する。第5章（土居）は、中国語の初年次教育における会話授業という直接教育法の実践例を紹介する。第6章（桂）は、コロナ時代の中国語教育法としてオンライン授業の有効性を検証し、オフラインとの結合、インタラクションやコンテンツおよび技術の統合を提唱する。第7章（崔）は、韓国語教育における教師の学生に対する直接の「訂正に仕方」が、学習効果の簡易インジケータとなることを解明する。

　以上第二部は、外国語の教育法が直面している実践的外国語教育という現在の課題に対する長崎外国語大学の教員からの応答である。これらの直接法による外国語教授法がベンチマークとして広く受け入れられ、今後の外国語教育の発展に寄与することを期待したい。

2021年3月10日

編　者

目　次
Contents

装丁デザイン　納富　司デザイン事務所

古典復刻:英語教授法の源流

Reprint of Classic Book : Origin of English Pedagogy

BOOK

1

解　題

ファン・デル・パイルの『初心者のための英語学習書（蘭文英文典初歩）』1857年長崎奉行所西役所版

Van der Pijl's Gemeenzame leerwijs, voor degenen, die de Engelsche taal beginnen te leeren : het Engelsch naar den beroemden Sheridan en het Hollandsch naar de heeren Weiland en Siegenbeek. Privaat-onderwiezer te Dordrecht. Te Dordrecht, Bij Blusse en Van Braam, 1854, Nagedrukt, Te Nagasaki/ Is het 4de Jaar yan Ansei (1857)

姫野　順一

1. パイル「蘭文英文典初歩」*Gemeenzame Leerwijs*重復刻の意義と底本

　第1部では、1857(安政4)年に長崎奉行所西役所で和刻活字で復刻印刷された、オランダ語の実用的な英語学習書であるルドルフ・ファン・デル・パイルRudolf van der Pijlの著した『初心者のための親しみやすい英語学習書（蘭文英文典初歩）』(以後*Gemeenzame Leerwijs*または「パイル英語学習書」)を、写真影印版により重復刻する。本書はわが国の英語教育史における実用的学習書として、すなわち英語の入門的教科書の嚆矢として画期的意義をもつものである。

　1858(安政5)年の五ケ国修好通商条約の締結の前夜、長崎では開国に備えて交渉の道具として英語の教則本が求められていた。この需要に応じたのが、オランダ人パイルがオランダ語で初版を1814年に出版し、オランダ国内で再販を繰り返していた本書、『初心者のためのパイル英語学習書』であった。この和刻蘭書は、江戸町の長崎奉行所西役所および五カ所宿老会所で印刷されたいわゆる長崎版の1冊である。このパイルの和刻洋装版

の英語学習書の底本には、1854年にオランダで出版されたスフェルの改訂版第9版が用いられていた。

　この長崎版『パイル英語学習書』のフルタイトルはVAN DER PIJL'S /GEMEENZAME /LEERWIJS/ VOOR DEGENEN, DIE DE ENGELSCHE TAAL BEGINNEN TE LEEREN, / HET ENGELSCHE NAAR DEN BEROEMDEN WALKER, EN / HET NEDERDUITSCH NAAR DE HEEREN WEILAND / EN SIEGENBEEK,/ NEGENDE EN VEEL VERBETERDE UITGAVE./ DOOR/ H.L.SHULT, IWZN./ Privaat-onderwiezer te Dordrecht./TeDordrecht, Bij Blusse en Van Braam, /1854,/ Nagedrukt/ Te Nagasaki/ Is het 4de Jaar yan Ansei（1857）である。タイトルの和訳は6節の補遺を参照していただきたい。

パイル『*Gemeenzame Leerwijs*英語学習書』長崎版:早稲田大学図書館洋学文庫勝俣旧蔵本

　長崎学の碩学古賀十二郎は、このパイルの *Gemeenzame Leerwijs* について、「これは、英語の研究を始むる者のために編集されたもので、英語と蘭語と対照してある。英語はWalker, 蘭語はWeiland及びSiegenbeekに拠りたる者で、蘭語を心得、英義を始むる者にとりては、太だ便利なものである」とその内容を紹介している。鎖国から開国へ転換期に、長崎では交渉のための言語がオランダ語から英語に変わり、新しい知識の獲得や交渉の道具として英語の習得が求められ、この英語の教則本（文典）はそのような需要に応じるものであった。

　本叢書ではパイルの英語学習書を印影写真により重復刻する。底本は、早稲田大学図書館の特別資料室貴重が洋学文庫として所蔵する勝俣詮吉郎教授旧蔵本（文庫8C1211）である。

本書はネット上でも全文が公開されている。

(https://www.wul.waseda.ac.jp/kotenseki/html/bunko08/bunko08_c1211/index.html)

　表紙の見返しには「安政丁巳」(四年:1857)および「長崎官吏點検之印」(長崎西役所検印)と隷書で刻まれた朱印が押されている。[i] これは長崎西役所の検閲を意味している。同ページの左側には「安政年長崎ニ於テ出版蘭英對和」と筆書きされている。これは篆書の蔵書印がある[ii]旧所有者の佐伯の書き入れと推測される。

　次のページには「早稲田大学図書」と「勝俣氏旧蔵書」の角朱印が押されている。最後の所有者が勝俣詮吉郎であったことを記録する早稲田大学図書館の整理の角印と思われる。

　パイルの *Gemeenzame Leerwijs* 長崎版の天理図書館所蔵本は、1974年に同館の善本叢書 CLASSICA JAPONICA の第5次語学篇Ⅱとしてファクシミリ版で復刻されている。これも大学図書館を中心に全国の図書館で架蔵されている。しかしこの発行部数は200と少なく、復刻本もすでに稀覯本となっている。また天理本にはほとんど書き込みがない。一方本書に収録する早稲田の勝俣本には、旧蔵者佐伯のものと思われる邦訳語の書きこみが多い。本叢書で早稲田本を重復刻する意義は、長崎で出版された日本で初めての英語教科書でありながら、なお入手が困難な本書を顕彰するとともに、同書を広く普及することにあり、また当時の和訳語の意義を比較する資料的な価値を認めるからである。なおファクシミリ版には付録として澤田芳三郎「Ⅱペイル　蘭文英文典初歩」と題した8ページのわたる詳しい解題が付されているので参考にしていただきたい。

　早稲田大学図書館は、この和刻原本以外に、勝俣の同じ蔵書印が押さ

パイル『*Gemeenzame Leerwijs*英語学習書』長崎版:早稲田大学図書館洋学文庫岡村旧蔵書

れた虫食いの激しい *Gemeenzame Leerwijs* 長崎版（文庫08_b0256）を蔵
している。また同館の岡村千曳旧蔵の *Gemeenzame Leerwijs* には「長
崎官支点検之印」と「安政丁巳」の朱印が押され、奥付けに「長崎奉行官
許」の検定の朱印がある。

　これらも長崎版の同版書である。これらの書冊には目立つ書き込みはな
い。また、これらとは別に同館洋学文庫には、岡村千曳旧蔵の1854年版オラ
ンダ語原書が収蔵されている。長崎で和刻洋装版として復刻されたものの
原書と同じ第9版である。長崎で原本として用いられたと考えるには美麗す
ぎる。同時代に長崎から輸入された別冊と考えておきたい。

2. *Gemeenzame Leerwijs* 長崎版の背景：活字版摺立所におけ
る和刻蘭書の一冊として

　1848（嘉永元）年、蘭船が西洋植字印刷機一式と鉛活字を持ち渡った。[iii]
通詞の品川籐兵衛と楢林定一郎、本木昌造、北村元助はその代金を長崎
会所に納入してこれを入手している。とはいえ、この段階で本木らは印刷技
術が未熟なため蘭書の復刻事業には至らない。[iv]

　本木らの蘭書復刻事業が進展するのは、1855（安政2）年、西役所に活字
板摺立所が設立されてからである。同年6月に長崎奉行荒尾石見守は老
中阿部伊勢守に阿蘭陀活字板蘭書摺立方を建白し、8月に認められて西
役所内に活字板摺立所が設立された。この官版の蘭書復刻印刷の手続
きは、勘定方と目付方が見回るなかで印刷され、この立会いの下で検査を
済ませ、届出を出し、その一部を江戸幕府の天文方に納本するというもので
あった。本木はこの摺立所の取締掛に命ぜられている。翌1856（安政3）年6
月にはこの印刷機と輸入活字一式を用いた蘭書の復刻の事業がすすめら
れた。この段階で輸入活字以外に日本製活字も使われたようであるが、そ
の場合の活字は、硬めの金属に逆向きの鏡文字を彫刻し、軟らかめの金属
に打ち込んで正字の母型をつくる「打ち込み活字」であったから、文字の字
画が揃わなかった。本木はさらに鋼鉄に正字を彫り付けて、溶解した鉛を流

し込み逆向き活字を工夫した。[v]

　1冊目は、シンタキシスと呼ばれた『オランダ語の構文・単語活用・言語』(1856)（底本は *Syntaxis of woordvoeging der Nederduitsche taal, uitgegvendoor de Maatschappij tot nut van't Algemeen,* Tweede druk.,1846.)の528部である。2冊目は8月に完成したスプラァキュンストすなわち『オランダ語文法』(1855)（底本は *Nederduitche Spraakunst, door P. Weiland, uitgegeven in naam en op last van hetStaatsbestuur der Bataafsche Republiek.Nieuwedoor den auteur zelven overzieneen verbeterde druk.* TeDordrecht, bij Blussé en Van Braam,1846.)530部であった。12月には、第3冊目のレゲレメント『歩兵調練演習規則集』(1856)（底本は *Reglement op de exercitiën en manoeuvres der Infanterie. Uitgegeven op last van den Koning der Nederlanden.* Breda, ten drukkerij van Broese & Co., voor rekening van de Koninklijke Academie voor de zee-en-land-magt)と、4冊目の本書、すなわちパイルの『初心者のための英語学習書』が和刻蘭書として出版された。

　翌1857（安政4)年には、第二次海軍伝習の教官と共に早業活版師ゲ・インデルマウルが来日し、江戸町の五カ所宿老会所に移転した活字板摺立所で、遠見番古川由兵衛以下5名に活字の製作法や印刷術を教えた。[vi]

　このときこの移転先の摺立所では、1858（安政5)年に物理学入門書のボイス著『ヴォルクス・ナトゥールクンデ（理学訓蒙)』と、ウェイランド著『キュンスト・ウォールデンブック（学術用語辞典)』全3巻が印刷された。1859（安政6)年には同じウェイランドの『スプラークキュンスト（和蘭文法書)』530部が出版されている。これらが今日長崎版と呼ばれる7種9冊の和刻蘭書である。これとは別に、再来日したシーボルトは、1858（安政5)年に出島で「オランダ印刷所」(Nederlandsche Drukkerij)を開設し、日本人も印刷術を学んだ。ここで出版された復刻蘭書は出島版と呼ばれている。[vii]

　長崎版と出島版については、古賀十二郎の先行研究のあと『洋学史辞典』(日蘭学会、雄松堂出版1984年)で野村正徳が紹介している[viii]。その後神崎順一は天理大学が所蔵する書冊に拠りながら、活字版摺立所に焦点を当てて長崎版の書誌と印刷技術を解明した。[ix]さらに鈴木英治・切坂美子は

長崎版の素材と構造に注目し、和紙を活字印刷に適用し、金属活字を用いて洋綴じの技法で装幀する点で、日本における洋装本の嚆矢であるとこれを評価する[x]。府川充男や木戸雄一もこの洋装本の和刻活字による印刷技術の画期に注目する。[xi] 語学の面からは熊谷允岐が、パイルによる本書およびその英語部分の堀達之助による抜粋本である *Familiar method for those who begin to learn the English language*,[Preface by Hori Tatsnoskay], Manneng, 1860を、単語集史のなかで私版に対する官版の流れとして位置づけた。[xii]

　最初期の長崎における私版の英語学習書としては、ほかに本木昌造の著作物がある。本木は活字板摺立所の取締役という立場上私版の上梓に名前を出せなかったため、他人名義で1859（安政6）年に『和英商賈対話集』（塩田孝八）、翌1860（万延元）年に『蕃語小引』（増永文治・内田作五郎）といった商業英語の教則本を出版した。また本木は、わが国最初の英語のリーダー（読本）となる『*Eikeu's Edition Comly's Reading Book*（永久版コムリーの英語読本）』（1861）を出版したことも付け加えておきたい。

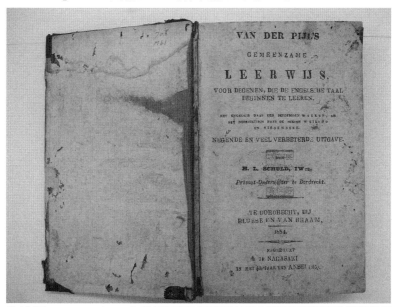

パイル『*Gemeenzame Leerwijs* 蘭文英文典初歩』長崎版：長崎大学附属図書館経済分館武藤文庫

なおパイルの *Gemeenzame Leerwijs* 長崎版の原本を所蔵する国内の機関は、早稲田大学図書館および天理図書館以外では、国立国会図書館、東京大学附属図書館吉野文庫、九州大学附属図書館筑紫文庫（現在紛失中）、長崎大学附属図書館経済学分館、京都女子大学図書館、明治学院大学図書館、静岡中央図書館、安土堂書店、ニッシャ印刷歴史館、印刷博物館が知られている。

3. 幕末の実用的英語学習書としての流布

　パイルの英語学習書は蘭語と英語を対照させながら、単語編1〜84ページ、人称・活用・時制などの文法編85〜99ページ、挨拶などの慣用句編99〜111ページ、会話編111〜192ページの4部構成からなっている。単語編はアルファベット順ではなく項目別に状況に対応できるように実用的に配列されている。各項目は、品詞、学校、親族、肉体、衣類、曜日、月、期間、数、世界一般、飲食、家、家計、宗教、世俗の地位、地域と国家、戦争用語、海軍、尺度と鋳貨、金属と宝石、木と果物、四つ足獣、鳥、魚、爬虫類と昆虫、魂とその能力、芸術・科学・職業、名詞の形容、動詞の29種である。さらに詳しい特徴は本文末の原田およびCullisの解説を参照していただきたい。

　このパイルの英語学習書は、オランダ語が読める幕末の蘭学者の格好の実用的な英語教科書であった。

　江戸では1855（安政2）年に、外国の文献を研究教育する学校として幕府が洋学所を開設した。これは57（安政4）年に蕃書調所となり、1863（文久3）年に開成所と改称された。この洋学校でも英語教育が焦眉の的であった。江戸に招かれて開成所で蘭語・蘭学を教えた長崎出身の蘭通詞堀達之助は、万延元（1860）年9月27日、パイルの *Gemeenzame Leerwijs* の英語部分を抜粋した、*Familiar method, for those who begin to learn the English language*[preface, Hori Tatsnoskay 1860を翻刻した。これは活字本である。[xiii] この底本となるパイルの原書は、長崎版の底本とは別にオランダから輸入されて開成所が所蔵していたものと思われる。開成所はさらに

1866年、パイル本の単語の部の英語を参照した『英吉利單語篇』を制作している。

　ところで、先述した天理ファクシミリ版の附録の解説は、パイル *Gemeenzame Leerwijs*の復刻和装本として「東都書賈　浅草御門外茅町二丁目須原屋伊八製本發兌記」の朱印が押された『嘆蘭對譯』（単語篇・会話篇）の和装本を紹介している。この第2冊目の見返しのタイトルには、ドルトレヒトで発刊された1822年第2版の印字がある。すなわちこの底本がパイルの第2版であったことは明白である。しかし付録の解説はこの江戸版である須原屋本の出版年まで詮索していない。ここで「東都」の表記は、東京が遷都されて京都が西都となったあとの江戸の表記であるから、このパイル江戸版の須原屋本の出版年は明治初年と思われる。同書は早稲田大学洋学文庫に勝俣氏旧蔵書本（巖谷家蔵旧蔵）として第1冊の単語篇だけが所蔵されていて、ネットにも公開されている。

https://www.wul.waseda.ac.jp/kotenseki/html/bunko08/bunko08_c0808/index.html

　これによれば、印刷の本編は手書き石版刷りである。

パイル『*Gemeenzame Leerwijs*英蘭對譯』早稲田大学図書館洋学文庫勝俣旧蔵（巖谷旧蔵）

この『暎蘭對譯』単語篇の原本は、ほかに松平春嶽文庫と静岡の葵文庫に収蔵されている。

　これとは別に、オランダのお雇い外国人クーンラート・ハラタマが協力して出版されたパイル英語学習書の英会話の抜粋書が存在する。ハラタマは、長崎の医学校である精得館の分析窮理所の理化学教師として雇われ、大阪の分析窮理所（大阪大学の前身）に移り、江戸に出て開成所で教えるべく授業の準備をしていた。維新の混乱でそれも果せずに大阪に戻り、大阪舎密局（化学学校）で明治3年まで教えた人物である。ハラタマは、江戸に滞在していた1867（慶応3）年、渡部一郎に協力して『*English Conversation* ガラタマ先生閲　英吉利會話』（江戸渡部氏刷行）を出版している。これはパイルの*Gemeenzame Leerwijs* から会話篇の英語だけを抜粋したもので、活字本である。出版年からみればこの底本は須原屋伊八の『暎蘭對譯』ではないと思われる。このハラタマ閲の『英吉利會話』は1867（明治元）年に『英蘭會話譯語』と表紙のタイトルを変えて出版され、その後も版を重ねている。

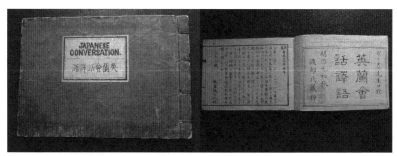

ハラタマ（パイル）『英蘭會話譯語』長崎外国語大学所蔵

　オランダで版を重ねていたパイルの *Gemeenzame Leerwijs* 『初心者のための英語学習書』すなわち「蘭文英文典初歩」は、原書が日本に輸入され、日本の英語黎明期に復刻版や、まだ著作権もないなか、海賊版の教科書として広く流通し、日本人の英語理解と語学力の向上に大きな影響を与えたことが確認できる。

4. パイルの生涯

　著者のパイルがどのような人物であったのかについて、先行研究はほとんど紹介できていない。信頼に足りるパイルの資料が入手できなかった時代のせいでもある。幸い今はデジタル技術が発展し、ネット環境が整うにつれてオランダ語の原資料もデータマイニングで比較的簡単にアクセスできるようになった。ここではこれら個人情報[xiv]に基づきパイルの生涯を紹介しておきたい。

　ルドルフ・ファン・デル・パイル（Rudolf van der Pijl,1790〜1828）は、1790年2月1日にオランダのユトレヒト近郊のフィアーネン Vianen で生まれた。学校を終えてから近くのドルドレヒト Dordrecht の外国語学校の経営者兼校長を務め、多くの語学や地理、歴史の教科書を出版して活躍し、晩年は精神に異常をきたし、1828年12月6日に入院していたベルビー領内のアントワープに近いヘールGeelで亡くなった。38歳の若さである。彼の死後も生前精力的に出版したオランダ語による外国語の教則本は版を重ね、19世紀オランダにおける外国語教育に多大な功績を残している。

　パイルは19歳になった1809年1月2日、ドルドレヒトでフランスの学校を開業した。1809年には、最初の妻ヘイレーナ・ファン・ホークストラーテン Helena van Hoogstraten, 1789〜1810と結婚したが、1年で死別している。翌11年8月1日、ウィルヘルミナ・ヘスター・ファン・ウドガルデン Wilhelmina Hester van Oudgaarden, 1793-1838と再婚し、5人の子供を設けている。

　学校経営と外国語の教科書の出版がパイルの生涯の仕事であった。パイルは1806年に制定された4学年制学校の教育資格試験を受け、2年生の教育資格を取得している。「フランスの学校」（HAVO上級中級学校）が彼の目指す学校であった。彼は1808年、生まれ故郷のフィアーネンに近いキュレンボーグのバーテンバーグ Batenburg te Culemborg のフランス学校で副校長に就任している。そこで彼はフランス語、ドイツ語、オランダ語、算数、地理、歴史、音楽の授業担当を希望したが、必ずしも空きポストが得られなかった。1808年の市議会教育監督委員会の報告書によれば、パイルは「これらのすべての科学において並み以上のスキルを有するのみならず、合理的な

方法で子供たちにそれらを教える適性を備えている」と子供たちに対する教育力が高く評価されている。ここでテストされた教授法は、トライアル・レッスンという直説法であったことは興味深い。これにより1809年1月2日、パイルにフランス学校開設の許可が下りた。パイルは寄宿制のフランス学校を経営し、その後の役所の学校査察でも優秀な成果をあげたようである。その後パイルは英語を通常科目のなかに組み入れ、また当時羅典学校や小学校で実施されていた学生顕彰制度に倣い、優秀な生徒に本の賞品を贈呈した。校長としてフランス学校の経営に携わった1810年から1826年の16年間、パイルは39冊に及ぶ教科書を精力的に出版した。実に年間平均2冊のペースである。本の主題は次節で詳しくみるようにフランス語、英語、オランダ語、歴史、地理、算数であった。特に英語とフランス語に重点が置かれ、英語10冊、フランス語13冊の教科書を出版している。それらの教科書はおおむね語彙・文法・演習から構成されている。また商業書簡が例文に多く登場する。演習の方法は、19世紀に多く見られたようなテキストの誤りを発見させるものであった。パイルは外国語としてのオランダ語の学習書2冊、フランス語と英語の会話書それぞれ1冊も出版している。パイルは基本的に外国語の教師であり、準拠したのはオランダ語の場合シーヘンベイク Siegenbeek の公式のスペルと、ウェイラント Weiland の公式文法である。この二人の人物の名前は、本書『*Gemeenzame Leerwijs*（英語学習書）』のタイトルにも登場する。

　パイルの晩年はナポレオン戦争に巻き込まれたため、困難がつきまとった。1810年7月、ナポレオンがホラント王国を併合したとき、パイルはフランスの統治に精通した専門家で20歳であった。パイルには徴兵制によりフランス帝国軍の軍役が求められた。学校の授業料や教科書の印税で財を成していたパイルは、兵役を逃れるためにパーペンドレヒトの労働者ウィレム・ショルテルドエクを代理人に仕立てた。そのための報酬は6300フランであった。バルザックの時代（1840年）の1フランは2000円程度という論証[xv]に沿ってこれを換算すると、1260万円である。年賦にされたこの支払は、彼と妻および義父に大きな負担をかけた。

　1825年、彼の精神状態は不安定となり、学校経営は助手のディンゲマン

に任された。助手は1826年10月、学校委員会に「精神的能力の非常に不幸な状態」という報告書を提出している。ユトレヒトで酒屋をしていた弟のフロリスが裁判所に精神療養所に入る許可を求めた。1年間このオランダの精神療養施設で過ごした後の1827年9月15日、パイルはベルギーのヘールの精神病院に移され、1828年12月6日に死亡した。

5. Rudolf van der Pijlの主な著作物

　パイルは大量の出版物を残している。幸い整理された目録がオランダで制作されている。Pijl, Rudolf van der 1790-1828[World Cat Identities][xvi]である。これに依拠しながら出版年を編年の順序に並び替えてパイルの著作物を紹介する。

1、*Eerste beginselen der staatkundige aardrijksbeschrijving* :ten dienste der scholen, volgens de nieuwste staatkundige veranderingen.『政治地理学の第一原理』最新の政治的変化の教科書、オランダ語初版1810年、1816年までに3版まで出版。

2、*Engelsche spraakkunst, bevattende*: eene duidelijke uitlegging van de regelen der woordgronding en woordvoeging der Engelsche taal, benevens een aantal opstellen, tot derzelver beoefening, bevorderlijk. 『英文法、英語基礎、単語活用規則、明解解釈』4部構成。オランダ語版初版1811年、同年に4版まで出版。

3、*De beroemde dieren* : historische anecdoten, bevattende onderscheidene trekken van verstand, list, moed, goedheid, liefde, dankbaarheid, enz., onder allerhande diersoorten, van den leeuw tot het gekorvene by Antoine.
『なじみの動物』、ライオンからアントワーヌによって彫られたものまで、あらゆる

種類の動物種に見られる、知性、狡猾さ、勇気、善良さ、愛、感謝などの特徴を含む歴史的な逸話。オランダ語初版1812年、1813年までに3版まで出版。

4、*Gemeenzame leerwijs, voor degenen, die de Engelsche taal beginnen te leeren* : het Engelsch naar den beroemden Sheridan en het Hollandsch naar de heeren Weiland en Siegenbeek.『英語初学者のための一般的学習書』英語はシェリダン、オランダ語はウェイランドおよびシーヘンベイクによる。オランダ語初版1814年、1854年までに6版まで出版。

5、*English phraseology, or dictionary of English phrases and proverbs, with their translation into Dutch* : compiled from the best authorities.『英語成句』最高の権威によりオランダ語に翻訳された英語の成句とことわざの辞書。オランダ語初版1816年、同年に3版まで出版。

6、*Korte schets der oude geschiedenis, of Beknopt overzigt van de voornaamste volken der oudheid* : ten dienste der Latijnsche en andere scholen『古代史の簡単なスケッチ、または古代世界の主要な人々の概要』ラテン語を含む。フランス語初版1816年、1835年までに4版まで出版。

7、*Grammaire hollandoise pratique, à l'usage des étrangers, et principalement des françois qui veulent apprendre cette langue.*『外国人、主としてフランス人のための実用オランダ語文法』フランス語初版1816年、1820年までに10版まで出版。

8、*Korte beschrijving der staten van Barbarije: Marokko, Algiers, Tunis, Tripoli en Fezzan* : benevens een naauwkeurig verhaal van de roemrijke overwinning door de gecombineerde Britsche en Nederlandsche vloten, onder Lord Exmouth, en den Baron van de Capellen, onlangs voor Algiers.『野蛮国の簡単な説明:モロッコ、アル

ジェ、チュニス、トリポリ、フェザン』最近アルジェのために達成されたエクスマ
ウス卿およびカペレン男爵によるイギリスとオランダの艦隊の輝かしい勝利の
正確な物語。オランダ語初版1816年、同年に3版まで出版。

9、*A practical grammar of the Dutch language* : containing an
explanation of the different parts of speech, all the rules of syntax,
and a great number of practical exercises.
『オランダ語の実用文法』:品詞の解説、構文、実践的演習』英語初版1819
年、1876年までに10版まで刊行。

10、*A practical grammar of the Dutch language*.『オランダ語の実用文
法』英語版1819年　2012年までに17 版を刊行。

11、*Abrégé de l'histoire ancienne, tiré des ouvrages de Rollin,
Barthélemi, Millot, Vertot, et d'autres* : ouvrage à l'usage des
établissemens d'instruction .『ローリン、バステレミ、ミロ、フートーなどの作
品から得られた古代史大要』、教育用教科書。フランス語初版1819年、同
年に2版まで出版。

12、*Fransch lees- en vertaalboekje voor eerstbeginnenden* :
geschikt om de leerlingen tevens in de regels der taal te oefenen.
『初心者のためのフランス語読書と翻訳』オランダ語初版1822年、1866年
までに22版を出版。

13、*Engelsch lees- en vertaalboekje voor eerstbeginnenden* :
bevattende, onder anderen, de noodige aanwijzingen, om het
Engelsch, op eene gemakkelijke wijs, te leeren uitspreken,
『英語初心者の読書と翻訳のための小本』簡単な方法で英語を発音する
方法を学ぶために必要な指示を含む。オランダ語初版1822年、2012年まで

に17版を出版。

14、*Goldsmith's History of Greece : abridged for the use of schools : to which is added: a pronouncing vocabulary of proper names, with a translation of the most difficult words and phrases by Oliver Goldsmith.*『ゴールドスミスのギリシャの歴史』学校用の簡略版。付録:オリバー・ゴールドスミスによる難単語やフレーズの翻訳、固有名詞の発音を含む語彙集。英語初版1823年出版、1846年までに3版まで出版。

15、*Engelsch lees- en vertaalboek voor meergevorderden : bevattende uittreksels uit de beste Engelsche prozaschrijvers, met eene daarbij gevoegde vertaling der moeijelijkste woorden en uitdrukkingen.*『上級者のための英語読書と翻訳の本』:英語の散文作家からの抜粋を含み、難単語と表現の翻訳が添付されている。オランダ語初版1828年、同年に2版まで出版。

16、*R. van der Pijl's Fransch leerboekje voor eerstbeginnenden : geschikt om den kinderen het leeren der Fransche taal gemakkelijk te maken1.*『パイルの、初心者向けフランス語個人教授』子供たちがフランス語を簡単に習得できるのに適している。オランダ語初版1833年、1862年までに7版まで出版。

17、*R. van der Pijl's Engelsche spraakkunst : geschikt om de Engelsche taal op eene geregelde en gemakkelijke wijze grondig te leeren*『パイルの英文法』定期的かつ簡単な方法で英語を完全に学ぶのに適切である。オランダ語初版1837年出版、2版まで出版。

18、*Van der Pijl's Gemeenzame leerwijs, voor degenen, die de Engelsche taal beginnen te leeren : het Engelsch naar den* geroemden Walker en het Nederduitsch naar de heeren Weiland en Siegenbeek.『パイルの初心者のための親しみやすい英語学習書』英語はウォーカー、オランダ語はウェイランドおよびシーヘンベイクによる。オランダ語初版1839年、1857年までに4版まで出版された。

19、*Leerboek der Fransche taal* : bevattende eene verzameling der in het spreken meest gebruikt wordende woorden ...『ローリン、バステレミ、ミロ、フートーなどの作品から取られた古代史の大要』教育施設用。9のオランダ語版。初版1843年、1861年までに3版まで出版された。

　4が本復刻書原典の初版と思われる。18はその1839年改訂初版である。長崎本の底本となった1854年に出版されたオランダの第9版は通算版数となっているようである。パイルの英語の教科書は2、4、5、13、15、17、18である。それらの著作は、初心者の実用的な単語・構文・会話の入門書から、高度な英文法やことわざ、上級者の翻訳術の英語学習書に及んでいる。さらにパイルは、フランス語の教科書や外国人が学ぶためのオランダ語といった言語の教則本のみならず、政治地理や古代史の出版物もある。いずれもオランダ国内で多くの版を重ねている。それゆえ現在オランダの各地の教育機関がRudolf van Pijlの著作を所蔵している。[xvii]

6. 補遺

【蘭文タイトルページの英訳と和訳】
＊蘭本の本文は印刷複製版を参照。
Van der Pijl's/Common/ teaching method,/ For those who are starting to learn the English language: / English after the famous Walker, and/ Dutch after Mr. Weiland and Siegenbeek:/ Ninth and much improved edition/BY/ H.L. SCHULD, IW zu/Private Teacher/ in Dordrecht/ IN DORDRECHT at/ BLUSSE EN VAN

BRAAM/1854/ Reprinted at NAGASAKI/ In the 4th Year of Ansei (1857)

ファン・デル・パイルの初心者のための親しみやすい英語学習書、
有名なウォーカーが英語を、ウェイランド氏とシーヘンベイク氏がオランダ語を
書いている。第9版はドルドレヒトの個人教師H.L.シュルツによりしっかり改善
されている。
ドルトレヒト、ブルッセ・ファン・ブラーム　　1854
長崎で安政4年(1857)復刻

【蘭序文の英訳と邦訳】
＊蘭本の本文は印刷版参照。
PREFACE
This Work, intended for first-time beginners in the English language, contains a glossary of the most commonly used words, as well as a collection of common dialogues and figures of speech to be learnt by heart. Although there is nothing new in this work, I nonetheless believe that it will not be wholly redundant;

As far as I know, there are not many of this type of textbook available

In fact, I believe that books with this kind of content, and in this form, are still in short supply.

I have tried to some extent to eliminate the difficulty of the pronunciation by using some marks. However, I have not done this very extensively, on account of the English Reading and Translation book First ed., printed afterwards by this publisher, and this book is intended for learning to read and for pronunciation.

I have made some changes here and there to WALKER's Pronouncing Dictionary, which is now widely followed and have for this reason replaced SHERIDAN in the title with WALKER.

I sincerely hope that young learners will find much use in this new edition.

I have nothing more to add to the preface above. In the above other than if the undersigned trusts in this original authors work, by the accurate pronunciation of numerous words, as well as by their increased number and other changes in view of the practical nature and usefulness first-time beginners in the English language will have greatly benefitted.

H.L SCHULD J Wzn
DORDRECHT
15 December 1838

本書は、英語の初心者を対象としており、最も広く用いられている単語の用語集に加えて、暗記する一般的な会話と比喩の用語が含まれています。本書に新しいものは何もないのですが、それでも冗長になることはないと信じています。
私の知る限り、この種の教科書はほとんどありません。
実際、このような内容のこの形の本はまだ不足していると思われます。

記号を用いて発音の難しさをある程度解消しようとしています。しかし、この出版社が後に出す英語の読解と翻訳の初版を配慮して、私はこれをあまり広範に実施していません。本書は読むことと発音を学ぶことを目的としています。

ウォーカの『発音辞書』にいくつかの変更を加えました。これは広範にわたるので、タイトルにあるシェリダンの名をウォーカーに書き改めました。
若い学習者がこの新版から多くの用途を見つけることを心から願っています。

R.ファン・デル・パイル

上記の序文に追加することはないのですが、上記に加えてこの元の著者の署名された信頼が生きているとすれば、多数の単語の正確な発音、および実用的な性質の観点からのそれらの数の増加やその他の変更によって、英語の初心者の有用性は大いに恩恵を受けるでしょう。

H.L シュルツ

ドルトデビト

1838年12月15日

i 小曽根乾堂のご子孫で落款研究家の小曽根芳郎氏の鑑定によれば、この印章の文字は乾堂の製作品ということである。

ii この朱印の文字が篆書であることは小曽根氏からの教示による。

iii このときの印刷機は平圧式の手引印刷機であるスタンホープであった。島屋政一『本木昌造伝』朗文堂2001年、64ページ

iv 幕末の長崎印刷史の古賀による研究については本叢書第一巻の『長崎英学史』長崎外国語大学長崎学研究センター、2020年172~196ページ参照。

v 島屋政一『前掲書』84ページ。

vi 活字の鋳造が効率化するのはガンブルによりブルース活字鋳造機や電鋳法が持ち込まれる明治2年以降である。

vii 石山禎一「<研究ノート>フォン・シーボルトが創設した出島オランダ印刷所」『法政史学』法政大学史学会, 2009年、71号

viii 野村正徳「出島版」『洋学史辞典』(日蘭学会、雄松堂出版1984年)p.470-71参照。沼田次郎『出島 日本とオランダの関係』大化書房 1947、『幕末洋学史』刀江書院1950参照。

ix 神崎順一「天理図書館所蔵の長崎版並びに出島版について」『ビブリア』天理圖書館報103、1995年、p158~124、同「幕末の洋学事情と蘭書復刻」『日本印刷学会誌』45巻(2008)4号、p. 220-229。

x 鈴木英治・切坂美子「幕末に作成・刊行された和刻洋書:長崎版の素材と構造」『文化財情報学研究』第8号 pp.47-59.

xi 府川充男「活字の世界」『歴史の文字 記載・活字・活版』(1996年、東京大学総合研究博物館、西野嘉章編、共著)第二部

xii 熊谷 允岐「日本人と単語集：日本における英語語彙学習教材史：江戸編」『異文化コミュニケーション論集』立教大学大学院異文化コミュニケーション研究科 (17), 41-56, 2019。

xiii 国立国会図書館が所蔵する原本は、ネットで全ページが閲覧できる。https://dl.ndl.go.jp/info:ndljp/pid/1699606

xiv パイルの伝記についてはオランダのドルトレヒトのアーカイブに記録が残されている。Rudolf Van Der Pijl, https://www.regionaalarchiefdordrecht.nl/biografisch-woordenboek/rudolph-van-der-pijl-2/。また家族の系譜についてはhttps://www.myheritage.jp/names/rudolf_van%20der%20pijl。

xv 佐野栄一「バルザックの時代に―フラン」『流通経済大学法学部流経法學』5(1), 67-99, 2005。

xvi http://worldcat.org/identities/lccn-no2012112556/

xvii 在オランダのパイルの著作物も上記xiiから検索できる。

【長崎外国語大学原田依子教授（英語学）の注釈】
パイル蘭英文典管見

原田　依子

　大学で英語を教えていると、使用する教科書が「何」を「どのように」説明しているかを通して、その時々の英語教育の潮流の変化に気づくことがある。実践的な英語の習得が求められている今日においては、説明よりも、実際に声に出す、書いてみるなどの、運用の練習に重点が置かれているほか、以前は、文法、リーディング、リスニング、会話、のような細分化された科目も、最近は統合され、リスニングと会話、文法とライティングのように、知識の理解と直結させる形で産出の技能が身につけられるようになってきているように感じられる。

　パイルによる『初心者のための親しみやすい英語学習書（蘭文英文典）』(*Gemeenzame leerwijs, voor degenen, die de Engelsche taal beginnen te leeren : het Engelsch naar den beroemden Sheridan en het Hollandsch naar de heeren Weiland en Siegenbeek.*)の初版は、1839年に執筆され、1857年（安政4年）長崎で復刻されたものである。本書は、初心者を対象に書かれた英語学習の入門書で、扱われている内容も日常生活でよく使われる単語・表現が多い。この本が作られた当時のヨーロッパ諸国は、重商主義に基づく資源獲得やキリスト教の布教活動を行うため、海外への市場拡大を推進していたことから、日常生活でよく使われる英語表現は、外国での活動を円滑に運営し、渡航先の人間関係を構築するためにも、有効であったのだろう。私たちが「入門書」と聞いて想像する、英語という言語の基本的な特徴の解説というよりは、日常生活において知っておくべき、基本的な単語や会話表現が扱われているのも、当時の英語知識を必要とする人々のニーズがそこにあったためと理解することができる。

　全体として、基本単語に多くのページが割かれており、本書のCullis氏

の稿で述べられている通り、最初は、学校で使われる文房具の名称から始まり、親族名称、体の部位を表わす単語や、時間を表わす表現、数字や天気など、日常の中で身の回りにあるものを表わす単語が続いている。目を引くのは、このような日常で使われる単語リストに並び、宗教的な表現のために1セクション設けられている点である。例えば、"flesh"（肉、キリスト教では世俗的な存在）のように、おそらく今日でも日本の初心者向けの単語帳には出ないであろう単語が挙げられていたり、日付を表わす単語の中で、tomorrowやyesterdayと並びtwelfth day（キリスト教の十二日節）やCandlemas（キリスト教の聖燭節）が並んでいる。これは、Cullis氏も指摘していることだが、当時の宣教活動だけでなく、交易を目的に外国に向かう人々の生活に、キリスト教の慣習が根付いており、生活の中で必要な語彙であったためである。

　他にも、食事に関する基本単語の中で、私たちがよく目にするようなmeat, bread, appleの他に、パンだけでも5種類（White Bread, Brown bread, New bread, Stale bread, Household bread）挙げられていたり、会話表現においても、"Will you have fat or lean?"（脂身の多い肉と赤肉とどちらにされますか?:fat（脂身の多い肉）とlean（赤身の肉））のように、肉食文化が浸透した今日の日本においても、入門書ではあまり使わないであろう例文が多く載っている。このように、取り上げられている単語や表現を見ると、ヨーロッパの文化が色濃く反映されているといえるのである。

　このように、オランダ語で書かれた英語の本書には、ヨーロッパ文化が暗黙の前提として存在していて、それら文化的要素を踏まえて、基礎的と思われる単語・表現が取り上げられている。したがって、ヨーロッパ文化を十分に共有しているとは言えない当時の日本において、本書で挙げられている単語・表現を理解し、日本人が理解できるように翻訳することには、大変な苦労があったと想像される。

　一部ではあるが当時の所有者が日本語訳をメモしていて、例えば"fan"という単語には「扇」という日本語が充てられていたり、"weather"には「天色」という日本語が充てられる。"fan"という単語は、換気のための、送風機

や、換気扇のような「機械」や「道具」のようなものを想像するが、当時の日本の生活のなかに存在する言葉で表現すると、「風を送る」という機能に焦点を当てた、「扇」という日用品や雑貨に近いものとして表わされている。今日、日本語の「扇」という言葉から想像されるものは、純粋に風を送るうちわのようなものよりも扇子(せんす)に近いように思われるが、当時の日本の日常生活においては、「扇」という言葉がもっとも近いイメージだったのであろう。また"weather"を「天気」ではなく「天色」としている点も、当時の日本人の捉え方を反映したものであると推測される。このほか、生活習慣や概念体系の異なる外国の単語を、どのように日本語で表現するかで、訳語を探す中での思考が見える点も大変興味深い。

　また、本書が持ち込まれた時代の日本は、姫野解説で説明されている通り、通商を求める外国船の来航により、外国語の、特に英語の知識が急激に必要になり始めた時代である。当時の日本では、まだ外国語といえばオランダ語が主流で、オランダ語を通して英語を学ぶという、いくつものバイアスを通して、英語を理解しなくてはならない時代でもあった。

　単語のリストに続いて、動詞の活用形や、助動詞などのムードを表わす文法項目が単文を用いて紹介されているが、ここで、二人称のみ、後期中英語(Late Hiddle English 1300〜1500年)の"thou"が使われている点である。"thou"が1814年時点でもまだ使われていたのか、それともこれはオランダ語の影響なのか、宗教的な使用の影響なのか、筆者は英語の歴史の専門家ではないため推測の域を出ることができないが、このように、英語史、対照言語学からの文法的な分析は今後別稿で考察する必要がある。

　言葉が表現する意味の世界は、人間や人間が属する時代や場所を超越して客観的に存在するものではなく、その時代のその場所で生活している人々により、有意味なものとして把握されたものが、体系化された世界と考えることができる。本書の面白い点の一つは、そのような、それぞれの言語が固有に持つ意味世界を学び理解するために、教本の作り手が、何を有意味

な知識であると判断し、どのように取捨選択しているかを観察できる点にある。またそれはそのまま、作り手が外国語の知識をどのようなものとして理解しているかに関連させて考えることもできる。

　さらにそれが、本書のように複数の言語に跨って変換されているということは（つまり、オランダ語と英語の記号の交換があり、そこでオランダ語が表現している内容を、英語で表現でき得る範囲の内容に表現し直され、日本語訳されることにより、さらに日本語で表現できる形に表し直されるということは）、単なる記号の置き換えではなく、それぞれの記号とそれが表わす意味の対応関係を支える、言語体系そのものの組み換えが部分的であるにしても、されているのである。

　英語の入門的な教本である本書に、パイルがどのような表現を選び載せているかを通して、私たちは当時の生活や慣習、さらには文化まで知ることができることからも、本書が外国語教育という文脈のみならず、言語学、記号論的、人類学的な文脈においても考察が可能な対象であり、また幅広い観点からの分析により、様々な知見を与えてくれるものであると言える。

【長崎外国語大学スティーブン・カリス特任講師（西洋古典学）の注釈】

Comments on Van Der Pjls Common Teaching Method

Stephen J. Cullis

General Observations on the text

A dictionary or grammar of language from an earlier era reveals a lot to us of the preoccupations of the time and the nature of the authors, and this text is no exception.

Printed at Nagasaki in the years soon after the arrival of Commodore Perrys 'black ships', the book is one the first indications of the turn towards English as the more important language of trade and diplomacy in Japan following its reopening.

Van de Pijls work takes the form of what is in essence a lexicon, with the Dutch entries on the left of the page in alphabetical order and words also grouped into categories, such as Parts of Speech (grammatical elements) as well as purely lexical entries, in other words, vocabulary deemed to be the most useful to the learner. But what kind of learner?

The Dutch at the time were one of the leading maritime merchant trading nations (Dutch East India Company etc) and the entries and categories often reflect a mercantile as well as a heavily Christian bent, with numerous entries for Christian feast days (p.13), including Ember-week, Maundy-Thursday and so on, terms familiar to most Europeans and strictly observed wherever they might be in the world during their mercantile activities. (Pages 30-33) give even more lexical entries of the articles of Christian faith, in the section 'of Religion etc'

Page 17-18 detail the stars and the tides compass directions, storms, tempests, whirlwinds etc, again something very germane to the seaborne merchantman. Bread, the staple food of the Dutch as wells amany European cultures, is given close attention on p.19 with no less than 10 different entries detailing different states and types of the foodstuff.

Housing and house contents (p.27-29) are extensively treated in the lexicon, essential when building a home from home abroad and getting both the materials and local labour to construct living and trading quarters.

In the section of the countries and nations (p.37) it is interesting to note the inclusion of the term the United Provinces, the former name of the Nederland up until 1795 (the Batavian Revolution), no longer in existence but clearly of importance to any patriotic Dutchman. Also included among the races of the world are Barbarians..presumably the inhabitants of Barbary (the name for the North African coast at the time). Considerable attention is also devoted to military matters, the names of ranks, materiel, weapons and so on, (p39-41), in particular the musket and all its parts on p.40, revealing the military technology and equipment of the infantryman of the day.

'The soul and its faculties' is listed on p 53, and it is apparent at this time in history that the mind is yet to replace the soul as the seat of reason.

From p 87 onwards there is a section of grammar and example dialogues for practicing English in typical situations and it's the latter which is the most interesting for the social or bibliohistorian. The Familiar Phrases on p.100 reflect the beginning of Modern English of the early 19th C with such entries as, 'He shifts as he can' 'Whither shall you go?' and 'It is I', I am Glad of it etc.

The example dialogues begin on p.111 and run to 24 in number, covering what were typical everyday situations of the time and afford us a window into early 19th Century life and manners as well as its preoccupations.

The dialogues start off with subject areas such as greetings, taking a walk, entertaining guests, buying cloth and ordering a suit, the marriageability of sons and daughters, dialogue 13 warns against the dangers of reading too much, something the mercantile and practical minded Dutch merchant presumably considered to be a potentially harmful use of ones leisure. The middle dialogues deal with illness, trade and business and some light relief afforded by way of a trip to the theatre, albeit with an ominous title on show 'The Modern Bankruptcy', which is one way of mixing business with pleasure, one might suggest. The last dialogue provides a little practice at argument or at least disagreement with another. One the whole the dialogues cover a variety of scenes which were thought of use to the merchant or travel

er in commerce of the era.

Physical Observations

There is evidence of a Russian user of the book on the first and second pages of the actual lexicon, where a piece of paper has been affixed with a handwritten crib in Russian.

There is evidence on several pages of Japanese handwritten notes/translations of the vocabulary, on pages 8, 9 and 10, and extensively through the middle of the book.

In addition to a preface, there is an explanation which provides a limited guide to pronunciation and syllable stress position (').

英語教科書原典

パイル『蘭英文典初歩』
1857年長崎西役所版

VAN DER PIJL'S

GEMEENZAME

LEERWIJS,

VOOR DEGENEN, DIE DE ENGELSCHE TAAL
BEGINNEN TE LEEREN.

本書の原本は、早稲田大学図書館洋学文庫の所蔵本である。
本書の復刻を許可していただいた
早稲田大学図書館に感謝いたします。

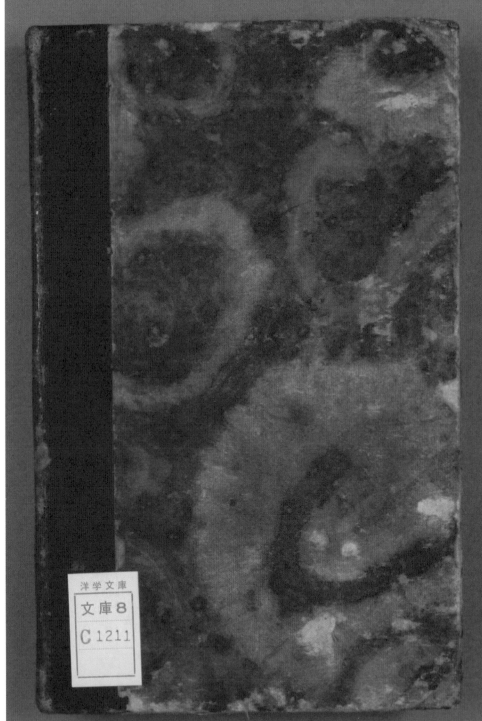

安政二年長崎に於て畫題渡

蘭英對話

VAN DER PIJL'S

GEMEENZAME

LEERWIJS,

VOOR DEGENEN, DIE DE ENGELSCHE TAAL BEGINNEN TE LEEREN.

HET ENGELSCH NAAR DEN BEROEMDEN WALKER, EN
HET NEDERDUITSCH NAAR DE HEEREN WEILAND
EN SIEGENBEEK.

NEGENDE EN VEEL VERBETERDE UITGAVE.

DOOR

H. L. SCHULD, IWzn.

Privaat-Onderwijzer te Dordrecht.

———

TE DORDRECHT, BIJ
BLUSSE EN VAN BRAAM,

1854.

NAGEDRUKT
TE NAGASAKI
IN HET 4de JAAR VAN ANSEI (185).

41

VOORBERIGT.

Dit Werkje, bestemd voor eerstbeginnenden in de Engelsche taal, bevat eene woordenlijst der in het spreken meest gebruikt wordende woorden, benevens eene verzameling van zamensprakken en spreekwijzen; het is dus een boekje om van buiten te leeren.

Hoewel dit Werkje niets nieuws bevat, geloof ik echter niet, dat hetzelve geheel overtollig zal zijn; daar de voorraad zelfs van deze soort van leerboekjes voor de Engelsche taal, voor zoo ver ik weet, niet zeer groot is. Ik geloof zelfs dat een, van dezen inhoud, en in dezen vorm, nog ontbreekt.

De moeijelijkheid van de uitspraak heb ik eenigermate trachten weg te nemen, door het gebruik van sommige teekenen. Ik heb dit evenwel niet zeer breedvoerig gedaan, uit hoofde het *Engelsch Lees- en Vertaalboekje, 1e St.*, bij de Uitgevers dezes naderhand gedrukt, hoofdzakelijk tot het leeren lezen en uitspreken bestemd is.

Ik heb hier en daar eenige veranderingen naar de *Pronouncing Dictionary* van WALKER gemaakt, die thans algemeen gevolgd wordt; van daar dat SHERIDAN op den titel door WALKER vervangen wordt.

Dat de leerende jeugd ook deze nieuwe uitgaaf met vrucht moge gebruiken, wensch ik van harte.

R. VAN DER PIJL.

Bij bovenstaande Voorberigt heeft de Ondergeteekende verder niets te voegen, dan dat, zoo hij vertrouwt, dit Werkje van wijlen den oorspronkelijken Schrijver, door de naauwkeurigere opgave van de uitspraak van een aantal woorden, alsmede door de gebragte vermeerdering en andere wijzigingen in het zelve, in bruikbaarheid en nut voor eerstbeginnenden in de Engelsche taal zal gewonnen hebben.

H. L. SCHULD, JWzn.

DORDRECHT,
den 15 December 1838.

VERKLARING

DER

TEEKENEN, DIE DE UITSPRAAK AANDUIDEN.

1º. Wanneer eene letter in het geheel niet uitgesproken wordt, is zij in cursijf gedrukt, b. v. de *i* in friend, *vriend*. Hiervan is echter de *e*, op het einde der woorden, uitgezonderd, zoo als in: love, *liefde*.

In wHale, *walvisch*; wHat, *wat*, enz. duidt de klein kapitale H aan, dat zij in deze woorden voor de *w* in de uitspraak moet gehoord worden, b. v. wHale (*hwale* of *hoeël*).

2º. Wanneer de *i* als *ai* luidt, vindt men op dezelve een scherp toonteeken (′), b. v. wife (*waif*), *vrouw*; luidt zij daarentegen als eene korte *i*, dan is zij niet geteekend: to give (*to giv*), *geven*.

3º. Wanneer *ea* als de Nederduitsche tweeklank *ie* luidt, dan is de *e* met een scherp toonteeken geteekend, b. v. léaf (*lief*), *blad*. Luidt *ea* als eene korte *e*, bijna zoo als in ons woord *bed*, dan is de *a* geteekend: leàd (*led*, *lood*.)

4º. T/h, dus geteekend, heeft eenen scherp lispenden klank, zoo als in: t/hin, *dun*. Zie Engelsch Lees- en Vertaalboekje, 1e St., bladz. 35.

5º. C/h, dus geteekend, luidt als *k*, b. v. in: monarc/h (*mon'erk*), *monarch*.

6º. De lettergreep, waarop de klemtoon valt, is, bij de moeijelijkste woorden, van boven door een afsnijdingsteeken aangeduid, b. v. in het woord obe'dient, *gehoorzaam*, waarin de klemtoon op *le* valt.

Is de uitspraak van een woord min of meer vreemd, dan staat dezelve, zoo juist mogelijk, er tusschen twee haakjes achter.

GEMEENZAME
LEERWIJS.

———◦◦◦———

	The Parts of Speech.
	An ar'ticle.
	A noun substantive.
	A noun adjective.
	A pronoun.
	A verb.
	A par'ticiple.
	The nouns of number.
	An adverb.
	A preposi'tion.
	A conjunction.
	An interjection.
	Of a School, etc.
Столъ	The table.
Стулъ	The form, the bench.
перо	The pen.
снопъ перо	A bunch of pens.
Ножикъ	The penknife.
Бумага	Paper.
листовои бумага	A sheet (*sjïet*) of paper.
	A quire (*kwair*) of paper.
	A ream of paper.
	Ink.
чернильница	An inkstand, inkhorn.

A

45

VERKLARING

DER

TEEKENEN, DIE DE UITSPRAAK AANDUIDEN.

1º. Wanneer eene letter in het geheel niet uitgesproken wordt, is zij in cursijf gedrukt, b. v. de *i* in f*r*iend, *vriend*. Hiervan is echter de *e*, op het einde der woorden, uitgezonderd, zoo als in: love, *liefde*.

In wʜale, *walvisch*; wʜat, *wat*, enz. duidt de klein kapitale ʜ aan, dat zij in deze woorden voor de *w* in de uitspraak moet gehoord worden, b. v. wʜale (*hwale* of *hoeëel*).

2º. Wanneer de *i* als *ai* luidt, vindt men op dezelve een scherp toonteeken (ʹ), b. v. wífe (*waif*), *vrouw*; luidt zij daarentegen als eene korte *i*, dan is zij niet geteekend: to give (*to giv*), *geven*.

3º. Wanneer *ea* als de Nederduitsche tweeklank *ie* luidt, dan is de *e* met een scherp toonteeken geteekend, b. v. léaf (*lief*), *blad*. Luidt *ea* als eene korte *e*, bijna zoo als in ons woord *bed*, dan is de *a* geteekend: leád (*ledd*, *lood*.)

4º. T/h, dus geteekend, heeft eenen scherp lispenden klank, zoo als in: t/hin, *dun*. Zie En-*gelsch Lees- en Vertaalboekje*, 1º St., bladz. 35.

5º. C/h, dus geteekend, luidt als *k*, b. v. in: monarc/h (*monʹerk*), *monarch*.

6º. De lettergreep, waarop de klemtoon valt, is, bij de moeijelijkste woorden, van boven door een afsnijdingsteeken aangeduid, b. v. in het woord obe'dient, *gehoorzaam*, waarin de klemtoon op *le* valt.

Is de uitspraak van een woord min of meer vreemd, dan staat dezelve, zoo juist mogelijk, er tusschen twee haakjes achter.

GEMEENZAME
LEERWIJS.

———◦◦◦———

De Rededeelen.	The Parts of Speech.
Een lidwoord.	An ar'ticle.
Een zelfstandig naam-woord.	A noun substantive.
Een bijvoegelijk naam-woord.	A noun adjective.
Een voornaamwoord.	A pronoun.
Een werkwoord.	A verb.
Een deelwoord.	A par'ticiple.
De telwoorden.	The nouns of number.
Een bijwoord,	An adverb.
Een voorzetsel.	A preposi'tion.
Een voegwoord.	A conjunction.
Een tusschenwerpsel.	An interjection.

Van eene School, enz.	*Of a Sc,hool, etc.*
De tafel.	The table.
De bank.	The form, the bench.
De pen.	The pen.
Een bos pennen.	A bunch of pens.
Het pennemes.	The pen*k*nife.
Papier.	Paper.
Een vel papier.	A sheet (*sjiet*) of paper.
Een boek papier.	A quire (*kwair*) of paper.
Een riem papier.	A ream of paper.
Inkt.	Ink.
Een inktkoker.	An inkstand, inkhorn.

A

аспата	A slate.
аспитъ перо	The slatepencil.
Озбесть	The sponge or spunge.
линейка	The ruler.
Карандашъ	The leadpencil, the cray'on.
архивъ	The desk.
разныи письмо	A letter.
печать	The date.
<	The signature (*sig'ne-tjoer*).
правленie	The cov'er.
	The direction.
	A line.
книга	A book.
писчій бумага	A writing-book.
письмо	A writing.
половинои	A foul copy.
бумага	A page (*peidsj*), a side.
прописи	A copy, an exam'ple.
образецъ	A leaf.
	A pencase.
	Blotting-paper.
песокъ	Sand.
песочницъ	The sandbox.
складычкіе бумага	A folding-stick.
словесность	An exercise.
	A fault.
	The seal.
	Sealing-wax.
сургучъ	Wafers.
	A wafersbox.
	A writing-table.
пятно	A spot.
можевеловая смола	San'darac.

48

Eene belooning.	A reward.
Eene straf.	A punishment.
De meester.	The master, the teacher. (*tietsj'-ir*).
De ondermeester.	The under-master, the ush'er.
Een leermeester.	A precep'tor, a tutor.
Een scholier.	A sc/hol'ar.
Een leerling.	A pupil, a disciple.
Eene kostschool.	A boarding-sc/hool.
Eene zedelijke opvoeding.	A mor'al educa'tion.
Een goed onderwijs.	A good instruction.
Trappen van Bloedver-wantschap, enz.	*Degrees of Kindred, etc.*
De bloedverwanten.	The relations.
Een nabestaande, bloed-verwant.	A kinsman, a male rela-tion.
Eene nabestaande, bloed-verwant.	A kinswoman, a female relation.
Het huisgezin.	The fam'ily.
De ouders.	The parents.
De vader.	The father.
De moeder.	The mother.
De grootvader.	The grandfather.
De grootmoeder.	The grandmother.
De overgrootvader.	The great-grandfather.
De overgrootmoeder.	The great-grandmother.
De zoon.	The son.
De dochter.	The daughter.
De kleinzoon.	The grandson.
De kleindochter.	The granddaughter.
De broeder.	The brother.
De zuster.	The sister.
De oudste broeder.	The eldest brother.
De oudste zuster.	The eldest sister.

A 2

De jongste broeder.	The youngest brother.
De neef (broeders of zusters zoon).	The nephew (nev'joe).
De nicht (broeders of zusters dochter).	The niece (nies).
De oom.	The uncle.
De moei.	The aunt.
De neef (ooms of moeis zoon).	The cousin.
De nicht (ooms of moeis dochter).	The she-cousin, the female cousin.
De volle neef.	The cousin german.
De schoonvader.	The father-in-law. (lau).
De schoonzuster.	The sister-in-law.
De peetoom.	The godfather.
De doopzoon.	The godson.
Tweelingen.	Twins.
Een vondeling.	A foundling.
Een weeskind.	An orphan.
De voogd.	The guardian (giar'di-en).
Een weduwenaar.	A wid'ower.
Eene weduwe.	A widow, a rel'ict.
Een erfgenaam.	An heir.
Eene erfgenaam.	An heiress.
Een oud man.	An old man.
Eene oude vrouw.	An old woman.
De bruidegom.	The bridegroom.
De bruid.	The bride.
Een gehuwd man.	A husband.
Eene gehuwde vrouw.	A wife.
De echtgenoot (man of vrouw).	The spouse, the con'sort.
Eene baker.	A dry nurse.
Eene min.	A nurse.
Eene kamenier.	A chambermaid.
Eene kindermeid.	A nursery maid.

Een knecht.	A val'et, a man-servant.
Eene meid.	A maid, a maid-servant.
Een kind, kinderen.	A child, children.
Een jongen.	A boy.
Een meisje.	A girl.
Een jongeling, jongman.	A young man, a lad.
Eene jonge dochter.	A young girl, a lass.
De kindschheid.	Childhood.
De jongelingschap. jeugd.	Yout,h, adoles'cence.
De mannelijke jaren.	Manhood.
De ouderdom.	Old age.

De deelen van het men- schelijk Ligchaam, enz.	The Parts of the hu'man Body, etc.
Een lid.	A member, a limb.
De ziel.	The soul (sool).
Het hoofd.	The head.
Het voorhoofd.	The forehead (for' hid).
Het aangezigt.	The face.
De wang.	The cheek (tsjiek).
De mond.	The mout,h.
Het verhemelte.	The palate (pel'et).
De neus.	The nose.
De neusgaten.	The nostrils.
Een oor.	An ear.
De lippen.	The lips.
Een tand.	A toot,h.
De tanden.	The teet,h.
De kiezen.	The grinders.
De kin.	The chin (tsjin).
Het oog.	The eye.
Het ooglid.	The eyelid.
De wenkbraauw.	The eyebrow.
De oogappel.	The eyeball.
Het haar.	The hair.
De baard.	The beard.

De tong.	The tongue.
De keel.	The t, hroat.
Het kakebeen.	The jaw (dsjau).
De slaap van het hoofd.	The temple.
De nek.	The neck.
De boezem.	The bosom hoe'zim).
De borst.	The breast.
Het tandvleesch.	The gum.
De arm.	The arm.
De elleboog.	The elbow.
De schonder.	The schoul'der.
De hand.	The hand.
De regterhand.	The right-hand.
De linkerhand.	The left-hand.
De vinger.	The finger.
De duim.	The t, humh.
De pink.	The little finger.
De knokkel.	The knuckle.
De vuist.	The fist.
De nagel.	The nail.
Het gewricht van de hand.	The wrist.
De rug.	The back.
De zijde.	The side.
De lendenen.	The reins.
Een been.	A bone.
Het vleesch.	The flesh.
De aderen.	The veins.
Het been.	The leg.
De voet.	The foot.
De voeten.	The feet.
De voetzool.	The sole of the foot.
De teen.	The toe.
De groote teen.	The great toe.
De hiel.	The heel.
De enkel.	The ancle.
De knie.	The knee.

De dij.	The t,high.
De kuit.	The calf of the leg.
De scheen.	The shin.
De buik.	The belly.
De navel.	The navel.
De nieren.	The kidneys.
De long.	The lungs.
De maag.	The stom'ac,h.
De ingewanden.	The entrails.
Het hart.	The heart (hart).
De lever.	The liv'er.
De milt.	The spleen.
De darmen.	The bowels.
De zenuwen.	The sin'ews, the nerves.
Eene spier.	A muscle (mu'sil).
De gal.	The gall.
De heup.	The hip.
De ribben.	The ribs.
De vijf zinnen.	The five senses.
Het gezigt.	The sight.
Het gehoor.	The hearing.
De reuk.	The smell.
De smaak.	The taste (teest).
Het gevoel.	The feeling.
Eene ziekte.	A disease, a sickness, an illness.
Eene ongesteldheid,	An indisposi'tion.
De besmetting.	The conta'gion.
De pijn.	The pain.
Hoofdpijn.	Headac,he or headake.
Buikpijn.	Bellyac,he.
Tandpijn.	Toot,hac,he.
Scheele hoofdpijn.	Megrim.
De koorts.	The fever.
Eene verkoudheid.	A cold.
De hoest.	The cough (kof).

53

De slijm.	The phlegm (*flem*).
Eene zeere keel.	A sore t,hroat.
De kinderpokken.	The smallpox.
De mazelen.	The measles.
De pleuris, het zijlewee.	The pleuresy (*ploe'resi*).
Het kolijk.	The col'ic.
De pest.	The plague.
De geelzucht.	The jaundice.
De tering.	{ The *Phthisic* (*tiz'ik*); The *Phthisis* (*t,hai'sis*).
De steen.	The stone.
Eene zweer.	A sore, an ulcer.
Een likdoorn.	A corn.
Een likteeken.	A scar.
Eene wrat.	A wart.
Een gezwel.	A swelling.
Eene kneuzing.	A bruise (*broez*).

Kleederen, enz. — *Clothes, etc.*

Mans kleederen.	Man's clothes (*kloothz*).
Een pak (kleederen).	A suit (*sjoet*).
Een mantel.	A cloak, a mantle.
Een jas.	A surtout (*surtoet'*).
Een rok.	A coat.
Een vest.	A waistcoat.
Een hemd.	A shirt.
Een vrouwenhemd.	A shift.
Een hemdrok.	An under waistcoat.
Een broek.	{ A pair of trou'sers. A pair of breeches.
Eene onderbroek.	A pair of drawers.
De mouwen.	The sleeves.
De kraag.	The collar.
De zakken.	The pockets.
De vouwen.	The plaits.
Een dijzak.	A breeches-pocket.

De das.	The crava't.
De zoom.	The hem.
De naden.	The séams.
Het horologiezakje.	The fob.
Kousen.	Stockings.
Onderkousen.	Under-stockings.
Zijden kousen.	Silk stockings.
Schoenen.	Shoes.
Laarzen.	Boots.
Pantoffels, muilen.	Slippers.
De zolen.	The so'les.
Gespen.	Buckles.
De riemen.	The straps.
De tong der gesp.	The tongue.
Handschoenen.	Gloves.
Een hoed (eens mans).	A hat.
Eene pruik.	A per'iwig.
De kam.	The comb.
Een kleerborstel.	A brush.
De knoopen.	The buttons.
De knoopsgaten.	The buttonholes (koels).
Een scheermes.	A razor.
Een zakdoek.	A handkerchief (heng'ker-tsjief).
Een japen.	A gown, a mantua (men'-tsjoe-e).
Een vrouwenrok.	A petticoat.
Een onderrok.	An under-petticoat.
Een halskraag.	A tucker.
Een korset.	A bod'ice.
Het keurslijf.	The stays.
Een rijgsnoer.	A lace.
Eene nachtmuts.	A nightcap.
Het kapsel.	The headdress.
De voorschoot.	An apron (ee'porn).
Eene muts, een hoed (eener vrouw).	A bon'net.

55

Een masker.	A mask.
Poeder.	Powder.
De poederdoos.	The powderbox.
De kwast.	The puff.
Een oorring.	An earring.
Een halssieraad.	A neck'lace.
Juweelen.	Jewels.
Een stel diamanten.	A set of di'amonds.
Reukwater.	Scented-water.
Een reukfleschje.	A smelling-bottle.
Een zeepbal.	A washball.
Een waaijer.	A fan.
Eene naald.	A needle.
Eene speld.	A pin.
Een naaldenkoker.	A needlebox.
Eene breinaald.	A knitting-needle.
Een spiegel.	A looking-glass.
Kant.	Lace.
Lint.	Ribbon, riband (rib'in).
Een bril.	A pair of spec'tacles.
Een horologie.	A watch.
De ketting.	The chain.
Eene snuifdoos.	A snuffbox.
Eene tabaksdoos.	A tobac'cobox.
Eene beurs.	A purse.
Een degen.	A sword.
Een rotting.	A cane.
Sporen.	Spurs.
Laken.	Cloth.
Linnen.	Linen (lin'in).
De voering.	The lining.
Fluweel.	Velvet.
Bontvoering.	Fur.
Zijden stof.	Silk stuff.
Leder, leer.	Leather.
Satijn.	Satin.

Trijp.	Plush.
Sergie.	Serge (serdsj).
Gaas.	Gauze.

De dagen van de Week. | The days of the Week.

Zondag	Sunday.
Maandag.	Monday.
Dingsdag.	Tuesday (tjoesdee).
Woensdag.	Wednesday (wenzdee).
Donderdag.	T,hursday.
Vrijdag.	Friday.
Zaturdag.	Saturday.

De Maanden van het Jaar. | The Months of the Year.

Jannarij.	Jan'uary.
Februarij.	Feb?ruary.
Maart.	March.
April.	A'pril.
Mei.	May (mee).
Junij.	June (de joen).
Julij.	July (dsjoelai?).
Augustus.	Au'gust.
September.	September.
October.	October.
November.	November.
December.	December.

Van den Tijd, enz. | Of Time, etc.

Het begin.	The beginning.
Het midden.	The middle.
Het einde.	The end.
Eene eeuw.	A cen'tury, an age.
Een jaar.	A year.
Een half jaar.	Half a year.
Eene maand.	A mont,h.
Veertien dagen.	A fort'night.

Acht dagen.	A se'nnight.
Eene week.	A week.
Een dag.	A day.
Het krieken van den dag.	The break of day, daybreak.
De dageraad.	The dawn.
De opgang der zon.	Sunrise.
De ondergang der zon.	Sunset.
De morgen- en avondschemeringen.	The crepuscule (kripos'lijoel).
De morgen, morgenstond.	The morn'ing, the morn.
De voormiddag.	The forenoon.
De middag.	Noon.
De namiddag.	The afternoon.
Schemeravond.	Twilight.
De avond, avondstond.	The e'vening, the even.
De nacht.	The night.
Middernacht.	Midnight.
Een uur.	An hour.
Een half uur.	Half an hour.
Een kwartier.	A quarter of an hour.
Eene minuut.	A minute (minnit).
Eene sekonde.	A sec'ond.
Een oogenblik.	A moment, an in'stant.
Van daag.	To-day.
Gisteren.	Yesterday.
Gisteren avond.	Last night.
Morgen.	To-morrow.
Overmorgen.	The day after to-morrow.
Eergisteren.	The day before yesterday.
Des anderen daags.	The next day.
De verledene week.	Last week.
Een werkdag.	A working-day, a work day.
Een heilige dag.	A holyday, a fes'tival.
Nieuwjaarsdag.	New-years' day.

Driekoningen.	Twelft'h-day, Epiph'any.
Vrouwendag.	Candlemas.
Vastenavond.	Shro've-Tuesday.
Aschdag.	Ash-Wednesday.
De vaste.	Lent.
Maria boodschap.	Annuncia'tion-day.
Palmzondag.	Palm-Sunday.
Quatertemper.	Ember-week.
Witte Donderdag.	Maundy-Thursday.
Goede Vrijdag.	Good-Friday.
Paschen.	Easter.
Hemelvaartsdag.	Ascension-day.
Pinkster.	Whit'suntide.
Allerheiligen.	All-saints-day.
Allerzielen.	All-souls-day.
Keremis.	C,hristmas.
Kersavond.	C,hristmas-eve.
Kersdag.	C,hristmas-day.
Sint Jan (24 Junij).	Midsummer.
Sint Michiel (29 September).	Mic,h'aelmas.
Een bededag.	A prayerday.
Een vastendag.	A fastday.
Een vleeschdag.	A fleshday.
Een vischdag	A fishday.
De vier jaargetijden.	The four seasons.
De lente.	The spring.
De zomer.	The summer.
De herfst.	The autumn.
De winter.	The winter.

Van de Getallen.	*Of Numbers.*
1. Een.	I. One (*wan*).
2. Twee.	II. Two.
3. Drie.	III. T,hree.
4. Vier.	IV. Four.

59

5. Vijf.	V. Five.
6. Zes.	VI. Six.
7. Zeven.	VII. Sev'en.
8. Acht.	VIII. Eight.
9. Negen.	IX. Nine.
10. Tien.	X. Ten.
11. Elf.	XI. Elev'en.
12. Twaalf.	XII. Twelve.
13. Dertien.	XIII. T,hirteen.
14. Veertien.	XIV. Fourteen.
15. Vijftien.	XV. Fifteen.
16. Zestien.	XVI. Sixteen.
17. Zeventien.	XVII. Sev'enteen.
18. Achttien.	XVIII. Eighteen.
19. Negentien.	XIX. Nineteen.
20. Twintig.	XX. Twenty.
21. Een en Twintig.	XXI. Twenty one.
22. Twee en Twintig. enz.	XXII. Twenty two.
30. Dertig.	XXX. T,hirty.
33. Drie en dertig.	XXXIII. T,hirty t,hree.
40. Veertig.	XL. Forty.
44. Vier en veertig.	XLIV. Forty four.
50. Vijftig.	L. Fifty.
55. Vijf en vijftig.	LV. Fifty five.
60. Zestig.	LX. Sixty.
66. Zes en zestig.	LXVI. Sixty six.
70. Zeventig.	LXX. Sev'enty.
77. Zeven en zeventig.	LXXVII. Sev'enty sev'en.
80. Tachtig.	LXXX. Eighty.
88. Acht en tachtig.	LXXXVIII. Eighty eight.
90. Negentig.	XC. Ninety.
99. Negen en negentig.	XCIX. Ninety nine.
100. Honderd.	C. Hundred, a hundred, one hundred.
110. Honderd en tien.	CX. Hundred and ten.
200. Twee honderd, enz.	CC. Two hundred.

500. Vijf honderd.	D. Five hundred.
600. Zes honderd, *enz.*	DC. Six hundred.
1000. Duizend.	M. T,housand, a t,hou-sand, one t,housand.
1838. Achttien honderd acht en dertig.	MDCCCXXXVIII. Eigh-teen hundred and t,hir-ty eight. One t,housand eight hun-dred and t,hirty eight.
100,000. Honderd dui-zend.	CM. Hundred t,housand.
1,000,000. Een millioen, *enz.*	XCM. A million.
De eerste.	The first.
De tweede.	The second.
De derde.	The t,hird.
De vierde.	The fourt,h.
De vijfde.	The fift,h.
De zesde.	The sixt,h.
De zevende.	The sev'ent,h.
De achtste.	The eight,h.
De negende.	The nint,h.
De tiende.	The tent,h.
De elfde.	The elev'ent,h.
De twaalfde.	The twelft,h.
De dertiende. *enz.*	The thirteent,h
De twintigste.	The twentiet,h.
De een en twintigste, *enz.*	The twenty first.
De honderdste.	The hundredt,h.
De honderd en eerste.	The hundred and first.
De honderd acht en ze-ventigste.	The hundred and sev'enty eight,h.
De vijf honderdste.	The five hundredt,h.
De duizendste.	The t,housandt,h.
De millioenste, *enz.*	The milliont,h.
Eens, eenmaal.	Once, one time.

Tweemaal.	Twice, two times.
Driemaal.	T,hrice, t,hree times.
Viermaal.	Four times.
Twintigmaal, enz.	Twenty times.
Enkelvoudig.	Single.
Dubhel.	Twofold, double.
Drievoudig.	T,hreefold (treble or triple).
Viervoudig.	Fourfold (quadruple).
Honderdvoudig, enz.	Hundredfold (centuple).
Ten eerste, in de eerste plaats.	Firstly, in the first place.
Ten tweede, in de tweede plaats, enz.	Secondly, in the second place.

Van de Wereld in het algemeen.	*Of the World in general.*
De bajert, een mengelklomp.	The chaos (kee'os).
De natuur.	Na'ture.
Het heelal.	The u'niverse.
De wereld.	The world.
De hemel.	Heaven.
De aarde.	The eart,h.
Het uitspansel.	The fir'mament, the sky.
Het licht.	The light.
De duisternis.	The darkness.
De schaduw.	The shad'ow.
De zon.	The sun.
De zonnestralen.	The sunbéams.
De maan.	The moon.
De maneschijn.	The moonshine.
Het eerste en laatste kwartier.	The first and last quarter.
Nieuwe maan.	New moon.
De volle maan.	The full moon.

Eene star, ster.	A star.
Eene vaste ster.	A fixed star.
Eene planeet, dwaalster.	A plan'et.
Eene komeet, staartster.	A com'et, a blazing-star.
Eene verduistering.	An eclipse (*ie-klips'*).
De zee.	The séa.
Het water.	The water.
Zeewater.	Séa-water.
De golven.	The waves.
Het schuim.	The foam (*foom*).
De kust.	The séa-coast.
De vloed (wassend water).	The flood, the flux (a flowing tide).
De eb (vallend water).	The ebb, the reflux (an ebbing tide).
Het getij, tij.	The tide.
Hoog water.	High water.
Laag water.	Low water.
Het strand, de wal.	The shore.
De oever.	The bank.
Eene rivier.	A river.
De oorsprong of bron (eener rivier).	The spring.
De stroom of loop (eener rivier).	The stréam.
Een meer.	A lake.
Een vijver.	A pond.
Een vischvijver.	A fish-pond.
Een moeras.	A marsh.
Eene fontein.	A fountain.
Eene beek.	A brook, a rivulet (*riv'-joe-lit*).
Het weder.	The weather.
De warmte.	The héat.
De koude.	The cold.
De droogte.	The dry'ness.

B

De vochtigheid.	The dampness, the wet.
De wind.	The wind.
Een zacht windje.	A gentle *or* soft wind.
Eene stijve koelte.	A fresh (*or a strong*) gale.
Een gunstige wind.	A fair wind.
Een tegenwind.	A contrary wind.
Een draaiwind.	A whirl-wind.
Een onweder	A storm.
Een storm.	A tempest.
Een orkaan.	A hur'ricane.
Het noorden.	The nort/h.
Het oosten.	The east.
Het zuiden.	The sout/h.
Het westen.	The west.
De lucht.	The air.
Eene wolk.	A cloud.
De regen.	The rain.
Eene regenboog.	A rainbow.
De sneeuw.	The *snow*.
Een sneeuwvlok.	A flake of *snow*.
De hagel.	The hail.
Het ijs.	The ice.
Een ijskegel.	An i'cicle (*ai'-si-kil*).
De donder.	The t/hunder.
Een donderslag.	A t/hunderclap.
De bliksem.	The lightning.
Een bliksemstraal.	A flash of lightning.
De dauw.	The dew.
De vorst.	The frost.
De ijzel.	The glazed frost.
De rijp.	The hoar-frost, the rime.
De dooi.	The t/haw.
Eene uitwaseming.	An exha/ation.
Een damp.	A va'pour.
De mist.	The fog.
Eene aardbeving.	An eart/hquake.

Eene overstrooming.	An inundation. a deluge (del'joedsj).
Een eiland.	An ísland.
Een schiereiland.	A peninsula (pennin'sjoe-le).
Eene kaap.	A cape.
Een voorgebergte.	A prom'ontory.
Eene landëngte.	An isth'mus.
Een vast land.	A con'tinent.
Een berg.	A mountain.
Een heuvel.	A hill.
Eene rots.	A rock.
Eene vallei, een dal.	A valley.
Eene vlakte.	A plain.
Eene grot.	A grotto.
Een hol.	A den.
Eene spelonk.	A cav'ern.
Van het Eten en Drinken, enz.	*Of Eating and Drinking, etc.*
Het voedsel.	Food.
Levensmiddelen.	Victuals (vit'ils).
Een maal.	A méal.
Het ontbijt.	The breakfast.
Het middagmaal.	The dinner.
Het avondmaal.	The supper.
Brood.	Bread.
Een brood.	A loaf (loof).
Wit brood.	White bread.
Roggenbrood.	Brown bread.
Versch brood.	New bread.
Oudbakken brood.	Stale bread.
Huisbakken brood.	Household bread.
De korst.	The crust.
De kruim.	The crumb.
Deeg.	Dough.

Zuirdeeg.	Leáven.
Meel.	Méal.
Zemelen.	Bran.
Beschuit.	Bi-cuit (*bis' kit*).
Kaas.	Cheese.
Boter.	Butter.
Eijeren.	Eggs.
Versche eijeren.	New-laid eggs.
Ossenvleesch.	Beef.
Gekookt vleesch.	Boiled meat.
Gebraden vleesch.	Roasted meat.
Gestoofd vleesch.	Stewed meat.
Eene gerookte rib.	A smoked rib.
Varkensvleesch.	Pork (*poork*).
Spek.	Bacon.
Lamsvleesch.	Lamb.
Kalfsvleesch.	Véal.
Eene kalfsschijf.	A fillet of véal.
Een kalfsschenkel.	A knuckle of véal.
Een schapenbout.	A leg of mutton.
Ham.	Ham.
Worst.	Sausage (*ses'-sidsj*).
Een beuling.	A pudding.
Een bloedbeuling.	A blood pudding.
Wildbraad.	Venison (*vin' izun*).
Een vleugel.	A wing.
Een boutje.	A leg.
Visch.	Fich.
Aardappelen.	Pota'toes.
Groenten.	Veg'etables.
Salade.	Sal'ad.
Kropsalade.	Cab'bage-lettice.
Wortelen.	Carrots.
Boonen.	Béans.
Erwten.	Péase.
Kool.	Cabbage.

Rapen, knollen.	Turnips.
Zuring.	Sorrel.
Bloemkool.	Cauliflower.
Zelderij.	Celery.
Kervel.	Chervil.
Komkommers.	Cucumbers (*koukum-bers*).
Andijvie.	Endive.
Postelein.	Pur'slain.
Radijs.	Radish.
Peterselie.	Parsley.
Uijen.	O'nions.
Aspergies.	Aspar'agus.
Snijboonen.	French béans.
Koorn.	Corn.
Tarwe.	Wheat.
Rogge.	Rye.
Boekweit.	Black-wheat.
Rijst.	Rice.
Gerst.	Barley.
Haver	Oats (*oots*).
Hop.	Hop.
Vlas.	Flax.
Hennip.	Hemp.
Hooi.	Hay.
Gras.	Grass.
De oogst.	The harvest.
De wijnoogst.	The vin'tage.
Specerijen.	Spices.
Peper.	Pepper.
Zuiker.	Sugar.
Nootmuskaat.	Nutmeg.
Kaneel.	Cinnamon.
Kruidnagelen.	Cloves (*kloovz*).
Foelie.	Mace.
Gember.	Ginger.

Mosterd.	Mustard.
Azijn.	Vinegar (*vin'niger*).
Een scheutje azijn.	A dash of vinegar.
Olie.	Oil.
Pannekoeken.	Pancakes.
Eene pastei.	A pie.
Wafelen.	Wafers.
Lekkers.	Sweetdainties.
Konfituren.	Sweetméat.
Vla.	Costard.
Dranken.	Liquors (*lik'kors*).
Wijn.	Wine.
Roode wijn.	Red wine.
Witte wijn.	White wine.
Most.	New wine.
Oude wijn.	Old wine.
Rijnwijn.	Rhenish wine.
Bier.	Beer.
Oud bier.	Stale beer.
Dun bier	Small beer.
Sterk bier.	Strong beer.
Appeldrank.	Cider.
Perendrank.	Perry.
Brandewijn.	Brandy.
Jenever.	Gin.
Thee.	Téa.
Groene en zwarte thee.	Green *and* black téa.
Koffij.	Coffee.
Een teug.	A draught (*dráft*).
Chocolade.	Chocolate.
Punch.	Punch.
Limonade.	Limonade.

De deelen van een Huis, enz.	The Parts of a House, etc.
Een paleis.	A pal'ace.
Een kasteel.	A castle (kes'sil).
Een huis.	A house.
Eene hut.	A cot'tage.
De deur.	The door (door).
De klopper.	The knocker.
De bel.	The bell.
Eene koetspoort.	A large gate.
Eene achterdeur.	A backdoor.
De klink.	The latch.
Het slot.	The lock.
De sleutel.	The key (kie).
De grendel.	The bolt.
De sluitboom.	The bar.
De dorpel.	The t,hreshold.
Eene kram.	A staple.
Het voorhuis, de ingang.	The vestibule, the porch, the entry.
De gang.	The passage.
De trappen.	The stairs.
De plaats.	The yard.
De tuin.	The garden.
De kelder.	The cellar.
Eene etenskast.	A pantry, a buttery.
Eene kamer.	A room
Een vertrek.	An apartment.
Eene zaal.	A hall (haul).
De zijkamer.	The parlour.
Eene achterkamer.	A backroom.
Eene slaapkamer.	A bedroom.
Eene eetkamer.	An eating-room.
Een studeerkamertje.	A clos'et, a stud'y.
De zolder.	The garret.

69

De zoldering.	The ceiling (*cieling*).
Eene verdieping.	A story.
De eerste, de tweede ver-dieping.	The first, the second story.
Het dak.	The roof.
De stoep.	The steps, before the door.
De grondslag.	The foundation.
De vloer.	The floor (*floor*).
De luifel.	The penthouse.
De keuken.	The kitchen.
De stal.	The stable.
Het sekreet.	The house of office, closet.
Een koetshuis.	A couch-house.
Een werkhuis.	A workhouse.
De pomp.	The pump.
Een put.	A well.
De oven.	The oven.
Een hoenderhok.	A henhouse.
Een duivenhok.	A dovehouse.
Een hondenhok.	A dog's-house, a kennel.
De muur.	The wall.
De gevel.	The forefront.
De vensters.	The windows.
De luiken.	The shutters.
Het schuifraam.	The sashwindow.
De ruiten.	The panes (*peenz*).
Het dakvenster.	The roofwindow.
Het raam.	The frame.
Een gewelf, verwulf.	A vault.
Het timmerwerk.	The timberwork.
Een balk.	A beam.
Eene lat.	A lath.
De pannen.	The tiles.
De leijen.	The slates.
Het plat.	The platform.

Een looden plat.	The leads.
De goten.	The gutters.
Eene plank.	A board, a shelf, a plank.
Het beschot.	The wain'scot.
De schoorsteen.	The chimney.
De haard.	The heart, h (*hart, h*).
Zand.	Sand.
Kalk.	Lime.
Steenen.	Sto'nes.
Puin.	Rubbish.
Stof.	Dust.
Slijk, modder.	Mud, slime, mire.
Eene straat.	A street.
Een naauw straatje, een steegje.	A lane.
Een plein.	A square (*shweer*).
Eene kaai.	A quay (*kie*).
De weg, rij- of straatweg.	The road.
De landweg, 's heerenweg.	The high-way.
Eene buitenplaats, hofstede.	A countryhouse, a countryseat.
Eene land- of pachthoeve.	A farm.
Eene schuur.	A barn, a shed.
Een melk- of karnhuis.	A dairy.
Een boer, landman.	A countryman, a pea-s'ant.
Eene boerin, landvrouw.	A countrywoman.
Een molen.	A mill.
Een windmolen.	A windmill.

Huisraad, enz.	*Household-stuff, etc.*
Inboedel.	Furniture.
Het behangsel.	The hangings.
Een tapijt.	A carpet.

71

Het tapijtwerk.	The tapestry.
Een bed.	A bed.
Eene bedstede.	A bedstead.
Een veêrenbed.	A featherbed.
Een stroobed.	A strawbed.
Een vlokbed.	A flockbed.
Een donsbed.	A downbed.
Een veldbed.	A fieldbed.
Een ledekant.	An a'ngelbed.
Een paveljoen.	A canopybed.
Een rustbed.	A palletbed.
Een praal- of pronkbed.	A bed of state.
Een rustatoel.	A canopy; an essy-chair.
Eene slaapbank.	A settlebed.
Eene sofa, rustbank.	A so'fa, a couch (kautsj).
Eene kribbe.	A crib.
Eene wieg.	A cradle.
De stijlen van het bed.	The bedposts.
Het hoofdeneind.	The head of the bed.
Het voeteneind.	The foot of the bed.
De matras.	The mattress.
Het gehemelte.	The tester (top) of the bed.
De gordijnen.	The curtains.
De gordijnroeden.	The curtainrods.
De gordijnringen.	The curtainrings.
De deken.	The blanket.
Het slaaplaken.	The sheet.
De peuluw.	The bolster.
Een oorkussen.	A pillow.
Een kussensloop.	A pillowbeer.
Een beddetijk.	A tick.
Eene beddesprei.	A counterpane.
Eene beddepan.	A warming-pan.
Een waterpot.	A chamberpot.
De spiegel.	The looking-glass.

De lijst.	The frame.
Schilderijen.	Pictures.
Eene lade.	A drawer, a box.
Eene latafel, schrijftafel.	A chest of drawers, a bureau (bjoero²).
Een kabinet.	A cab'inet.
Eene kleerkas of kamer.	A wardrobe.
Eene pendule.	A clock.
Eene kist, kast.	A chest.
Een koffer.	A trunk.
Eene geldkist.	A strongbox.
Een juweelkistje.	A jewelbox.
De tafels.	The tables.
Eene theetafel.	A téatable.
De stoelen.	The chairs.
Een leunstoel.	An arm- or elbowchair.
Een stoel zonder leuning.	A stool.
Een kussen.	A cushion.
De matten.	The mats.
Een blaker.	A sconce.
De armblaker.	A branched candlestick.
Een kandelaar.	A candlestick.
Eene lamp.	A lamp.
Eene kaars.	A candle.
Eene waschkaars.	A waxcandle.
Eene nachtkaars.	A watchcandle.
Een knaap.	A stand.
Een profijtertje.	A saveall (seev'aol).
Een dompertje.	An extin'guisher.
De snuiter.	The snuffers.
Een snuiterbakje.	A snufferdish.
Eene lantaarn.	A lantern.
Een dievenlantaarn.	A dark lantern.
De pit van eene lamp.	The wick.
Een vuurslag.	A steel.
Tondel.	Tinder.

73

Een zwavelstok, eene lont.	A match.
Het tafellaken.	The tablecot, h.
Een tafelbord.	A plate.
Een servet.	A napkin.
Een lepel.	A spoon.
Een potlepel.	A potlade.
Eene vork.	A fork (*fòrk*).
De schotel.	The dish.
Het zoutvat.	The saltcellar.
De mostaardpot.	The mustardpot.
De azijnflesch.	The vin'egarbottle.
De peperbus.	The pepperbox.
Een oliefleschje.	An oilcruet (*kroe'it*).
De suikerpot.	The sugarbox.
Eene sauskom.	A saucedish.
De messen.	The knives.
Eene flesch.	A bottle.
De kurk.	The cork (*kòrk*).
De kurketrekker.	The corkscrew (*kòrk-sh'roe*).
Een glas.	A glass.
Een beker.	A beaker, a cup.
Een handdoek.	A towel.
Porselein.	Chi'na ware, por'celain.
Aardewerk.	Earthen ware.
De trekpot.	The teapot.
De koffijkan.	The coffeepot.
Kopjes en schoteltjes.	Cups and saucers.
De melkkan.	The milkpot.
De spoelkom.	The basin (*beesn*).
Een theebus.	A teabox.
Het theeblad.	The teatry, the waiter.
Een vijzel.	A mortar.
De stamper.	The pestle.
Eene zeef.	A sieve (*siv*).

Eene rasp.	A grater.
Een emmer.	A pail, a bucket.
De bezem.	The besom, the broom.
Een stoffer.	A dustbrush.
Een vuilnisblik.	A dustpan.
Het verken, varken.	The hairbrush.
Het buffet.	The cupboard.
De ketel.	The kettle.
Het deksel.	The potlid.
Eene schuimspaan.	A skimmer.
Een komfoor.	A chafing-dish.
Eene braadpan.	A frying-pan; dripping-pan.
De vaatdoek.	The dishclout.
De blaasbalg.	The bellows (belloos).
De tang.	The tongs.
Het stookijzer, de pook.	The poker.
De aschschop.	The shovel.
Het vuur.	The fire.
Rook.	Smoke.
De vlam.	The flame.
De vonken.	The sparks.
Roet.	Soot.
Brandstoffe.	Fuel (fjoe'il).
Hout.	Wood.
Turf.	Turf.
Eene doove kool.	A dead coal (kool).
Eene glimmende kool.	A live coal.
Gloeijende kolen.	Burning coals.
Steenkolen.	Pit-or séacoals.
Eene kagchel of stoof.	A stove.
Asch.	Ashes.
Houtskool.	Charcoal.
Een takkebos.	A fagot.
Een brandhout.	A firebrand.
Een spit.	A spit.

Eene waschtobbe.	A washing-tub.
Eene ladder, leer.	Ladder.
Eene sport.	A step.
Eene mand.	A basket.

Van de Godsdienst, enz.	*Of Religion, etc.*
De Godheid.	The Divin'ity, the De'ity, the Divine Be'ing.
God.	God.
De Heere.	The Lord.
De Almagtige.	The Almíghty.
Het Opperwezen.	The Supre'me Be'ing.
De Schepper.	The Creátor.
Jezus Christus.	Jesus-Christ. (*dsjie'zoz-kraist*).
De Zaligmaker.	The Sa'viour.
De Verlosser.	The Redeemer.
De Middelaar.	The Media'tor.
De Drieëenheid.	The Trín'ity.
De Heilige Geest.	The Holy Ghost.
De Trooster.	The Comforter.
De Heiligmaker.	The Sanctif'ier.
De Voorzienigheid.	Providence.
De maagd Maria.	The vir'gin Mary.
De heiligen.	The saints.
De gelukzaligen.	The blessed.
De verdoemden.	The damned.
Het paradijs.	Paradíse.
De hel.	Fell.
Het vagevuur.	The pur'gatory.
De engelen.	The angels (*een' dsjelz*).
De duivel.	The dev'il.
De opstanding.	The resurrec'tion.
De jongste dag, het laatste oordeel.	The day of judgment, the last day.
Het eeuwige leven.	Life eter'nal.

Een tempel.	A temple.
Eene kerk.	A church.
De preekstoel.	The pulpit.
Het koor.	The choir (kwair).
Eene kapel.	A chapel.
Het altaar.	The altar (aalttir).
Het orgel.	The organ.
De lessenaar.	The reading-desk.
De kerkekamer.	The consis'tory.
Het kerkgebruik.	The rites of the church.
De pilaren.	The pillars.
De klok.	The bell.
Luiden.	To sound.
Een uurwerk.	A clock.
De toren.	The steeple.
De bijbel.	The bible.
Het evangelie.	The gospel.
Het oude testament.	The old testament.
Het nieuwe testament.	The new testament.
Een psalm.	A psalm (saâm).
Een gebed.	A prayer.
Eene predikatie, preek.	A sermon.
Het gezang.	The sing'ing.
Een lofzang.	A hymn.
Het gebed des Heeren.	The Lord's prayer.
Het christelijk geloof.	The christian fait/h.
De geloofsartikelen.	The articles of fait/h, the apostles creed.
De geloofsbelijdenis.	The confession of fait,h, the creed.
De bondzegelen.	The sacraments.
De doop.	The baptism.
Het heilige nachtmaal.	The Lord's supper, the commu'nion.
De biecht.	The confession.
Het vormsel.	The confirmation.

77

Het laatste oliesel.	The extreme unction.
De mis.	The mass.
De mis lezen.	To say mass.
Eene zielmis.	An o'bit.
Het bijgeloof.	Big'otry, supersti'tion.
De vergadering.	The congregation.
Het Christendom (de christelijke leer).	The C/hristianism, the C/hristianity.
Een Christen.	A C/hristian.
Het Christendom (de Christenheid).	The C/hris'tendom.
Een Jood.	A Jew.
Eene Jodin.	A Jewess.
Een rabbijn, Joodsche leeraar.	A rabbi, a rabbin.
Een Turk, Mahomedaan.	A Mahom'etan.
Een heiden.	A Pa'gan, a Héathen.
Een lidmaat.	A member of the church.
De Gereformeerden.	The Reformed.
Een Protestant.	A Prot'estant.
Een Roomsche.	A Roman-cat/holic.
Een Lutheraan.	A Lut/heran.
Een Jansenist.	A Jansenist.
Het Jodendom.	The Judaism (dsjoe'-deïzm).
Een jodenkerk.	A synagogue (sin'negog).
De geestelijkheid.	The clergy (hler'dsji).
De paus.	The pope.
Een kardinaal.	A cardinal.
Een prelaat.	A prelate (prel'et).
Een bisschop.	A bishop.
Een abt.	An abbot.
Eene abdis.	An abbess.
Een kloostervoogd.	A prior.
Een priester.	A priest.
Een pastoor.	A cu'rate, a pastor.

Een kapellaan, kapelprediker.	A chaplain.
Een monnik.	A monk, a friar.
Eene non.	A nun.
Een godgeleerde.	A divine.
Een hoogleeraar.	A profes'sor.
Een predikant.	A minister, a person.
Een ouderling.	An elder.
Een diaken.	A deacon.
Een kerkmeester.	A churchwarden.
De koster.	The sexton.
Een voorlezer.	A reader.
Een voorzanger.	A chanter.
Een organist.	An or'ganist.
Een doodgraver.	A gra'vedigger.
Het kerkhof.	The churchyard.
Een grafkelder of -tombe.	A tomb (toem).
Het graf.	The grave.
Eene begrafenis.	A burial (ber'riël).
De lijkstaatsie.	The fu'neral procession.
De lijkkoets.	The hearse (hers).
Eene doodkist.	A coffin.
Eene lijkbaar.	A bier.
Het lijk.	The corpse.
Een knekelhuis.	A charnel-house.
Wereldlijke Waardigheden, enz.	*Temporal Dig'nities, etc.*
Een keizer.	An emperor.
Eene keizerin.	An empress.
Een keizerrijk.	An empire.
Keizerlijk.	Impe'rial.
De roomsche keizer.	The ro'man emperor.
Een koning.	A king.
Een monarch.	A mon'arc'h.
Eene koningin.	A queen.

79

C

Een koningrijk.	A kingdom.
Koninklijk.	Roy'al.
De koningin moeder.	The queen mother.
De koningin weduwe.	The queen dowager (dau'-eddsjir).
Een onderkoning.	A viceroy.
De koningsstaf, schepter.	The sceptre.
De koningstroon.	The royal t,hrone.
Een aartshertog.	An archduke.
Eene aartshertogin.	An archdutchess.
Een aartshertogdom.	An archdukedom.
Een vorst, prins.	A prince.
Eene vorstin, prinses.	A princess.
Een vorstendom, prins-dom.	A principal'ity, a prince-dom.
Een hertog.	A duke.
Eene hertogin.	A dutchess.
Een hertogdom.	A dukedom, a dutchy.
Hertogelijk.	Du'cal.
Een keurvorst.	An elector (ielekt'ur).
Eene keurvorstin.	An electoress.
Een keurvorstendom.	An electorate.
Een graaf.	A count, an earl.
Eene gravin.	A countess.
Een graafschap.	A county, an earldom.
Een burggraaf.	A burggrave.
Een burggraafschap.	A birggraviate.
Een ondergraaf.	A viscount.
Eene ondergravin.	A viscountess.
Het ondergraafschap.	The viscounty.
Een markgraaf.	A marquis (mar'kwis).
Eene markgravin.	A mar'chioness.
Een markgraafschap.	A marquisate.
Een vrijheer, baron.	A baron.
Eene barones.	A baroness.
Eene baronij.	A barony.

Een lord.	A lord.
Eene mevrouw.	A lady.
Eene heerlijkheid.	A seignory (*sien'jurri*, a man'or.
Een edelman.	A nobleman.
De adel.	The nobil'ity.
Een ridder.	A *knight*.
De ridderschap.	The *knight*hood.
Een heer.	A gentleman.
De Regering.	The gov'ernment.
De regenten.	The gov'ernors.
Een staatsdienaar.	A minister.
Een kanselier.	A chan'cellor.
Een geheimschrijver.	A secretary.
De gemeente-raad.	The common-council.
Een voorzitter.	A president.
Een burgemeester.	A burgomaster, a may'or.
Een raadsheer.	A coun'sellor.
Een vroedschap, schepen.	An a'lderman.
Een schatmeester.	A treasurer.
Een afgezant.	An ambas'sador.
Eene afgezantsvrouw.	An ambassadress.
Het raad- *of* stadhuis.	The townhall, the senate-house.
Het parlement.	The parliament.
Een drost, baljuw.	A sher'iff.
Een onderschout.	An under-sheriff.
Een cipier.	A jailer (*dsjeel-ur*).
Een scherpregter.	An execu'tioner.
Een advocaat.	An ad'vocate.
Een notaris.	A no'tary.
Een procureur.	An attor'ney.
Een schrijver.	A clerk (*klark*).

Van Landen, Volken, | Of *Countries, Nations,*
  enz. | *etc.*

De vijf werelddeelen.	The five quarters of the world.
Europa.	Europe (*joe'roop*).
Azië.	Asia (*ees'sji-e*).
Afrika.	Af'rica.
Amerika.	Amer'ica.
Australië.	Austra'lia.
Een Europeäan.	An Europe'an.
Een Aziaat.	An Asiat'ic.
Een Afrikaan.	An Af'rican.
Een Amerikaan.	An Amer'ican.
Groot-Brittannië.	Great-Britain.
Engeland.	England.
Een Engelschman.	An Englishman.
Eene Engelsche.	An English woman.
Schotland.	Scotland.
Een Schot.	A Scot, a Scotchman.
Ierland.	Ireland (*air'lend*).
Een Ier.	An Irishman.
Rusland.	Russia.
Een Rus.	A Russian.
Zweden.	Swe'den.
Een Zweed.	A Swede.
Noorwegen.	Norway.
Een Noor.	A Norwe'gian.
Denemarken.	Denmark.
Een Deen.	A Dane.
Praissen.	Prussia (*proe's ji-e*).
Een Prais.	A Prussian.
Polen.	Po'land.
Een Pool, Polak.	Polander.
Hongarije.	Hung'ary.
Een Hongaar.	A Hunga'rian.

Duitschland.	Ger'many.
Een Duitscher.	A German.
Oostenrijk.	Au'stria.
Een Oostenrijker.	An Austrian.
Holland.	Holland.
De Nederlanden.	The Netherlands.
De Veréenigde Nederlanden.	The United Provinces.
Een Hollander, Nederlander.	A Hollander, a Dutchman.
Spanje.	Spain.
Een Spanjaard.	A span'iard.
Portugal.	Portugal (por'tsjoegal).
Een Portugees.	A Portuguese.
Italië.	It'aly.
Een Italiaan.	An Ital'ian.
Frankrijk.	France (frans).
Een Franschman.	A Frenchman.
Zwitserland.	Switzerland.
Een Zwitser.	A Swiss.
Turkije.	Turkey.
Een Turk.	A Turk.
Griekenland.	Greece.
Een Griek.	A Greek, a Gre'cian.
Een Kozak.	A Cossack.
De Elzas.	A'lsace, Alsa'tia.
Savoije.	Savoy.
Een Savojaard.	A Sav'oyard.
Lotharingen.	Lorrain.
Moskovië.	Muscovy.
Een Moskoviter.	A Mus'covite.
Rome.	Rome (roem).
Een Romein.	A Ro'man.
Sicilië.	Sic'ily.
Een Siciliaan.	A Sicil'ian.
Toskanen.	Tus'cany.

Een Toskaan.	A Tuscan.
Beijeren.	Bava'ria.
Een bijersche.	A Bavarian.
Saksen.	Sax'ony.
Een Saks, Sakser.	A Saxon.
Westphalen.	Westphalia.
Bohemen.	Bohe'mia.
Een Bohemer.	A Bohemian.
De Palts.	The Palat'inate.
Arabië.	Ara'bia.
Een Arabier.	An Arabian.
Oost-Indië.	The East-Indies.
West-Indië.	The West-Indies.
Een indiaan.	An Indian (*in'di-en*).
China, Sina.	China (*tsjai'ne*, tsjie'-ne).
Een Chinees, Sinees.	Chinese (*tsjai-niez'*, *tsjie-niez'*).
Tartarije.	Tar'tary.
Een Tartaar.	A Tarta'rian.
Barbarije.	Barbary.
Een Barbarijer, een Barbaar.	A Barbarian.
Egijpte.	Egypt (*ie-dsjipt*).
Een Egijptenaar.	An Egyp'tian.
De kaap de Goede Hoop, de Kaap.	The Cape of Good Hope.
Brazilië.	Brazil'.
Een Braziliaan.	A Brazilian.
De Atlantische oceaan.	The Atlan'tic (o'cean).
De Middellandsche Zee.	The Mediterra'nean (séa).
De Oostzee.	The Baltic (séa).
De Noordzee.	The Nort/h-séa.
De IJszee.	The Ice-or Frozen-séa.
De Stille Zuidzee.	The Pacif'ic ocean, the South-réa.
De Kaspische zee.	The Caspian séa.

De Roode zee.	The Red-séa.
De Alpen	The Alps.
De Pyreneën.	The Pyrrene'an moun-tains, the Pyrrenees.
De Appennijnen.	The Ap'pennínes.

Oorlogsbenamingen.	*Terms of war.*
Een veldmaarschalk.	A fieldmarshal.
Een veldheer, generaal.	A gen'ëral.
Een kolonel.	A colonel (*kul'nil*).
Een majoor.	A major.
Een adjudant.	An ad'jutant.
Een kapitein.	A captain.
Een luitenant.	A lieutenant (*livten'ent*).
Een serjant.	A sergeant (*sar'dsjint*).
Een korporaal.	A corporal.
Een soldaat.	A soldier (*sool'dsjur*).
Een trommelslager.	A drummer.
Een trompetter.	A trumpeter.
Een ruiter.	A horseman.
Een dragonder.	A dragoon'.
Het paardenvolk, de rui-terij.	The cav'alry, the horse.
Het voetvolk.	The foot, the infantry.
Een leger.	An army.
Een vliegend leger.	A flying-camp.
Eene legerplaats.	A camp.
De tenten.	The tents.
De landmagt.	The landforces.
De zeemagt.	The na'vy.
De voorhoede.	The van, the vanguard' (*gjard*).
De achterhoede.	The rear, the rearguard.
Een regement.	A regiment.
Een batailjon.	A battal'ion.
Eene compagnie.	A company.

Een spion.	A spy.
Wapenen.	Arms.
Krijgsbehoeften.	Ammuniti'on.
Een schietgeweer, roer.	A gun, a musket.
Een snaphaan.	A fusil, a firelock.
Het laadgat.	The touchhole.
De kolf.	The buttend.
De tromp.	The muzzle.
De pan.	The pan.
De haan.	The cock.
De vuursteen.	The flint.
De trekker.	The trigger.
Een kruidhoren.	A powderhorn.
Een kanon.	A cannon, a gun.
Eene affuit.	A carriage.
Een mortier.	A mortar.
Eene bom.	A bomb.
Een kogel.	A ball, a bullet.
Een snaphaankogel.	A musketball.
Een metalen stuk.	A brassgun.
Buskruid.	Gunpowder.
Eene lont.	A match.
Een sabel.	A sabre.
Een slagzwaard.	A scim'itar.
Een degen.	A sword.
De punt.	The point.
De greep.	The handle.
De scheede.	The scabbard.
De kling.	The blade.
Een dolk, pook.	A dagger.
Eene lans, piek.	A lance, a pike.
Eene werpspies, speer.	A jav'elin, a speár.
Eene vesting.	A fortification.
Eene sterkte.	A fortress.
Een kasteel.	A castle (kes'sil).
Een toren.	A tower.

De muren.	The walls.
De wallen.	The ramparts.
Eene citadel.	A citadel.
Eene schans.	A fort, a sconce.
Een schietgat.	A porthole.
Eene poort.	A gate.
Eene ophaalbrug.	A drawbridge.
Eene mijn.	A mine.
De loopgraven.	The trenches.
Eene batterij.	A battery.
De grachten.	The ditches, the moats.
De barakken.	The barracks.
Het wachthuis.	The guardhouse.
Een marsch.	A march.
Een beleg.	A siege (*siedsj*).
Eene plaats belegeren.	To besiege a place, to lay siege to a place.
Het beleg opbreken.	To raise the siege.
Eene schermutseling.	A skirmish.
Een gevecht.	A battle, a *fight*.
De overwinning *of* zege behalen.	To get or obtain the victory.
Den vijand verslaan.	To defeat the en'emy.
Zich overgeven.	To surrender.
De stad innemen.	To take the town.
De krijgsgevangenen.	The pris'oners of war.
De gekwetsten.	The wounded.
De gesneuvelden, de lijken.	The killed.
Een wapenstilstand.	A truce, a suspension of arms.
Den vrede sluiten *of* maken.	To conclude *or* make peace.

De Zeemagt.	The Navy.
Een admiraal, vloot- voogd.	An ad'miral.
Een schout-bij-nacht.	A réaradmiral.
Een zeekapitein.	A séacaptain.
De matrozen.	The sailors.
De loots.	The pilot.
De stuurman.	The mate.
De schrijver.	The purser.
De bottelier.	The stéward (s'joe'urd).
Een oorlogschip.	A man of war.
Een kaper.	A privateer'.
Een fregat.	A frig'ate.
Een brander.	A fireship.
Een bombardeer-galjoot.	A gunboat.
Een koopvaardijschip.	A mer'chantman.
Eene galei.	A galley.
Eene vischschuit, vis- scherspink.	A dogger.
Een roeischuitje.	A wHerry.
Een sloep, boot.	A shallop, a sloop.
De vloot.	The fleet.
Een eskader.	A squadron.
Het touwwerk.	The cordage.
De touwen.	The ro'pes.
De masten.	The masts.
De voor- of fokkemast.	The fo'remast.
De groote- of middelmast.	The mainmast.
De achter- of bezaan- mast.	The mizzen, the mizzen- mast.
De stengen.	The topmasts.
De zeilen.	The sails.
De steven.	The stem.
De boeg.	The bow (bou).
De boegspriet.	The bowsprit.

De voorsteven.	The prow, the ship's head.
De spieger, achtersteven.	The poop, the stern.
Het roer.	The rudder.
De vlag.	The flag.
De wimpels.	The pendants.
De vlaggestok.	The flagstaff.
De zwaarden.	The leeboards.
De kajuit.	The cab'in.
Het dek.	The deck.
Het ruim.	The hold.
De pompen.	The pumps.
Het anker.	The anc,hor.
Het plechtanker.	The sheet-anc,hor.
De zeehavens.	The seaports.
De wal.	The shore.
Laten.	To load.
Lossen.	To unload.
Eene lading.	A cargo, a loading.
Schipbreuk lijden.	To be wrecked.

Maten, gewigten, Munt-stukken, enz.	*Measures, Weights, Coins, etc.*
Een pond.	A pound.
Een half pond.	Half a pound.
Een vierendeel.	A quarter (*kwor'tur*).
Eene once.	An ounce.
Een centenaar.	A quintal.
Eene el.	An ell, a yard.
Een vadem.	A fathom.
Een voet.	A foot.
Een duim.	An inch.
Eene roede.	A perch.
Eene Engelsche mijl.	A mile.
Eene Duitsche mijl.	A league.
Eene schrede.	A pace.

89

Een okshoofd.	A hogshead (hogs' kid).
Een vat,	A ton or tun.
Eene pijp.	A butt, a pipe.
Eene stoop.	A pottle.
Eene pint.	A pint.
Een mengel, eene kan.	A quart.
Eene spint.	A peck.
Een schepel.	A bushel.
Een vaatje.	A rundlet.
Een vat.	A barrel.
Een kinnetje.	A firkin.
Een gulden.	A guilder, a flor'in.
Een dukaat.	A ducat (dok'it).
Een guinje.	A guinea (ginni).
Een pond sterling.	A pound sterling.
Een schelling.	A shilling.
Een stuiver.	A penny, a stiver.
Een halve stuiver.	A halfpenny (heepenny).
Zes stuivers.	Sixpence

Metalen, Edelgesteen- *ten, enz.*	*Met'als, prec'ious* *Stones, etc.*
Goud.	Gold.
Zilver.	Silver.
Koper.	Copper.
IJzer.	Iron (ai'urn).
Staal.	Steel.
Lood.	Lead.
Tin.	Pewter.
Blik, Blek.	Tin.
Geel koper.	Yellowbrass, latten (lat'in).
Kwikzilver.	Quicksilver, mer'-cury.
Spiesglas.	Antimony.
Aluin.	Al'um.

Salpeter.	Salpeter (*saoltpie'tur*), nitre.
Rottenkruid.	Arsenic.
Loodwit.	Whitelead.
Krijt.	Chalk (*tsjaok*).
Roodaarde.	Ruddle.
Een juweel.	A jewel.
Een diamant.	A diamond.
Een karbonkel.	A carbuncle.
Een robijn.	A ruby (*roebi*).
Een smaragd.	An em'erald.
Een agaat.	An agate (*eg'get*).
Een jaspis.	A jasper.
Marmer.	Marble.
Wit Marmer.	Al'abaster.
Keisteenen.	Pebbles.
Vuursteenen.	Flints.
Toetssteen.	Touchstone.
Zeilsteen.	Loadstone.
Leijen.	Sla'tes.
Barnsteen.	Amber.
Eene paarl.	A pearl.
Kristal.	Crystal.
Eene mijn.	A mine.
Pik.	Pitch.
Teer.	Tar.
Harst.	Rosin (*roz'in*).
Terpentijn.	Turpentine.
Talk.	Tallow.
Van Boomen, Vruchten, enz.	*Of Trees, Fruits, etc.*
Een boomgaard.	An or'chard.
Een vruchtboom.	A fruittree.
Een appel.	An apple.
Een appelboom.	An appletree.

91

Een peer.	A pear.
Een perenboom.	A peartree.
Eene abrikoos.	An a'pricot.
Eene kers.	A cherry.
Eene pruim.	A plum.
Eene perzik.	A peach (pietsj).
Eene vijg.	A fig.
Een citroen.	A lem'on.
Noten.	Walnuts.
Hazelnoten.	Ha'zelnuts.
Amandelen.	Almonds (aam'undz).
Olijven.	Ol'ives.
Druiven.	Gra'pes.
Frambozen.	Rasp'berries.
Aalbessen.	Currants.
Aardbeziën.	Strawberries.
Moerbeziën.	Mulberries.
Mispelen.	Medlars.
Een wijnstok, wijngaard.	A vine.
De zaadkorrels.	The kernels.
De steen.	The stone.
De dop.	The shell.
Het sap.	The sap.
De steel.	The stalk (staok).
De bloesem.	The blossom.
De bladeren.	The leaves.
Een tak.	A branch.
De bast.	The bark.
Een eikenboom.	An oak, or oaktree.
Een eikel.	An a'corn.
Een esschenboom.	An ash, or ashtree.
Een lindeboom.	A linden, or lindentree, a lime, or limetree.
Een dennenboom.	A fir, or firtree.
Een pijnboom.	A pine, or pine'tree.
Een oppulierboom.	A pop'lar, or poplartree.

Een espenboom.	An aspen, or aspentree.
Een elzenboom.	An alder, or alvertree. (aal' durtrie).
Een palmboom.	A boxtree, a palmtree.
Een berkenboom.	A birch, or birchtree.
Een celerboom.	A ceder, or cedartree.
Een wilgenboom.	A willow, or willowtree.
Een kurkboom.	A corktree.
Een rozenboom.	A rosebush (ro2z' boes)), rosetree.
Een mirteboom.	A myrtle, or myrtletree.
Een braambosch.	A bramble.
Hei.	Heath, broom.
Een doorn.	A t,horn.
Een brandnetel.	A nettle (net'il).
Bloemen.	Flowers.
Eene roos.	A rose.
Eene lelie.	A lily.
Eene jasmijn.	A jas'mine, a jes'samine.
Eene narcis.	A narcis'sus.
Een anjelier, nagelbloem.	A pink.
Eene anemoon.	An anem'ony.
Eene tijlroos.	A jonquille (dsjonkwil).
Eene klaproos.	A poppy.
Eene tuberoos.	A tu'berose.
Eene roode roos.	A damask-rose.
Kamperfoelie.	Hon'eysuckle, woodbine.
Eene tulp.	A tulip.
Eene zonnebloem.	A sunfiower.
Eene hiacint.	A hy'acint,h, a ja'ciut,h.
Eene violier.	A gillyflower.
Eene blaauwe koornbloem.	bluebottle.
Een ranonkel.	A ranunculus (renong-kjoelus)
Eene fluweelbloem.	An amarant,h.
Een ruiker.	A nosegy (nooz'gee).

93

Een groen priëel.	An arbour, a bow'er.

Viervoetige Dieren, enz.	*Four-footed beasts*, or *quad'rupeds*, etc.

Wilde en tamme dieren.	Wild and tame beasts.
Een elefant.	An el'ephant.
Een leeuw.	A lion.
Eene leeuwin.	A lioness.
Een jonge leeuw.	A lion's whelp.
Een luipaard.	A leop'ard.
Een tijger.	A tiger.
Een panter.	A pant/her.
Een kameel.	A cam'el.
Een wolf.	A wolf.
Een beer.	A bear.
Eene beerin.	A she-bear.
Een eekhoorn.	A squirrel.
Een aap.	An ape, a monkey.
Een baviaan.	A baboon (*Zebboen'*).
Een draak.	A drag'on.
Een vos.	A fox.
Een jonge vos.	A fox's cub.
Een das.	A badger.
Een paard.	A horse.
Een hengst.	A stallion.
Eene merrie.	A mare.
Een veulen.	A colt.
Een hit.	A pony, a tit.
Eene koe.	A cow.
Een os.	An ox.
Een stier.	A bull (*boel*).
Een kalf.	A calf.
Een varken.	A swine, a hog.
Eene bigge.	A pig, a farrow.
Een ezel.	An ass.
Eene ezelin.	A she-ass.

Een muilezel.	A mule (*mjoel*).
Horenvee.	Black-cattle.
Een schaap.	A sheep.
Een ram.	A ram.
Een bok.	A he-goat.
Eene geit.	A she-goat.
Een haas.	A hare.
Een konijn.	A rabbit.
Eene hinde.	A hind, a doe.
Eene ree.	A roe.
Een hert.	A stag, a hart.
Een hond.	A dog.
Eene teef.	A bitch.
Een waterhond.	A waterdog.
Een windhond.	A grey-hound.
Een jagthond.	A hound.
Een schoothondje.	A lapdog.
Eene wezel.	A weasel.
Een bever.	A beaver, a castor.
Een otter.	An otter.
Eene kat.	A cat.
Een mol.	A mole.
Eene rat.	A rat.
Eene muis.	A mouse.
Twee muizen.	Two mice.
De huid.	The hide.
Het haar.	The hair.
De wol.	The wool.
De pooten.	The paws (*pauz*).
De staart.	The tail.

Vogels, enz. — *Birds, etc.*

Een vogelaar.	A fowler.
Eene kooi.	A cage (*kuedsj*).
Een roofvogel.	A bird of prey.
Tamme vogels.	Tame birds.

Een struisvogel.	An ostrich.
Een arend.	An eagle.
Een gier.	A vulture.
Een valk.	A falcon (*fau'kun*).
Een havik.	A saker-hawk.
Een kalkoensche haan.	A turkey-cock.
Een wouw.	A kite.
Een ooijevaar.	A stork.
Een paauw.	A peacock.
Eene zwaan.	A swan.
Eene eend.	A duck.
Een haan.	A cock.
Eene hen.	A hen.
Eene broeihen.	A broodhen.
Kuikens.	Chickens.
Eene duif.	A pigeon (*pid'd*rjun).
Een doffer.	A male-pigeon.
Eene gans.	A goose.
Ganzen.	Geese.
Een kwartel.	A quail.
Eene snip.	A snipe.
Een fazant.	A pheasant.
Een patrijs.	A partridge.
Een taling.	A teal.
Een koekkoek.	A cuckoo (*kuk'hoe*).
Een leeuwrik.	A lark.
Een goudvink.	A goldfinch.
Een zwaluw.	A swallow.
Een kwikstaart.	A wagtail.
Eene vleermuis.	A bat.
Eene kanarie.	A cana'ry-bird.
Eene mosch.	A sparrow.
Een papegaai.	A parrot.
De vlerken, vleugels.	The wings, 翼
De veders, veren.	Feathers.
De sporen.	The spurs.

De klaauwen.	The claws, the tal'ons.
De krop.	The crop.
De bek, snavel.	The béak, the bill.
Een nest.	A nest.

Visschen.	*Fishes.*
Zeevisch.	Séafish.
Riviervisch.	Riv'erfish.
Eene visscherij.	A fi-hery.
Een vischnet.	A fishing-net.
De hom.	The soft roe, the milt.
De kuit.	The hard roe, the spawn.
De kieuwen.	The gills.
De vinnen.	The fins.
De schulpen.	The shells.
De schubben.	The sca'les.
De graten.	The bones.
Een walvisch.	A whale.
Een bruinvisch.	A por'poise, a porpus.
Een stenr.	A sturgeon.
Een kabeljaauw.	A cod, a codfish.
Een schelvisch.	A haddock.
Een rog.	A t,hornback.
Eene tong.	A sole.
Eene wijting.	A whiting.
Eene schol.	A plaice.
Eene tarbot.	A turbot.
Eene bot.	A flounder.
Stokvisch.	Stockfish.
Een haring.	A herring.
Een bokking.	A red-herring.
Schulpvisch.	Shellfish.
Oesters.	Oysters.
Mosselen.	Muscles.
Garnalen.	Shrimps.
Een kreeft.	A craw'fish, a cray'fish.

97

Een zeekreeft.	A lobster.
Een snoek.	A pike
Een brasem.	A bream.
Een aal.	An eel.
Een karper.	A carp.
Een voorn.	A roach (rootsj).
Een spiering.	A smelt.
Een prik.	A lamprey.
Halfslachtige dieren.	Amphib'ious
Eene schildpad.	A tor'toise.

Kruipende en gekorvene Diertjes, enz.	*Rep'tiles and Insects, etc.*
Eene slang.	A ser'pent, a snake.
Eene adder.	A viper, an adder.
Eene hagedis.	A li'zard.
Een kikvorsch.	A frog.
Eene padde.	A toad.
Eene slak.	A snail.
Eene spin.	A spider.
Eene mier.	An ant, an emmet, a pismire.
Een sprinkhaan.	A grasshopper.
Een krekel.	A cricket.
Eene rups.	A cat'erpillar.
Eene wesp.	A wasp.
Eene luis.	A louse.
Eene weegluis.	A bug.
Eene vloo.	A flea.
Een worm.	A worm.
Een zijworm.	A silkworm.
Eene vlieg.	A fly.
Eene paardenvlieg.	A horsefly.
Eene mug.	A gnat, a midge.
Eene tor.	A beetle.
Een kever, molenaar.	A maybug, a mayfly.

Eene bije.	A bee.
Een bijenkorf.	A beehive.
Honig.	Hon'ey.
Was.	Wax.

Van de Ziel en hare Vermogens.

Of the Soul and its Faculties.

De kennis.	The *knowl'edge*.
De wetenschappen.	The sciences.
De geest.	The mind, the spir'it.
Het verstand.	The understanding.
De rede.	The réason.
De wil.	The will.
Het oordeel.	The judgment (*dsjodsj-mint*).
De zinnen.	The senses.
Eene dwaling.	An error.
Eene misvatting.	A mistake.
De wijsheid.	Wisdom.
De goedheid.	Bounty.
De wanhoop.	Despair.
De haat.	Hatred.
De liefde.	Love.
De vrees.	Féar.
Eene wensch.	A wish.
Het vertrouwen.	Con'fidence.
De toegenegenheid.	Affection.
De neiging.	Inclination.
De jaloezij.	Jéalousy.
De schaamte.	Shame.
De vriendschap.	Friendship.
De hoop.	Hope.
Waarheid.	Trut,h.
Voorzigtigheid.	Prudence.
Medelijden.	Pity.
Godsvrucht.	Piety.

Wreedheid.	Cru'elty.
Eerzucht.	Ambit'ion.
Geduld.	Patience.
Ongeduld	Impatience.
Hoogmoed.	Pride.
Beschroomdheid	Timid'ity.
Vijandschap.	En'mity.
Blijdschap.	Joy.
Beleefdheid.	Civil'ity, kindness.
Beschaafdheid.	Politeness.
Moed.	Courage (kor'ridsj), va-lour.
Berouw.	Repentance.
Vermaak.	Pleasure.
Genoegen.	Contentment.
Ongenoegen.	Displeasure.
Luiheid.	La'ziness.
Vlijt.	Dil'igence.
Leerzaamheid.	Docil'ity.
Deugd.	Virtue (ver'tsjoe).
Ondeugd.	Vice.
Ongebondenheid.	Licentiousness.
Wantrouwen.	Diffidence, mistru'st.

Van Kunsten, Weten-schappen. Ambach-ten, enz.	*Of Arts, Sciences, Pro-fessions, etc.*
Eene kunst.	An art.
Eene wetenschap.	A science.
De vrije kunsten.	The lib'eral arts
De ewrktuigelijke kun-sten.	The mec,han'ical arts.
Geleerdheid.	Erudi'tion.
De bekwaamheid.	Capacity.
De nijverheid.	In'dustry.
Een student.	A stu'dent.

Een rector.	A rector.
Het rectorschap.	The rectorship.
De godgeleerdheid.	T,heol'ogy, divinity.
Een godgeleerde.	A divíne, a t,heolo'gian, t,heol'og,ist.
Een geestelijke.	An ecclesias'tic, a clergyman.
De wijsbegeerte.	Philos'ophy.
Een wijsgeer.	A philosopher.
Wijsgeerig.	Philosoph'ical.
De natuurkunde.	Phys'ics.
Een natuurkundige.	A nat'ural philosopher.
De bovennatuurkunde.	Metaphysics.
De geneeskunde.	Physic.
De kruidtuin.	The physicgarden.
Een geneesheer.	A physi'cian.
Ge wondheelkunde.	Surg,ery (sordsj'urri).
Een wondheeler.	A surg'eon.
Geneesmiddelen.	Med'icines, medicaments.
Een drankje.	A po'tion.
Een pleister.	A plaster.
Een recept.	A prescription.
Een oogmeester.	An oculist (ok'kjoelist).
Een steensnijder.	An operator.
De regtsgeleerdheid.	Jurisprudence.
Een regtsgeleerde.	A jurisconsult, a lawyer (lau'jur).
Een advokaat.	An advocate.
Een regtsgeding, proces.	A process, a lawsuit, a cause.
Eene regtspraak.	A sentence..
Een regter.	A judge.
Een vrederegter.	A justice of peace.
Een geregtshof.	A court of justice, a tribu'nal.
De kruidkunde.	Bot'any.

Een kruidkundige.	A botanist.
Kruidkundig.	Botan'ical.
Een tandmeester.	A dentist.
Tandpoeder.	Dentifrice.
Een tandestoker.	A toot/hpicker.
Tandeloos.	Toot/hless.
Tandentrekken.	To draw teet/h.
Tanden krijgen.	To get teet/h.
Welsprekendheid.	El'oquence.
Welsprekend.	Eloquent.
De wiskunde.	Mat/hemat'ics.
Een winkundige.	A mat/hemati/cian.
Wiskundig.	Mat/hemat'ical.
De meetkunde.	Geometry (dsjöm'mitri).
Een landmeter.	A geometer, a surveyor.
De rekenkunde.	Arit/hmetic.
Een rekenmeester.	An arit/hmeti'cian.
Een getalmerk.	A cypher.
De aardrijkskunde.	Geography (dsjiög'grefi).
Aardrijkskundig.	Geograph'ical.
Kaarten.	C'harts, maps.
Een aardrijkskundige.	A geog'rapher.
Eene globe.	A globe.
Een atlas.	An atlas.
De sterrekunde.	Astron'omy.
Een sterrekundige.	An astronomer.
Sterrekundig.	Astronom'ical.
Een verrekijker.	A spyglass.
Een teleskoop.	A telescope.
Een mikroskoop.	A microscope.
De scheikunde.	C/hym'istry.
Een scheikundige.	A c/hymist.
De beeldhouwkunde.	Sculpture.
Een beeldhouwer.	A sculptor.
Een standbeeld.	A statue (stet'tjoe).
Een borstbeeld.	A bust.

Een beitel.	A chis'el, or chizzel.
De schilderkunst.	Painting.
Een schilder.	A painter.
Eene schilderij.	A picture.
Een penseel.	A pencil.
De kleuren.	The col'ours.
Een plaatsnijder, gra-veur.	An engraver.
Eene plaat.	A plate.
Een koperen plaat.	A copper-plate.
Eene houten plaat.	A wooden-cut.
Een boekdrukker.	A printer.
De drukkerij.	The printing-office.
Een letterzetter.	A compos'itor.
Eene pers.	A press.
De letters.	The c'haracters.
Een lettergieter.	A letterfounder.
Een boekverkooper.	A bookseller.
De boekhandel.	The booktrade.
Een boekwinkel.	A bookshop.
Een boekbinder.	A bookbinder.
Inbinden.	To bind.
Een tooneelspeler	A stageplayer.
Een acteur.	An actor.
Eene actrice.	An actress.
De schouwburg.	The playhouse.
Het tooneel.	The stage, the t/he'atre.
Een blijsper.	A comedy.
Een treurspel.	A tragedy.
Een zangspel.	An op'era.
Een zangstukje.	An aria (ee'ri-e).
Een straatdeun.	A ballad.
Een koorddanser.	A ropedancer.
Een kwakzalver.	A quack, a mountebank, an empiric.

Een haneworst, potsenmaker.	A jack-pudding, a buffoon', a pantaloon.
Een goochelaar.	A juggler.
De bouwkunst.	Arc,h'itecture.
Een bouwkundige.	An arc,hitect.
Een diamantslijper.	A diamondcutter.
Een vergulder.	A gilder.
Het verguldsel.	The gilding.
Een steenhouwer.	A sto'necutter·
Een steenbakker.	A brickmaker.
Eene steenbakkerij.	A brick'kiln.
Eene steengroeve.	A quarry, a stonepit.
Steengruis, grofzand.	Grav'el.
Een looijer.	A tanner.
Eene looijerij.	A tanhouse·
Een metselaar.	A ma'son, a bricklayer.
Metselen.	To mure.
Metselsteenen.	Bricks.
Metselwerk.	Brickwork.
Beslagen- of metselkalk.	Mortar·
Eene kalkbranderij·	A limekiln.
Een timmerman.	A car'penter·
Een timmermansbaas.	A master-carpenter.
Eene timmerwerf.	A carpenter's yard.
De stads timmerwerf.	The townyard.
Timmergereedschap.	Carpenter's tools.
Timmerhout.	Timber.
Een scheepstimmerman.	A shipwright' a shipcarpenter.
Een scheepstimmerwerf.	A dry dock.
Een kuiper.	A cooper.
Eene vleeschkuip.	A salting-tub.
Een wieldraaijer.	A turner.
Een pannenbakker·	A tiler.
Eene pannenbakkerij.	A tilekiln.
Een pannendak.	A roof of pantiles.

Een wever.	A weaver.
Een weefgetouw.	A weaver's loom.
Een pottenbakker.	A potter.
Een tinnengieter.	A pewterer.
Vertinnen.	To tin over.
Een koperslager.	A brasier, or brazier (breez' jur).
Een kopermolen.	A coppermill.
Een kopergieter.	A brassfounder.
Koperdraad	Brasswire.
Koperachtig.	Coppery.
Eene kopermijn.	A coppermine.
Een smid.	A smit,h.
Een ijzersmid.	A blacksmit,h.
Een hoefsmid.	A farrier.
Eene smederij.	A forge (foordsj).
Een hoefijzer.	A horseshoe.
Een aanbeeld.	An an'vil.
Een slotemaker.	A locksmit,h.
Een zoutzieder.	A saltmaker.
E ne zoutkeet.	A salthouse.
E n zoutverkooper.	A saltseller.
Eene zoutpan.	A saltpan.
Eene zoutmijn, zout- groef.	A saltmine, a saltpit.
Een zeepzieder.	A soapmaker, a soapboil- er.
Eene zeepziederij.	A soaphouse.
Zeepsop.	Soapsuds.
Een loodgieter.	A plumber.
Eene loodgieterij.	A plumbery.
Soldeersel.	Sol'er or sol'der.
Een molenaar.	A miller.
Een rosmolen.	A horsemill.
Een molenaarsknecht.	A miller's man.
Eene molenroede.	A millhandle.

Een molensteen.	A millstone.
Een zaagmolen.	A sawing-mill.
Zaagsel.	Sawdust.
Een oliemolen.	An oilmill.
Olieachtig.	Oily.
Een olieslager.	An oilmaker.
Een papiermolen.	A papermill.
Een papiermaker.	A papermaker.
Een papierwinkel.	A sta'tioner's shop.
Een volmolen.	A fulling-mill.
Een volder.	A fuller.
Een kruidmolen.	A gunpowdermill.
Eene kruidkamer.	A powderroom.
Een watermolen.	A watermill.
Een handmolen.	A handmill.
Een koffijmolen.	A coffeemill.
Een hoedenmaker.	A hatter, a hatmaker.
Een pruikmaker.	A per'iwigmaker.
Een kapper.	A hairdresser.
Een schoenmaker.	A shoemaker.
Een schoenlapper.	A cobbler.
Een schoenpoetser.	A shoeblacker.
De leest.	The last.
Een leestenmaker.	A lastmaker.
Een knoopmaker.	A buttonmaker.
Een kleermaker.	A tailor.
Een brouwer.	A brewer.
Eene brouwerij.	A brewhouse.
Een brouwsel.	A brewing.
Een brander.	A distil'ler.
Eene branderij.	A distillery for gin.
Een wijnkooper.	A winemer'chant.
De wijnkooperij.	The winetrade.
Een wijnkelder.	A winecellar.
De wijnoogst.	The vintage (*vin'tidsj*).
Eene wijnpers.	A winepress.

Een wijnpeiler.	A gauger (geedsj'ur).
Een wijnproever.	A wineconner.
Wijnsteen.	Tartar.
Een bakker.	A baker.
Een bakkerij, een bakhuis.	A bakehouse.
Een baksel, ovenvol.	A batch.
Een baktrog.	A baker's trough (trof).
Kneden.	To knead.
Een koekebakker.	A gingerbreadbaker.
Meel.	Meal.
Gist.	Yest.
Een oven.	An ov'en.
Een pasteibakker.	A pa'strycook.
Een suikerbakker.	A confec'tioner.
Een raffinadeur.	A refiner of sug'ar, a sug'arrefiner.
Een suikerbrood.	A sugarloaf.
Een suikerkist.	A sugarchest.
Een suikermolen.	A sugarmill.
Suikerriet.	Sugarcane.
Kandijsuiker.	Sugarcandy.
Een slager, slagter.	A butcher.
Een bontwerker.	A fur'rier.
Een zandelmaker.	A saddler, a saddlemaker.
Een zeilmaker.	A sailmaker.
Een gelazenmaker.	A glazier (gleez'sjur).
Een glasblazer.	A glassmaker, a glassblower.
Eene glasblazerij.	A glasshouse.
Een glasoven.	A glassfurnace (for'nes).
Een glaswinkel.	A glassshop.
Glaswerk.	Glasswork.
Een schrijnwerker.	A joiner (dsjein'ur).
Schrijnwerk.	Joiner's work, inlaidwork.

107

Eene bijl.	An axe, a hatchet.
Eene zaag.	A saw.
Eene schroef.	A screw.
Eene boor.	A bore, a wimble, a piercer.
Eene schaaf.	A plane.
Eene klokgieter.	A bellfounder.
Het klokkenspel.	The chime.
Een klokluider.	A ringer.
De klokreep.	The bellrope.
Een kaarsenmaker.	A tallowchandler.
Kaarsmeer.	Chandlegrease.
Een kaarsenwinkel.	A chandler's shop.
Een leidekker.	A slater.
Een leijen dak.	A slated-roof.
Een messenmaker.	A cutler.
Een messenwinkel.	A cutler's shop.
Een knipmes.	A clasp/knife.
Een zwaardveger.	A fur'bisher, a sword cut-ler.
Een zeembereider.	A fellmonger, a leather-dresser.
Een beurzenmaker.	A pursemaker.
Een lakenkooper.	A draper.
Een kammenmaker.	A co'm/maker.
Een borstelmaker.	A brushmaker.
Een kaaskooper.	A cheesemonger.
Een straatmaker.	A paver.
Een kruijer.	A porter.
Een kruiwagen.	A wheelbarrow.
Een bergwerker.	A miner.
Een lantaarnopsteker.	A lamplighter.
Een lantaarnpaal.	A lanternpost.
Een dievenlantaarn.	A darklantern.
Een baardscheerder.	A barber.
Een voerman.	A carrier.

Een schipper.	A bargeman, a barger.
Een wagenmaker.	A cartwright.
Een wagenhuis.	A waggonhouse.
Een mandenmaker.	A basketmaker.
Een zaaijer.	A sower.
Een opkooper.	A monop'olist, a mopoli-zer.
Een goudsmid.	A goldsmit/h.
Een goudslager.	A goldbeater.
Een gouddraadtrekker.	A goldwiredrawer.
Een zilversmid.	A silversmit/h.
Een koopman.	A mer'chant.
Een winkelier.	A shopkeeper.
Een muzijkant.	A musician.
Een munter.	A coiner.
Een spiegelmaker.	A looking-glassmaker.
Een kramer.	A mercer.
Een bode.	A messenger (mes'in-dsjur).
Een paardenkooper.	A jockey.
Een luitmaker.	A lutemaker.
Een schaarslijper.	A grinder.
Een handschoenmaker.	A glov'er.
Een juwelier.	A jew'eller.
Een vilder.	A flayer.
Een ketellapper.	A tinker.
Een fruitverkooper.	A fruit'erer, a fruitman.
Een stoelenmatter.	A chairman.
Een bezemmaker.	A broommaker.
Een bezemstok.	A bromstick.
Een harbergier.	An innkeeper.
Een waard.	A host (hoost).
Een waardin.	A hostess.

Bijvoegelijke Naamwoorden.	Nouns adjective.
Groot, klein.	Great, small.
Leerzaam, dom.	Docile, stupid.
Voorzigtig, onvoorzigtig.	Prudent, imprudent.
Gelukkig, ongelukkig.	Happy, unhappy.
Getrouw, ongetrouw.	Faithful, unfaithful.
Schuldig, onschuldig.	Culpable, innocent.
Sterk, zwak.	Strong, weak.
Gezond, ongezond.	Wholesome, unwholesome.
Gehoorzaam, ongehoorzaam.	Obe'dient, disobe'dient.
Mogelijk, onmogelijk.	Possible, impossible.
Ligt, zwaar.	Light, heavy.
Wije, gek.	Wise, fool.
Gevoelig, ongevoelig.	Sensible, insensible.
Rijk, arm.	Rich, poor.
Voordeelig, nadeelig.	Advantageous, prejudicial (pred dsjoe-disg'el).
Ouderwetsch, nieuwerwetsch.	Antique (en-tiek'), modern.
Laag, hoog, diep.	Low, high, deep.
Vol, ledig.	Full, empty.
Naarstig, lui.	Dil'igent, idle.
Droog, vochtig.	Dry, humid.
Vergankelijk, duurzaam.	Perishable, durable.
Dankbaar, ondankbaar.	Grateful, ungrateful.
Uitwendig, inwendig.	Exte'rior, inter'nal.
Vierkant, rond, puntig.	Square, round, pointed.
Jong, oud.	Young, old.
Nederig, hoovaardig.	Humble, proud.
Beshaafd, onbeshaafd.	Civilized, bru'tish.
Vergenoegd, onvergenoegd.	Content, or contented, discontent, or discontented.

Kort, lang.	Short, long.
Ligchamelijk, geestelijk.	Corporal, spir'itual.
Twijfelachtig, zeker.	Doubtful, cer'tain.
Regt, krom.	Right, crooked.
Aangenaam, onaange-naam.	Agree'able, disagree'able.
Gemakkelijk, ongemakke-lijk.	Easy, difficult.
Smal, breed.	Narrow, broad.
Vruchtbaar, onvrucht-baar.	Fer'tile, barren.
Vet, mager.	Fat, léan.
Geduldig, ongeduldig.	Patient, impatient.
Zoet, zuur, bitter.	Sweet, sour, bitter.
Lekker.	Delic'ious.
Geneeslijk, ongeneeslijk.	Curable, incurable.
Rijp, onrijp.	Ripe, unripe, green.
Aardsch, hemelsch.	Terrestrial, celestial.
Tijdelijk, eeuwig.	Temporal, éter'nal.
Zigtbaar, onzigtbaar.	Visible, invisible.
Heet, koud.	Hot, cold.
Zwart.	Black.
Zwartachtig.	Blackish.
Wit.	White.
Witachtig.	Whitish.
Bruin.	Brown.
Bruinachtig.	Brownish.
Blaauw.	Blue (bljoe).
Hemelsblaauw.	A'zure.
Blaauwachtig.	Bluish.
Rood.	Red.
Karmozijn.	Crimson.
Graauw.	Grey.
Aschgraauw.	Ashcol'oured.
Groen.	Green.
Oranje.	Orange (orrendsj').

E

Geel.	Yellow.
Verscheiden.	Va'rious.
Tegenstrijdig.	Con'trary.
Tegenstellig.	Opposite.
Onveranderlijk.	Unchangeable (un-tsjeendj'e-bil.
Regtvaardig.	Just.
Barmhartig.	Merciful.
Langwijlig.	Te'dious.
Ongeschikt.	Improper.
Nuttig.	U'seful.
Schadelijk.	Hurtful, noxious.
Leelijk.	Ugly.
Fraai, schoon.	Handsome, beautiful.
Eenzaam.	Sol'itary.
Volkrijk.	Pop'ulous.
Lommerrijk.	Sha'dy.
Even, oneven.	Even, odd.
Naburig.	Neighbouring.
Ongelijk.	Une'qual.
Doorschijnend.	Transparent.
Ondoorschijnend.	Opaque (o-peek'), dark.
Langwerpig.	Oblong.
Blinkend.	Bright.
Dun.	T,hin.
Ruw.	Rough (rof).
Sneeuwachtig.	Snowy.
Regenachtig.	Rainy.
Mistig.	Foggy.
Stormachtig.	Stormy.
Onrein.	Impure.
Rekbaar.	Ductile.
Smeltbaar.	Fu'sible.
Werkwoorden.	*Verbs.*
Aannemen.	To accept.

Antwoorden.	To answer.
Aankomen.	To arríve.
Aanvallen.	To attack.
Acht geven.	To attend.
Adem halen.	To bréathe.
Achten.	To esteem.
Aansteken.	To kíndle, to líght.
Aanstaan, behagen.	To líke, to pléase.
Aanbieden.	To offer.
Afkorten.	To abáte, (ehleet'.)
Aanbidden.	To ado're, to worship.
Aanbevelen.	To recommend (rekkom-mend').
Bijvoegen.	To add.
Bewonderen.	To admire.
Beproeven, keuren.	To assay.
Bleeten.	To baa, to bléat.
Bakken.	To bake.
Bannen.	To ban'ish, to exíle.
Baden.	To bathe.
Blaffen.	To bay, to bark.
Beginnen.	To begin.
Bezien.	To beho'ld.
Buigen.	To bend.
Besteden.	To bestow.
Binden.	To bínd.
Berispen, laken.	To blame, to cen'sure.
Bloeden.	To bleed.
Bloeijen, in bloesem staan.	To blossom.
Blazen, waaijen.	To blow.
Blozen.	To blush.
Breken.	To bréak.
Boren.	To bore.
Brouwen.	To brew.
Brengen.	To bring.
Borduren.	To broider.

Bersten.	To burst
Branden.	To burn.
Bouwen, oprigten.	To build, to erect (*ie-reht'*).
Begraven.	To bury (*ber'ri*), to inte'r.
Beschuldigen.	To accu'se, to charge.
Bekijven.	To chíde.
Beschrijven.	To descríbe.
Bevelen, gebieden.	To command, to order.
Begrijpen.	To comprehe'nd, to conceive (*kon-siev'*).
Bevestigen.	To confirm.
Bekeeren.	To convert-
Bedriegen, misleiden.	To deceive, to chéat, to fob.
Begeeren.	To desíre.
Blootstellen.	To expose.
Begunstigen.	To fa'vour.
Bevrijden, verlossen.	To free, to deliv'er.
Beleedigen, bespotten.	To insult.
Breijen.	To *knit*.
Beminnen.	To love.
Bewegen.	To move (*muev*), to stir.
Beleedigen, ergeren.	To offend.
Betalen.	To pay.
Beklagen, medelijden hebben.	To pit'y.
Bezitten.	To possess (*pozze's*).
Belijden.	To profe'ss.
Bevoordeelen.	To profit.
Beloven.	To promise.
Beschermen.	To prote'ct, to guard (*giard*)
Bewijzen, betoogen	To prove (*proev*).
Bekend maken.	To pub'lish.

Bekrachtigen.	To rat'ify.
Bereiken.	To reach.
Beloonen.	To rec'ompense, to reward.
Bijstaan, verligten.	To relieve.
Beklagen, leedwezen hebben.	To regre't.
Blijven.	To remain.
Berispen, bestraffen.	To reprove, to reprehe'nd.
Bedroeven.	To afflict, to grieve, to sadden.
Beteekenen.	To sig'nify.
Bukken.	To stoop.
Bedanken.	To t/hank.
Beven.	To tremble.
Bezien.	To view.
Doopen.	To baptize, to c/hristen.
Dragen.	To carry, to bear.
Dekken.	To cover.
Dansen.	To dance.
Doen.	To do.
Drinken.	To drink.
Drijven.	To drive.
Droogen.	To dry.
Droomen.	To dream.
Duren.	To dure, to last.
Dwingen.	To force, to compe'l.
Dooden.	To kill.
Doordringen.	To pierce.
Drukken.	To press.
Doodslaan, vermoorden.	To slay, to murder.
Denken.	To t/hink.
Donderen.	To t/hunder.
Eten.	To eat.
Eindigen.	To fin'ish, to end.

115

Eeren.	To hon'our.
Eerbiedigen.	To revere (ri-vier').
Goedkeuren.	To approve.
Gelooven.	To believe.
Gooijen, werpen.	To t'hrow, to cast.
Geleiden.	To guide (gaid), to con-duct.
Gebruiken.	To employ, to use.
Genieten.	To enjoy.
Gelukwenschen.	To feli'citate, to con-grat'ulate.
Geven.	To give.
Gaan.	To go.
Grijpen, vatten.	To gripe.
Groeijen, worden.	To grow.
Gebeuren.	To happen.
Gieten.	To pour.
Gedenken.	To remember.
Groeten.	To salu'te, to greet.
Grijpen, met geweld ne-men.	To seize (siez).
Geeuwen, gapen.	To yawn (jaun), to gape.
Halen.	To fetch.
Hagelen.	To hail.
Houden.	To keep.
Hervormen, herstellen.	To reform, to redress.
Hangen.	To hang.
Herhalen.	To repéat.
Heiligen.	To sanctify.
Helpen.	To assist, to help, to succour.
Herstellen, beter worden.	To recov'er, to grow better.
Huppelen.	To skip.
Intreden.	To en'ter.

Zich inbeelden.	To imagine (*immed'-dsjin*), to fancy.
Inboezemen.	To inspire.
Inhouden.	To contain.
Inschepen.	To emba'rk, to ship.
Inschrijven.	To inscribe.
Insluiten.	To invest, to surround, to enclo'se.
Instellen.	To institute, to estab'-lish.
Instorten.	To pour in.
Inteekenen.	To subscribe.
Jagen.	To go a hunting, to hunt.
Jeuken.	To itch.
Knoopen.	To button.
Koopen.	To buy (*hai*).
Kloven.	To cléave, to split.
Kammen.	To comb.
Komen.	To come.
Kruipen.	To creep.
Kroonen.	To crown.
Kloppen.	To knock.
Kijven.	To scold, to quarrel.
Karnen.	To churn.
Keeren.	To turn.
Kennen.	To know.
Kiezen.	To choose, to chuse.
Zich kleeden.	To dress one's self.
Kleven.	To cléave, to adhe're.
Klimmen.	To climb.
Klinken.	To sound.
Knagen.	To gnaw.
Knellen, drukken.	To pinch, to squeeze (*skwiez*).
Kooken.	To boil, to seeth.
Kosten.	To cost.

117

Kraaijen.	To crow.
Kraken.	To crack.
Kreunen.	To groan.
Krijgen.	To get.
Kruimelen.	To crumble.
Kruisigen.	To crucify (*kroe'si-fai*).
Ledigen.	To empty.
Laden.	To lade, to load.
Lagchen.	To laugh (*laf*).
Leggen.	To lay, to put.
Leiden.	To lead.
Leunen.	To léan.
Leeren.	To leárn.
Leenen.	To lend.
Laten.	To let.
Liegen. *of* liggen.	To lie.
Leven.	To live.
Lezen.	To réad.
Loslaten.	To reléase.
Loopen.	To run.
Lijden.	To suffer.
Landen.	To land.
Legeren.	To encamp.
Lesschen (*den dorst*).	To quench.
Likken.	To lick.
Losgaan.	To go loose.
Loskomen.	To get loose.
Lossen.	To unload.
Luchten.	To air.
Luiden.	To ring, to sound.
Lukken, gelukken.	To succeed.
Mijden.	To avoid.
Medédeelen.	To commu'nicate.
Meenen.	To méan.
Meten.	To measure.
Malen.	To mill, to grind.

Mislukken.	To mishappen.
Missen.	To miss, to fail.
Maken.	To make.
Maaijen.	To mow.
Matigen.	To mod'erate.
Mager worden.	To grow léan.
Magtigen, volmagtigen.	To empow'er, to au'- t, horíze.
Minderen.	To lessen.
Misbruiken.	To abuse (eb joez').
Mishagen.	To displéase.
Misgunnen.	To grudge.
Mishandelen.	To use ill.
Mismoedigen.	To discour'age.
Misplaatsen.	To misplace.
Misprijzen.	To dispraise, to blame.
Mistrouwen.	To mistrust.
Misvatten.	To misundersta'nd.
Mogen.	To may.
Muilbanden.	To muzzle.
Muiten.	To rebel, to revolt.
Muizen.	To mouse.
Munten.	To coin.
Navolgen.	To im'itate.
Noemen.	To name.
Noodig hebben.	To need, to want.
Nijpen.	To pinch.
Naaijen.	To sow, to sew (so).
Naaiwer maken.	To straiten (streetn).
Nabootsen.	To counterfeit.
Nadenken.	To consid'er.
Naderen.	To approach.
Nagaan.	To go after.
Nalaten.	To leave off.
Naloopen.	To run after.

119

Nasporen.	To search out.
Navragen.	To inquire.
Nazien, overzien.	To exam'ine.
Nedervallen.	To fall down.
Nedervellen.	To fell down.
Nederwerpen.	To cast down.
Nemen.	To take.
Neerslaan.	To strike down.
Noodzaken.	To constrain, to oblige.
Overvloedig zijn.	To abound.
Onthoofden.	To behead.
Overwegen.	To consid'er, to bet/hink.
Ontbijten.	To breakfast.
Ophouden.	To cease, to stop.
Opstellen.	To compose.
Onderscheiden.	To distin'guish, to dis-ce'rn.
Ontrusten.	To disturb, to trouble (trob'il).
Opvoeden.	To ed'ucate.
Omhelzen.	To embrace.
Onderhouden.	To entertain.
Ontsnappen.	To escape.
Overtreffen.	To excel, to outdo'.
Ontschuldigen.	To excuse.
Ondervinden.	To expe'rience.
Opheffen.	To heave.
Onderwijzen.	To instruct.
Oordeelen.	To judge.
Onderhouden.	To maintain.
Openbaren.	To man'ifest.
Ontmoeten.	To meet with.
Opmerken.	To observe.
Overtuigen.	To persuade (per-sweed').
Ontheiligen.	To profane.
Ondervragen.	To question.

Onderdrukken.	To oppress.
Opligten.	To raise, to lift.
Ontvangen.	To receive.
Opstaan.	To rise.
Offeren.	To sac'rifíce.
Onderwerpen.	To submit.
Onderuemen.	To undertake.
Ontbreken.	To want.
Prijzen.	To commend, to praise.
Peperen.	To pepper.
Plagen, kwellen.	To pester, to vex, to pla'gue.
Planten.	To plant.
Ploegen.	To plough.
Plukken.	To pluck.
Prediken.	To préach.
Pompen.	To pump.
Praten.	To talk (toak).
Proeven.	To taste.
Pachten.	To rent, to farm.
Pakken.	To pack up.
Panden, verpanden.	To pawn.
Piepen.	To peep.
Plaatsen.	To place.
Poeijeren.	To powder.
Pogchen.	To vaunt, to boast.
Pogen.	To endeáv'our, to stríve.
Raden.	To advíse, to counsel.
Roepen.	To call.
Regtvaardigen.	To justify.
Regenen.	To rain.
Raspen.	To rasp.
Redeneren.	To réason.
Rekenen.	To reckon.
Regelen.	To reg'ulate.
Rusten.	To rest.

Rollen.	To roll (rool).
Roeijen.	To row.
Redden.	To save.
Ruiken.	To smell.
Rooken.	To smoke.
Regten, vonnissen.	To sen'tence, to judge.
Raadplegen·	To consult.
Raken.	To hit.
Razen.	To make a noise.
Regeren.	To gov'ern.
Reinigen.	To cléan.
Reizen.	To voyage, to travel.
Rigten.	To direct.
Rijpen, rijp worden.	To rípen.
Rijzen.	To rise.
Roesten.	To rust.
Rond maken.	To round.
Roskammen.	To curry a horse.
Rouwen, rouw dragen.	To wear mourning.
Ruilen.	To change (tsjeendsj), to excha'nge.
Ruischen.	To purl, to murmer.
Scheppen.	To create.
Schreeuwen.	To cry.
Sterven.	To die.
Spelen.	To game, to play.
Springen.	To léap, to jump.
Schilderen.	To paint.
Stooten.	To push.
Stillen.	To still, to quiet, to calm (kaom).
Schatten, waarderen.	To value (vel'joe), to rate.
Schenden, overtreden.	To vi'olate, to transgre'ss.
Schudden.	To shake.

Schijnen.	To shine.
Sluiten, toedoen.	To shut.
Sparen.	To spare.
Spreken.	To spéak.
Spinnen.	To spin.
Staan.	To stand.
Stelen.	To stéal.
Stappen.	To step.
Slaan.	To strike, to béat.
Schatten belasten.	To tax, to assess'.
Sarren.	To ir'ritate.
Schaken.	To play at chess.
Zich schamen.	To be asha'med.
Schaduwen.	To shade, to shad'ow.
Scheren.	To shave.
Scheiden.	To separate.
Schenken.	To fill a glass.
Schermen.	To fence.
Scherpen.	To sharpen.
Schertsen.	To jest.
Scheuren.	To teár, to rend.
Schieten.	To shoot.
Schikken.	To place in order.
Schillen.	To shell.
Schimpen.	To scoff, to taunt.
Schipbreuk lijden.	To suffer shipwreck.
Schitteren.	To glitter, to glist.
Schoffelen, verschoppen.	To shov'el.
Schoppen.	To kick.
Schouwen.	To take inspection.
Schrammen.	To scratch.
Schreijen, weenen.	To weep.
Schrijven.	To write.
Schroeven.	To screw (skrge).
Schroomen.	To teár.
Schuijeren.	To brush.

123

Schuimen.		To scum, to skin.
Schuiven.		To shove forward.
Scharen.		To scoar.
Slepen.		To trail, to drag.
Slijpen.		To whet.
Slijten.		To weár.
Smeren.		To gréase.
Smeeken.		To beseech (*bisietsj'*).
Smoren.		To stifle, to suffocate.
Sneeuwen.		To snow.
Sneuvelen.		To be killed.
Snorken.		To snore.
Snuffen.		To snuff.
Spellen.		To spell.
Stompen *of* stempelen.		To stump.
Steken.		To sting.
Steenigen.		To stone.
Stemmen.		To vote.
Stichten.		To found.
Stijven (*linnen*).		To starch.
Stoeijen.		To dally, to toy.
Stoken.		To stir the fire.
Stoppen (*housen*).		To darn.
Stotteren, stamelen.		To stammer, to statter.
Straffen.		To pun'ish.
Strijken (*linnen*).		To iron (*ai'urn*).
Strooken.		To agree, to concur.
Suffen.		To dote.
Toelaten.		To allow (*ellou*), to grant.
Toestemmen.		To consent, to agree, to yield.
Toejuichen.		To applaud.
Toeknoopen.		To button.
Twisten.		To contend, to dispute.
Twijfelen.		To doubt.

Trekken of tappen.	To draw (*drau*).
Trouwen.	To marry.
Treuren.	To mourn, to grieve.
Tergen.	To provoke.
Trekken, rukken.	To pull.
Terug geven.	To return,
Toonen.	To show, to shew (*sjo*).
Talmen.	To loiter, to linger.
Tegenspreken.	To contradi'ct.
Teekenen.	To design.
Tellen.	To count, to tell, to number.
Temmen.	To tame.
Toeëigenen.	To appro'priate.
Toegraauwen.	To snarl at.
Toegrendelen.	To bolt.
Zich toeleggen.	To apply one's self.
Toenemen.	To incréase.
Toerusten.	To equip, to prepare.
Toomen.	To bridle.
Trachten.	To try, to attempt.
Trappen.	To tréad.
Treden.	To step.
Trommelen.	To drum.
Trompetten.	To trumpet.
Tuigen, getuigen.	To witness.
Uithlusschen.	To quench.
Uitbraken.	To vom'it.
Uitbreiden.	To enlarge.
Uitdeelen.	To dristrib'ate.
Uitschrappen.	To blot out.
Uitdrukken.	To express.
Uithouden.	To hold out.
Uitkloppen.	To béat out.
Uitleggen.	To explain.
Uitputten.	To exhaust (*egz-haust'*).

Uitschrijven.	To cop²y, to transcribe.
Uitspoelen.	To rinse.
Uitspreken.	To pronounce.
Uitvinden.	To inve'nt.
Uitvoeren.	To export.
Verlaten, in den steek laten.	To aban'don, to forsake.
Verfoeijen.	To abhor, to detest.
Verkorten.	To abridge (eb-bridsj), to shorten.
Vervullen.	To accom'plish.
Verzwaren.	To ag'gravate.
Vergrammen.	To anger (cn'gur).
Vernietigen.	To annul.
Verschijnen.	To appéar.
Vragen.	To ask, to demand.
Verzekeren.	To assure.
Verbazen.	To aston'ish, to amaze.
Verzoenen, of boeten.	To atone.
Verfraaijen, versieren.	To beautify (bjoe'ti-fai), to adorn, to embellish.
Verzoeken.	To beg, to entréat.
Verraden.	To betray.
Verbeteren.	To better, to correct.
Vangen.	To catch.
Vergelijken.	To compare.
Verbergen.	To concéal, to hide.
Vervoegen.	To conjugate.
Vergenoegen.	To content.
Verklaren.	To déclare.
Verdedigen.	To defend'.
Verlossen, redden.	To deliv'er, to rescue (res'kjoe).
Vertrekken.	To depart.
Verslinden.	To devour.
Verminderen.	To dimin'ish, to lessen.

Verachten.	To despise, to disdain.
Vermommen.	To disguise, (*disgaiz'*).
Verdeelen.	To divide.
Veroordeelen.	To condemn, to doom.
Verdienen, (door arbeid.)	To earn.
Verdragen.	To endure, to bear.
Verwachten.	To expect.
Vallen.	To fall.
Zich verbeelden.	To fancy, to imag'ine.
Vreezen, duchten.	To fear, to dread.
Voeden.	To feed.
Voelen.	To feel.
Vechten, strijden.	To fight, to combat.
Vullen.	To fill.
Vinden.	To find.
Visschen.	To fish.
Vleijen.	To flatter.
Vliegen.	To fly.
Vouwen.	To fold.
Verbieden.	To forbid.
Vergeven.	To forgive, to par'don.
Vergeten.	To forget'.
Versmaden.	To scorn, to conte'mn.
Vriezen.	To freeze.
Voorzien.	To furnish, to supply.
Verkrijgen.	To get, to obtain.
Verblijden,	To glad *or* gladden, to cheer.
Verheerlijken.	To glorify.
Verheffen.	To exto'l.
Verhinderen.	To hinder, to impe'de.
Vernederen.	To humble.
Verbeteren, herstellen.	To mend, to improve.
Vermeerderen.	To increase.
Voornemen.	To intend, to purpose.
Verlaten, afgaan.	To leave, to quit.

Verliezen.	To lose, (loez).
Vergrooten.	To mag'nify.
Vermenigvuldigen.	To multiply.
Verduisteren.	To obscure, to darken.
Verschoonen.	To excuse (eks-kjoez').
Vloeken.	To curse.
Voorbijgaan.	To pass.
Volmaken.	To perfect.
Vervolgen, verdrukken.	To persecute, to oppress.
Voorschrijven.	To prescribe.
Voorgeven.	To pretend'.
Voortbrengen.	To produce, to afford.
Voortgaan.	To proceed, to go on.
Voortduren, aauhouden.	To contin'ue.
Vervolgen, nazetten.	To pursue.
Verhaasten.	To quicken, to accel'erate.
Verrukken.	To ravish.
Verlustigen.	To recreäte.
Verlossen, vrij koopen.	To redeem, to ransom.
Verdubbelen.	To redoub'le.
Verfrisschen.	To refresh.
Verheugen.	To rejoice.
Verhalen, vertellen.	To relate, to tell.
Vernieuwen.	To renew.
Vergelden.	To requite.
Verroesten.	To rust.
Voldoen.	To satisfy.
Verzegelen.	To seal.
Verleiden.	To seduce.
Verkoopen.	To sell.
Verzachten.	To soften.
Versterken.	To strengt,h'en, to fortify.
Vooronderstellen.	To suppose.
Verdenken.	To suspect.
Vermoeijen.	To tire, to fati'gue.
Vertrouwen.	To trust.

Vereenigen.	To unite, to join.
Verwachten.	To expect.
Zich verwonderen.	To wonder.
Wapenen.	To arm.
Wreken.	To avenge (ev-zendsj').
Wekken.	To awake, to rouse,
Worden.	To become.
Weenen, beweenen.	To deplore, to bewail, to lame'nt.
Wonen.	To dwell, to live.
Winnen.	To gain.
Wagen.	To haz'ard, to venture.
Weten.	To *know*.
Werken.	To work, to la'bour.
Waarderen, schutten.	To prize, to rate, to val'ue.
Wederbekomen.	To recover.
Weigeren.	To refuse.
Wrijven.	To rub.
Werpen.	To t/hrow.
Wachten.	To wait.
Wandelen.	To wa*l*k (*waok*).
Warmen.	To warm.
Wasschen.	To wash.
Weenen.	To weep.
Wegen.	To weigh (*wee*).
Wenschen.	To wish, to des'ire.
Willen.	To will.
Worstelen.	To *w*restle, to struggle.
Wonden.	To wound.
Waken.	To wake, to watch.
Waarschuwen.	To warn.
Waggelen.	To reel, to totter.
Wankelen.	To wa'ver.
Wedden.	To lay a wager (*weed-sj'ur*).
Wederstaan.	To resist, to oppose.

F 2

129

Weergalmen.	To resound.
Weerstuiten.	To rebound.
Werven.	To levy, to raise.
Wettigen.	To legit'imate.
Wiegen.	To rock.
Wijken.	To yield.
Wijzen.	To show.
Wisselen.	To change.
Witten.	To wHiten.
Wringen.	To wring, to twist.
Wroeten.	To root.
Worgen.	To strangle.
Zamenvoegen.	To join, to unite.
Zoenen.	To kiss.
Zeilen.	To sail.
Zien.	To see.
Zenden	To send.
Zoeken.	To seek.
Zetten.	To set, to place.
Zuchten.	To sigh.
Zingen.	To sing.
Zinken.	To sink.
Zitten.	To sit.
Zweren.	To swear.
Zweeten.	To sweat (swet).
Zwemmen.	To swim.
Zegevieren.	To triumph.
Zegenen.	To bless.
Zoet maken.	To sweet'en.
Zorgen.	To care.
Zouten.	To salt.
Zuiveren.	To pu'rify.
Zwaaijen.	To sway.
Zwerven.	To wander, to swerve, to rove.
Zwijgen.	To be silent.

OVER DE VERBUIGING DER ZELFSTANDIGE NAAMWOORDEN.

De uitgangen der zelfstandige raamwoorden veranderen in het Engelsch bijna niet, men heeft dus in deze taal, als het ware, geene *declinatiën*. De verschillende naamvallen van het Nederduitsch worden door voorzetsels aangeduid, zoo als uit het vorgende blijkt:

Bepaald Lidwoord.
Mannelijk.

Sin'gular.	Enkelvoud.
1. The father,	de vader.
2. Of the father,	des vaders, of van den vader.
3. To the father,	den vader, of aan den vader.
4. The father,	den vader.
Plu'ral.	Meervoudig.
1. The fathers,	de vaders.
2. Of the fathers,	der, of van de vaders.
3. To the fathers,	den, of aan de vaders.
4. The fathers,	de vaders.

Eveneens worden de verschillende naamvallen van het Nederduitsche vrouwelijke en onzijdige geslacht in het Engelsch door de voorzetsels *of* en *to*, zonder verbuiging van het bepalende lidwoord *the* aangeduid.

Niet-bepalend Lidwoord.
Vrouwelijk.

Sin'gular.	Enkelvoud.
1. A mother,	eene moeder.
2. Of a mother,	eener, of van eene moeder.

131

3. To a mother,   eener, eene, of aan eene moeder.

4. A mother,   eene moeder.

Het niet-bepalende lidwoord *a*, hetwelk in *an* verandert, wanneer men het voor een zelfstandig of bijvoegelijk naamwoord plaatst, dat met eenen klinker, of eene stomme *h* begint, b. v. *an army*, een leger; *an* HOUR, een uur; *an honest man*, een eerlijk man, enz. heeft natuurlijk geen meervoud, en blijft insgelijks bij de naamvallen van het Nederduitsche mannelijke en onzijdige geslacht onveranderd.

Eigennamen.

1. Charles,   Karel.
2. Of Charles,   van Karel.
3. To Charles,   aan Karel.
4. Charles,   Karel.

Men merke wel op, dat de tweede naamval eigenlijk de eenigste naamval in het Engelsch is, welke door verandering in den uitgang van het zelfstandige naamwoord kan ontstaan, dewijl men denzelven ook dikwerf en, van bezielde of levende wezens sprekende, bij voorkeur door '*s*, met achterplaatsing tevens van de bezitting zonder lidwoord aanduidt; zoo zegt en schrijft men *William's book*, in plaats van *the book of William*, het boek van Willem; *the father's hat*, in plaats van *the hat of the father*, de hoed van den vader, enz.

———❦———

VERVOEGING VAN HET HULPWERKWOORD to have, hebben.

Infin'itive mood.	Onbepaalde wijs.
To have.	Hebben.

Pres'ent par'ticiple.	Tegenwoordig deelwoord.
Having.	Hebbende.
Past par'ticiple.	Verleden deelwoord.
Had.	Gehad.
Indic'ative mood.	Aantoonende wijs.
Pres'ent tense.	Tegenwoordige tijd.
I have,	Ik heb.
Thou hast,	Gij hebt.
He she *or* it has,	Hij, zij, of het heeft.
We have,	Wij hebben.
You *or* ye have,	Gij hebt.
They have,	Zij hebben.
Imper'fect tense.	Onvolmaakt verledene tijd.
I had,	Ik had.
Thou hadst,	Gij hadt.
He had,	Hij had.
We had,	Wij hadden.
You had,	Gij hadt.
They had,	Zij hadden.
Per'fect tense.	Volmaakt verledene tijd.
I have had,	Ik heb gehad.
Thou hast had,	Gij hebt gehad.
He has had,	Hij heeft gehad.
We have had,	Wij hebben gehad.
You have had,	Gij hebt gehad.
They have had,	Zij hebben gehad.
Pluper'fect tense.	Meer dan volmaakt verledene tijd.
I had had,	Ik had gehad.
Thou hadst had,	Gij hadt gehad.
He had had,	Hij had gehad.
We had had,	Wij hadden gehad.
You had had,	Gij hadt gehad.
They had had,	Zij hadden gehad.

133

First fu'ture tense.	Eerste toekomende tijd.
I shall *or* will have,	Ik zal hebben.
Thou shalt *or* wilt have,	Gij zult hebben.
He shall *or* will have,	Hij zal hebben.
We shall *or* will have,	Wij zullen hebben.
You shall *or* will have,	Gij zult hebben.
They shall *or* will have,	Zij zullen hebben.
Sec'ond fu'ture tense.	Tweede toekomende tijd.
I shall *or* will have had,	Ik zal gehad hebben.
Thou shalt *or* wilt have had,	Gij zult gehad hebben.
He shall *or* will have had,	Hij zal gehad hebben.
We shall *or* will have had,	Wij zullen gehad hebben.
You shall *or* will have had,	Gij zult gehad hebben.
They shall *or* will have had,	Zij zullen gehad hebben.
First condit'ional tense.	Eerste voorwaardelijke tijd.
I should *or* would have,	Ik zou hebben.
Thou shouldst *or* wouldst have,	Gij zoudt hebben.
He should *or* would have,	Hij zou hebben.
We should *or* would have,	Wij zouden hebben.
You should *or* would have,	Gij zoudt hebben.
They should *or* would have.	Zij zouden hebben.
Sec'ond condit'ional tense.	Tweede voorwaardelijke tijd.
I should *or* would have had,	Ik zou gehad hebben.
Thou shouldst *or* wouldst have had,	Gij zoudt gehad hebben.

He should *or* would have had,	Hij zou gehad hebben.
We should *or* would have had,	Wij zouden gehad hebben.
You should *or* would have had,	Gij zoudt gehad hebben.
They should *or* would have had,	Zij zouden gehad hebben.

Imper'ative mood.	Gebiedende wijs.
Have (thou).	Heb.
Have (ye *or* you).	Hebt.

Subjunc'tive mood.	Aanvoegende wijs.
Pres'ent tense.	Tegenwoordige tijd.
If I have,	Indien ik hebbe.
— thou have,	— gij hebbet.
— he have,	— hij hebbe.
— we have,	— wij hebben.
— you have,	— gij hebbet.
— they have.	— zij hebben.

Imper'fect tense.	Onvolm. verledene tijd.
If I had,	Indien ik hadde.
— thou hadet,	— gij haddet.
— he have,	— hij hadde.
— we had,	— wij hadden.
— you had,	— gij haddet.
— they had,	— zij hadden.

Per'fect tense.	Volmaakt verledene tijd.
If I have had,	Indien ik gehad hebbe.
— thou hast had,	— gij gehad hebbet.
— he has had,	— hij gehad hebbe.
— we have had,	— wij gehad hebben.
— you have had,	— gij gehad hebbet.
— they have had,	— zij gehad hebben.

Pluper'fect tense.	Meer dan volmaakt ver- ledene tijd.
If I had had,	Indien ik gehad hadde.
— thou hadst had,	— gij gehad haddet.
— he had had,	— hij gehad hadde.
— we had had,	— wij gehad hadden.
— you had had,	— gij gehad haddet.
— they had had,	— zij gehad hadden.

VERVOEGING VAN HET HULPWERKWOORD

to be, *wezen* of *zijn*.

Infinitive mood.	Onbepaalde wijs.
To be.	Zijn.
Present participle.	Tegenwoordig deelwoord.
Being.	Zijnde.
Past participle.	Verleden deelwoord.
Been (*bin*).	Geweest.
Indicative mood.	Aantoonende wijs.
Present tense.	Tegenwoordige tijd.
I am,	Ik ben.
Thou art,	Gij ziit.
He is,	Hij is.
We are,	Wij zijn.
You *or* ye are,	Gij zijt.
They are,	Zij zijn.
Imperfect tense.	Onvolmaakt verledene tijd.
I was,	Ik was.
Thou wast,	Gij waart.
He was,	Hij was.
We were,	Wij waren.
You were,	Gij waart.
They were,	Zij waren.

Perfect tense.	Volmaakt verledene tijd.
I have been,	Ik ben geweest.
Thou hast been,	Gij zijt geweest.
He has been,	Hij is geweest.
We have been,	Wij zijn geweest.
You have been,	Gij zijt geweest.
They have been,	Zij zijn geweest.

Pluperfect tense.	Meer dan volmaakt verledene tijd.
I had been,	Ik was geweest.
Thou hadst been,	Gij waart geweest.
He had been,	Hij was geweest.
We had been,	Wij waren geweest.
You had been,	Gij waart geweest.
They had been,	Zij waren geweest.

First future tense.	Eerste toekomende tijd.
I shall or will be,	Ik zal zijn.
Thou shalt or wilt be,	Gij zult zijn.
He shall or will be,	Hij zal zijn.
We shall or will be,	Wij zullen zijn.
You shall or will be,	Gij zult zijn.
They shall or will be,	Zij zullen zijn.

Second future tense.	Tweede toekomende tijd.
I shall or will have been,	Ik zal geweest zijn.
Thou shalt or wilt have been.	Gij zult geweest zijn.
He shall or will have been,	Hij zal geweest zijn.
We shall or will have been,	Wij zullen geweest zijn.
You shall or will have been,	Gij zult geweest zijn.
They shall or will have been,	Zij zullen geweest zijn.

First conditional tense.	Eerste voorwaardelijke tijd.
I should or would be,	Ik zou zijn.
Thou shouldst or wouldst be,	Gij zoudt zijn.
He should or would be,	Hij zou zijn.
We should or would be,	Wij zouden zijn.
You should or would be,	Gij zoudt zijn.
They should or would be,	Zij zouden zijn.

Second conditional tense.	Tweede voorwaardelijke tijd.
I should or would have been,	Ik zou geweest zijn.
Thou shouldst or wouldst have been,	Gij zoudt geweest zijn.
He should or would have been,	Hij zou geweest zijn.
We should or would have been,	Wij zouden geweest zijn.
You should or would have been,	Gij zoudt geweest zijn.
They should or would have been,	Zij zouden geweest zijn.

Imperative mood.	Gebiedende wijs.
Be (thou).	Zijt of wees.
Be (you or ye).	Zijt of weest.

Subjunctive mood. Present tense.	Aanvoegende wijs. Tegenwoordige tijd.
If I be,	Indien ik zij.
— thou be,	— gij zijt.
— he be,	— hij zij.
— we be,	— wij zijn.
— you be,	— gij zijt.
— they be,	— zij zijn.

Imperfect tense.	Onvolmaakt verledene tijd.
If I were,	Indien ik ware.
— thou wert,	— gij waret.
— he were,	— hij ware.
— we were,	— wij waren.
— you were,	— gij waret.
— they were,	— zij waren.
Perfect tense.	Volmaakt verledene tijd.
If I have been,	Indien ik geweest zij.
— thou hast been,	— gij geweest zijt.
— he has been,	— hij geweest zij.
— we have been,	— wij geweest zijn.
— you have been,	— gij geweest zijt.
— they have been,	— zij geweest zijn.
Pluperfect tense.	Meer dan volmaakt verledene tijd.
If I had been,	Indien ik geweest ware.
— thou hadst been,	— gij geweest waret.
— he had been,	— hij geweest ware.
— we had been,	— wij geweest waren.
— you had been,	— gij geweest waret.
— they had been,	— zij geweest waren.

----- ++ -----

VERVOEGING VAN HET REGELMATIG BEDRIJVENDE WERKWOORD.

to love, beminnen.

Infinitive mood.	Onbepaalde wijs.
To love.	Beminnen.
Present participle.	Tegenwoordig deelwoord.
Loving.	Beminnende.

Past participle.	Verleden deelwoord.
Loved.	Bemind.
Indicative. mood.	Aantoorende wijs.
Present tense.	Tegenwoordige tijd.
I love,	Ik bemin.
Thou lovest,	Gij bemint.
He loves,	Hij bemint.
We love,	Wij beminnen.
You *or* ye love,	Gij bemint.
They love,	Zij beminnen.
Imperfeot tense.	Onvolmaakt verledene tijd.
I loved,	Ik beminde.
Thou lovedet,	Gij bemindet.
He loved,	Hij beminde.
We loved,	Wij beminden.
You loved,	Gij bemindet.
They loved,	Zij beminden.
Perfect tense.	Volmaakt verledene tijd.
I have loved,	Ik heb bemind.
Thou hast loved,	Gij hebt bemind.
He has loved,	Hij heeft bemind.
We have loved,	Wij hebben bemind.
You have loved,	Gij hebt bemind.
They have loved;	Zij hebben bemind.
Pluperfect tense.	Meer dan volmaakt verledene tijd.
I had loved,	Ik had bemind.
Thou hadst loved,	Gij hadt bemind.
He had loved,	Hij had bemind.
We had loved,	Wij hadden bemind.
You had loved,	Gij hadt bemind.
They had loved,	Zij hadden bemind.

First future tense.	Eerste toekomende tijd.
I shall or will love,	Ik zal beminnen.
Thou shalt or wilt love;	Gij zult beminnen.
He shall or will love,	Hij zal beminnen.
We shall or will love,	Wij zullen beminnen.
You shall or will love,	Gij zult beminnen.
They shall or will love,	Zij zullen beminnen.

Second future tense.	Tweede toekomende tijd.
I shall or will have loved,	Ik zal bemind hebben.
Thou shalt or wilt have loved,	Gij zult bemind hebben.
He shall or will have loved,	Hij zal bemind hebben.
We shall or will have loved,	Wij zullen bemind hebben.
You shall or will have loved,	Gij zult bemind hebben.
Thay shall or will have loved,	Zij zullen bemind hebben.

First conditional tense.	Eerste voorwaardelijke tijd.
I should or would love,	Ik zou beminnen.
Thou shouldst or wouldst love,	Gij zoudt beminnen.
He should or would love,	Hij zou beminnen.
We should or would love,	Wij zouden beminnen.
You should or would love,	Gij zoudt beminnen.
They should or would love,	Zij zouden beminnen.

Second corditional tense.	Tweede voorwaardelijke tijd.
1 should or would have loved,	Ik zou bemiud hebben.

Thou shouldst *or* wouldst have loved,	Gij zoudt bemind hebben.
He should *or* would have loved,	Hij zou bemind hebben.
We should *or* would have loved,	Wij zouden bemind hebben.
You should *or* would have loved,	Gij zoudt bemind hebben.
They should *or* would have loved,	Zij zouden bemind hebben.
Imperative mood.	Gebiedende wijs.
Love (thou).	Bemin.
Love (you *or* ye).	Bemint.
Subjunctive mood. Present tense.	Aanvoegende wijs. Tegenwoordige tijd.
If I love,	Indien ik beminne.
— thou love,	— gij beminnet.
— he love,	— hij beminne.
— we love,	— wij beminnen.
— you love,	— gij beminnet.
— they love,	— zij beminnen.
Imperfect tense.	Onvolmaakt verledene tijd.
If I loved,	Indien ik beminde.
— thou lovedst,	— gij bemindet.
— he loved,	— hij beminde.
— we loved,	— wij beminden.
— you loved,	— gij bemindet.
— they loved,	— zij beminden.
Perfect tense.	Volmaakt verledene tijd.
If I have loved,	Indien ik bemind hebbe.
— thou hast loved,	— gij bemind hebbet.
— he has loved,	— hij bemind hebbe.

142

If we have loved,	Indien wij bemind hebben.
— you have loved,	— gij bemind hebber.
— they have loved,	— zij bemind hebben.
Pluperfect tense.	Meer dan volmaakt verledene tijd.
If I had loved,	Indien ik bemind hadde.
— thou hadst loved,	— gij bemind haddet.
— he had loved,	— hij bemind hadde.
— we had loved,	— wij bemind hadder.
— you had loved,	— gij bemind haddet.
— they had loved,	— zij bemind hadden.

VERVORGING VAN EEN WEDERKEERIG WERKWOORD.

Infinitive mood.	Onbepaalde wijs.
To dress one's self.	Zich aankleeden.
Present Participle.	Tegenwoordig deelwoord.
Dressing myself, thyself, enz.	Mij, u, enz. aankleedende.
Past participle.	Verleden deelwoord.
Dressed myself, thyself, enz.	Mij, u, enz. aangekleed.
Indicative mood.	Aantoonende wijs.
Present tense.	Tegenwoordige tijd.
I dress myself.	Ik kleed mij aan.
Thou dressest thyself.	Gij kleedt u aan.
He dresses himself.	Hij kleedt zich aan.
She dresses herself.	Zij kleedt zich aan.
One dresses one's self.	Men kleedt zich aan.
We dress ourselves.	Wij kleeden ons aan.

143

You or ye dress your-selves.	Gij kleedt u aan.
They dress themselves.	Zij kleeden zich aan.

Imperfect tense.	Onvolmaakt verledene tijd.
I dressed myself.	Ik kleedde mij aan.
Thou dressedst thyself.	Gij kleeddet u aan.
He dressed himself.	Hij kleedde zich aan.
We dressed ourselves.	Wij kleedden ons aan.
You dressed yourselves.	Gij kleeddet u aan.
They dressed themselves.	Zij kleedden zich aan.

Perfect tense.	Volmaakt verledene tijd.
I have dressed myself.	Ik heb mij aangekleed, enz.

Pluperfect tense.	Meer dan volmaakt verledene tijd
I had dressed myself.	Ik had mij aangekleed, enz.

First future tense.	Eerste toekomende tijd.
I shall or will dress my-self.	Ik zal mij aankleeden, enz.

Second future tense.	Tweede toekomende tijd.
I shall or will have dress-ed myself.	Ik zal mij aangekleed hebben, enz.

First conditional tense.	Eerste voorwaardelijke tijd.
I should or would dress myself.	Ik zou mij aankleeden, enz.

Second conditional tense.	Tweede voorwaardelijke tijd.
I should or would have dressed myself.	Ik zou mij aangekleed hebben, enz.

Imperative mood.	Gebiedende wijs.
Dress thyself.	Kleed u aan.
Dress yourselves.	Kleedt u aan.
Subjunctive mood.	Aanvoegende wijs.
Present tense.	Tegenwoordige tijd.
If I dress myself.	Indien ik mij aanklee- de, enz.
Imperfect tense.	Onvolmaakt verledene tijd.
If I dressed myself.	Indien ik mij aankleed- de, enz.
Perfect tense.	Volmaakt verledene tijd.
If I have dressed my- self.	Indien ik mij aangekleed hebbe, enz.
Pluperfect tense.	Meer dan volmaakt ver- ledene tijd.
If I had dressed myself.	Indien ik mij aangekleed hadde, enz.

GEMEENZAME SPREEKWIJZEN.
FAMILIAR PHRASES.

Goeden dag.	Good day.
Goeden avond.	Good evening, good night.
Goeden morgen.	Good morning.
Geef mij.	Give me.
Leen mij.	Lend me.
Breng hem.	Bring him.
Zend ons.	Send us.
Aanstonds.	Pres'ently.
Beveel mij.	Command me.

G 2

Zeg mij.	Say me, tell me.
Haal ons.	Fetch us.
Ik kan niet.	I can't (cannot).
Gij durft niet.	You dare not.
Hij wil niet.	He will not.
Zij zullen het doen.	They shall do it.
Heb geduld.	Take patience.
Zwijg.	Be silent.
Spreek niet.	Don't (do not) spéak.
Hij wil niet spreken.	He will not spéak.
Zij kunnen spreken.	They can spéak.

2.

Het is waar.	It is true.
Is het waar?	Is it true?
Het is niet waar.	It is not true.
Ja, inderdaad.	Yes, indeed.
Was het waar?	Was it true?
Ik geloof ja.	I believe so.
Het kan waar zijn.	It may be true.
Het is al te waar.	It is too true.
Ik zeg de waarheid.	I tell the trut/h.
Zegt gij de waarheid?	Do you tell the trut/h?
Ik geloof u.	I believe you.
Gelooft gij mij?	Do you believe me.
Ik geloof u altijd.	I always believe you.
Ik ben er verblijd over.	I am glad of it.
Zij willen mij niet gelooven.	They will not believe me.
Waarom niet?	Why not?
Ik weet het niet.	I don't *know*.
Weet gij het?	Do you *know* it?
Ik weet het sedert lang.	I *know* it since long.
Maar hij weet het niet.	But he don't *know* it.

3.

Wie spreekt daar?	Who spéaks there?

Ik ben het.	It is I.
Spreek hard op.	Spéak aloud.
Nog harder.	Still londer.
Spreek zacht.	Spéak low.
Nog zachter.	Still lower.
Hij heeft eene klare stem	He has a cléar voice.
Zij heeft eene sterke stem.	She has a strong voice.
Spreekt gij tot mij?	Do you spéak to me?
Het spreekt van zelf.	It spéaks of itself.
Waarom spreekt hij niet?	Why don't he spéaks?
Hij weet niets.	He knows not hing.
Ieder spreekt er van.	Every one spéaks of it.
Is het mogelijk?	Is it pos'sible?
Ja, het is mogelijk.	Yes, it is possible.
Ik verzeker u.	I assure you.
Gij kunt er van verze-	You may be sure of it.
kerd zijn.	
Twijfel er niet aan.	Do not doubt it.
Het is wezenlijk zoo.	It is really so.
Op mijne eer.	Upon my hon'our.

4.

Ik schrijf eenen brief.	I write a letter.
Ik ben bezig met schrijven.	I am writing.
Ik schrijf in haast.	I write in a hurry.
Ik heb alles geschreven.	I have written all.
Wat schrijft gij?	What are you writing?
Ik beantwoord een' brief.	I am answering a letter.
Gij schrijft hoe langer hoe	You write worse and
slechter.	worse.
Hij schrijft wel.	He writes well.
Ik heb eene bladzijde ge-	I have written a page.
schreven.	
Schrap dat woord uit.	Blot out that word.
Ik schrap een' regel uit.	I blot out a line.
De brief is gereed.	The letter is ready.

147

Verkiest gij eene andere pen?	Do you choose another pen?
Zijn uwe pennen goed?	Are your pens good?
Wees zoo goed en vermaak er mij eenige.	Be so kind as to make me some.
Zij zijn te fijn.	They are too fine.
De punten zijn stomp.	The points are blunt.
Zij deugen niets.	They are good for nothing.
Beproef dezelve.	Try them.

5.

Hoe laat is het?	⎰ What o' clock is it? ⎱ What's a clock?
Zie op uw horologie.	Look at your watch.
Zie op het uwe.	Look at yours.
Het is negen ure.	It is nine o' clock.
Het is kwartier over negenen.	It is a quarter past nine.
Het is half tien.	It is half (or half an hour past nine.
Het is kwartier voor tienen.	⎰ It is a quarter before ten. ⎱ It wants a quarter of ten.
Het is elf geslagen.	It has struck elev'en.
Het is nog geen twaalf geslagen.	It has not struck twelve yet.
Het is op slag van twaalven.	It is upon the stroke of twelve.
Is het reeds zoo laat?	Is it so late already?
Het is veel later.	It is much later.
Hoor! het slaat één uur.	Hark! it strikes one o' clock.
Het is bij tweeën.	It is about two o' clock.
Er ontbreken maar eenige minuten aan.	It wants but a few minutes.
De klok zal zoo slaan.	The clock is going to strike.

Hoort gij de klok slaan?	Do you hear the clock strike?

6.

Wat voor weer is het?	How is the weather?
Het is helder weer.	It is serene weather.
Het is goed weer.	It is good weather.
Het is schoon weer.	It is fine weather.
Is het slecht weer?	Is it bad weather?
Ja, het is zeer slecht weer.	Yes, it is very bad weather.
Het is veranderlijk weer.	It is changeable weather.
De lucht betrekt.	The weather grows cloudy.
Het zal gaan sneeuwen.	It is going to snow.
Regent het niet?	Does it not rain?
Het dreigt te regenen.	It threatens to rain.
Het is regenachtig, stormachtig weer.	It is rainy, stormy weather.
Het is donker weer.	It is dark weather.
Het is onbestendig weer.	It is unsettled weather.
Het weer is zeer zacht.	The weather is very mild.
Het weer zal ophelderen.	The weather will clear up.
Het begint mooi weer te worden.	It begins to be fair again.
Daar is een regenboog.	There is a rainbow.
De wind gaat liggen.	The wind falls.
De wind is veranderd.	The wind is turned.
Het waaide hard.	The wind blew hard.
Het is een koele, verfrischende wind.	It is a cool, refreshing wind.
Het vriest zeer hard.	It freezes very hard.
De rivier is bevroren.	The river is frozen over.
Het ijs draagt.	The ice bears.

7.

Vervolg.

De morgens en avonden zijn koud.	The mornings and evenings are cold.
Het is zeer koud.	It is very cold.
Het is buitengemeen koud.	It is excessively cold.
De wind waait koud.	The wind blows cold.
Ik beef van de koude.	I shiver for cold.
Mijne vingers zijn verstijfd van koude.	My fingers are benumbed with cold.
Het begint warm te worden.	It begins to be warm.
De lente is aangenaam.	The spring is agreeable.
Het is zeer warm.	It is very warm.
Ik vind de hitte te groot.	I find the heat too much.
Het is buitengemeen heet.	It is extremely hot.
Ik zweet.	I sweat. *I perspire*
De warmte is zeer hinderlijk.	The heat is very inconvenient.
Ik kan de hitte niet verdragen.	I can't endure the heat.
Ik ben geheel bezweet.	I am all over in a sweat.
Het dondert.	It thundere.
De donder rommelt.	The thunder roars.
Zijt gij bang voor den donder?	Are you afraid of thunder?
In het geheel niet.	Not at all.
Het is niet mogelijk uit te gaan.	It is not possible to go out.
De schoone dagen zijn voorbij.	We are at the end of the fine days.
De dagen korten.	The days begin to decrease.
De avonden zijn lang.	The evenings are long.

8.

Hoe oud zijt gij?	What age are you?
Ik ben twintig jaar.	I'm twenty years of age.
Ik zal weldra vijf en twintig zijn.	I shall soon be twenty five.
Is het mogelijk.	Is it possible!
Hoe oud is uwe zuster?	What age is your sister?
Zij is boven de zestien.	She is turned of sixteen.
Zij is zeer groot voor hare jaren.	She is very tall for her age.
Hoe oud is uw vader wel?	What age may your father be?
Hij is in zijn vijftigste jaar.	He is in his fiftiet year.
Ik geloofde niet dat hij zoo oud was.	I did not take him of that age.
Uw grootvader is stokoud.	Your grandfather is sticken in years.
Deze jongeling is meerderjarig.	This young man is of age.
Uwe nicht is minderjarig.	Your niece in under age.
Zij is zeer jong.	She is very young.
Leeft uw vriend N. nog?	Is your friend N. still alive?
Neen Mijn Heer, hij is dood.	No Sir, he is dead.
Hij is verleden jaar gestorven.	He died last year,
Dat spijt mij.	I am sorry for it.
Het was een deugdzaam man.	He was a virtuous man,

9.

Ik ben slaperig.	I am drowsy.
Ik heb vaak.	I am sleepy.
Ik ga naar bed.	I am going to bed.

Ik val in slaap.	I am falling asleep.
Slaapt gij?	Do you sleep?
Gij zijt vast in slaap.	You are fast asleep.
Zij slaapt vast.	She sleeps very soundly.
Dat maakt mij slaperig.	That makes me sleepy.
Zij rusten nu.	They rest now.
Hij is overvallen van de slaap.	He is overcome with sleep.
Waart gij in slaap?	Were you asleep?
Hij valt dadelijk weer in slaap.	He falls asleep again immediately.
Ik heb den geheelen nacht niet geslapen.	I have not slept the *whole night*.
Ik deed geen oog toe.	I did not get a wink of sleep.
Ik heb eenen slechten nacht gehad.	I had a very bad *night*.
Ik heb den geheelen nacht wakker gelegen.	I laid awake all *night*.
Wanneer zijt gij naar bed gegaan?	At what time did you go to bed?
Om twaalf ure.	At twelve o' clock.
Ik ging zeer laat naar bed.	I went to bed very late.
Ik ging bij tijds naar bed.	I went to bed betimes.

10.

Ik zal opstaan.	I am going to rise.
Wij zullen dadelijk opstaan.	We shall rise immediately.
Het is nog te vroeg.	It is yet too early.
Gij bedriegt u.	You are mista'ken.
Het is tijd om op te staan.	It is time to rise.
Ik kan niet vroeg opstaan.	I can't get up early.
Sta gezwind op.	Rise quickly.
Ik sta altijd om zes ure op.	I rise every morning at six o' clock.

Waarom staat gij zoo vroeg op?	Wuy' do you rise so early?
Kleed u haastig aan.	Make haste and dress yourself.
Gij zijt zindelijk en eenvoudig gekleed.	You are neatly and plainly dressed.
Zij is in het wit gekleed.	She is dressed in white.
Gij zijt in het zwart gekleed.	You are dressed in black.
Hij kleedt zich naar de Engelsche mode.	He dresses after the English fashion.
Ik ben niet naar de mode gekleed.	I am not dressed in the fashion.
Mijne kleederen zijn ouderwetsch.	My clothes are old fashioned.
Pas mij dien rok aan.	Try me this coat on.
Hij is zeer wel gemaakt.	It is very well made.
Dit kleed is uit de mode.	This coat is out of fashion.

11.

Hebt gij iets te doen?	Have you any t', hing to do?
Wat hebt gij te doen?	What have you to do?
Doet zoo als gij wilt.	Do as you please.
Ik doe slechts mijn' pligt.	I do but my duty.
Of ik het doe of niet.	Whether I do it or not.
Ik heb regt om het te doen.	I have a right to do it.
Ik kom het gedaan hebben.	I could have done it.
Ik zal het laten doen.	I will get it done.
In het vervolg zal ik zoo doen.	Henceforth I will do so.
Ik zal al mijne pogingen aanwenden.	I shall do my utmost.
Doe niet meer dan noodig is.	Do no more than needs must.

153

Ik deed het drie dagen geleden.	I did it three days ago.
Indien ik het kon doen.	If I could do it.
Laat hem doen wat hij wil.	Let him take his own way.
Ik doe niets.	I do not,hing.
Ik zou zoo iets niet gedaan hebben.	I would have done no such t,hing.
Het zal morgen gedaan zijn.	It will be done by to-morrow.
Hij doet zoo als hij kan.	He shifts as he can.
Ik zal het zeker doen.	I shall do it without fail.
Het is zoo goed als gedaan.	It is as good as done.

12.

Ik zal naar huis gaan.	I will go home.
Laat ons naar den tuin gaan.	Let us go to the garden.
Ik ga naar de buitenplaats.	I am going to the countryséat.
Gaat gij over water?	Do you go by water?
Waarheen zult gij gaan?	Whither shall you go?
Ik zal niet nalaten daar naar toe te gaan.	I shall not fail to go thither.
Zijt gij er ooit geweest?	Were you ever there?
Ik ben voornemens er naar toe te gaan.	I intend going thither.
Zal ik met u gaan?	Shall I go with you?
Ik heb ook lust om er naar toe te gaan.	I have likewise a mind to go thither.
Indien gij volstrekt wilt gaan.	If you will ab'solutely be gone.
Ga regts of links om.	Go to the right or to the left.
Ik geloof dat hij naar huis is gegaan.	I believe he is gone home.
Zij zijn bij haar geweest.	They have been at her house.

Ik ga hem te gemoet.	I am going to meet him.
Wij gaan daar bij beurten.	We go thither by turns.
Zij zijn daar tweemaal geweest.	They have been there twice.
Hij gaat heen en weer.	He goes to and fro.
Alles zal wel gaan.	All will go on well.

13.

Ik ben daar drie dagen geweest.	I have been there three days.
Het is noch meer noch minder.	It is neither more nor less.
Het zal de laatste keer zijn.	It will be the last time.
Het is de heerschende mode.	It is the reigning fashion.
Het is hetzelfde.	It is all one.
Het is altijd zoo.	It is always so.
Het is eens vooral.	It is once for all.
Het is hetzelfde ding.	It is the same t,hing.
Het is nog erger.	It is yet worse.
Het is een gezette prijs.	It is a set price.
Zij waren te voet.	They were on foot.
Het is eene dwaasheid.	It is a folly.
Het is niet altijd zoo.	It is not always so.
Het is niet noodig.	It is not necessary.
Het is niet gezond.	It is not wholesome.
Het is in het geheel niet beter.	It is not at all better.
Gij zijt de eenigste niet.	You are not the only one.
Dat is niet nieuw voor ons.	That is not a new t,hing for us.
Elke dag is geen feestdag.	Every day is not sunday.
Dat is niet van de beste.	That is none of the best.
Geef mij een andere.	Give me another.
Gij zijt zeer vriendelijk.	You are very kind.
Ik bedank u.	I t,hank you.

14.

Hij heeft vele goederen.	He has a grést fortune.
Het is een rijk man.	It is a moneyed man.
Had ik maar geld genoeg.	Had I but money enough, (*ie-nof'*).
Wij hebben vele schoone boeken.	We have many fine books.
Ieder heeft zijne zwakheden.	Every one has his wéakness.
Daar is eene nieuwe mode.	There is a new fashion.
Ik zal morgen tijd hebben.	I shall have tíme to morrow.
Zij hebben het eene week gehad.	They have had it a week.
Het is moeijelijk te krijgen	It is hard to come at.
Zij hebben niet veel tijd.	They have not much time.
Ik zal het noodig hebben.	I shall stand in need of it.
Hij is in zijn oogmerk mislukt.	He has missed his aim.
Zij zullen niet nalaten daar te zijn.	They shall not fail to be there.
Daar onthreekt niets.	There wants nothing.
Ik zal niet nalaten.	I will not fail.
Wij dachten dat hij het noodig had.	We thought he wanted it.
Ik heb meer dan genoeg.	I have more than enough.
Hij heeft veel moeite.	He has much trouble.
Ik heb alles bij mij, wat ik noodig heb.	I have all I want about me.
Ik ben er mede voorzien.	I am provided with it.
Ik heb genoeg.	I have got enough.

156

Eerste Zamenspraak.	Dialogue I.
Uw dienaar Mijn heer.	Your servant Sir.
Ik heb de eer de uwe t^e zijn.	I have the honour to be yours.
Hoe vaart gij?	How do you do?
Redelijk wel, en gij?	I am very well, how is it with you?
Zeer wel, God zij dank.	Very well, thank God.
Hoe vaart men ten uwent?	How do they all do at your house?
Zij varen allen wel.	They are all in good healt,h.
Uitgenomen mijne zuster.	Except my sister.
Zij is een weinig ongesteld.	She is a little indisposed.
Wat scheelt haar?	What is her illness?
Zij heeft eene koude gevat.	She has got a cold.
Zij vat ligt koude.	She easily catches cold.
Zij heeft hoofdpijn.	She has got the headake.
Het spijt mij zeer.	I am sorry for it.
Ik wenschte dat zij wel was.	I wished she was well.
Weet gij dat de heer N. gevaarlijk ziek is?	Do you know, that Mr. N. is dangerously ill?
Ik weet er niets van.	I know nothing on it.
Hij is eergisteren ziek geworden.	He was taken ill the day before yesterday.
Hij zal er niet van opkomen.	He is past recov'ery.
De doktor heeft hem opgegeven.	The physician has given him over.
Hij heeft eene kwaadaardige koorts.	He has a malig'nant fever.
Ik wensch hem van harte beterschap.	I heartily wish him recovery.

Ik ga naar huis, vaarwel.	I am going home, farewell.
Maak mijne complimenten aan de familie.	Present my com'pliments to your family.
Ik zal niet in gebreken blijven.	I shall not fail.

Tweede Zamenspraak.	*Dialogue II.*
Laat ons van daag eene wandeling doen.	Let us take a walk to-day.
Waar zullen wij heen gaan?	Wuither shall we go?
Naar de buitenplaats van onzen vriend.	To our friend's countryseat.
Het is te ver.	It is too far off.
Laat ons dan naar den tuin gaan.	Let us then go to the garden.
Wij zullen maar eene kleine wandeling doen.	We shall take but a little walk.
Want ik heb reeds een uur gewandeld.	For I have been walking this hour.
Deze weg is zeer vermakelijk.	This way is very pleasant.
Hij wordt zeer veel lezocht.	It is much resorted to.
Het is een zeer aardige wandelweg.	It is a very pretty walk.
Wat is hier een mooi groen.	What a fine green is here.
Uw tuin is zeer schoon.	Your garden is very fine.
Hier is een heerlijk priëel	Here is a magnificent bower.
Wij zullen daar voor de zon schuilen.	We shall shelter ourselves in it for the sun.
Gij [158] ziet dat ik behagen	You see I take delight

schep in het bloemen kweeken. | in cultivating flowers.

Gij zijt een bloemist. | You are a florist.

Wij zullen er eenige plukken om er eenen ruiker van te maken. | We shall gather some to make a nosegay.

Deze bloemen hebben eenen liefelijken reuk. | These flowers have a charming smell.

Hoort gij het gezang der vogelen niet? | Do you not hear the warbling of birds?

Ja, dat is zeer aangenaam. | Yes, that is very agreeable.

Ik heb den koekoek reeds gehoord. | I have heard already the cuckoo.

Wij zullen een weinig rusten. | We shall rest now a little.

Ik ben zeer vermoeid. | I am very tired.

Ik heb mij zelven vermoeid. | I have fatigued myself.

Gij moet zoo gaauw niet gaan. | You must not go so fast.

Ik kan u niet volgen. | I cannot follow you.

Wij zullen zachter gaan. | We shall go softlier.

Wij moeten naar huis terug keeren, want het begint te regenen. | We must return home, for it is going to rain.

Het regent dat het giet. | It rains as fast as it can pour.

Het is maar eene bui. | It is only a shower.

Het zal zoo gedaan zijn. | It will be done presently.

Derde Zamenspraak. | ### Dialogue III.

Ik ben zeer verblijd u te zien, hoe vaart gij? | I am overjoyed to see you, how do you do?

Om u te dienen, en gij? | At your service, and you?

H

Zoo wel als mogelijk is.	As well as hear can wish.
Ik verzoek u heden met mij te eten.	I beg you to take a dinner with me to day?
Zeer gaarne; mits gij geene complimenten maakt.	With all my heart; provided you will use no cer'emony.
Ik zal er geene maken.	I will not make any.
Wij hebben niets dan onzen dagelijkschen pot.	We have but our daily fair.
Ik zal met goeden eetlust eten.	I shall dine with a good appetite.
Deze soep schijnt mij zeer goed te zijn.	This soup appears to me to be very good.
Neem wat groenten.	Take some vegetables.
Wat rapen of peuen.	Some turnips or carrots.
Breng gekookt vleesch.	Bring the boiled meat.
Wilt gij vet of mager.	Will you have fat or léan?
Een weinig van beide.	A little of bot,h.
Geef mij eene snede gebraden vleesch.	Give me a slice of roastmeat.
Houdt gij van gebraden kalfsvleesch?	Do you like some roastvéal?
Ik zal mij zelven bedienen.	I will help myself.
Ik geef er niet veel om.	I dont' care for any.
Zal ik u brood geven?	Shall I help you to some bread?
Dat brood is te oudbakken.	That bread is too stale.
Hier is versch brood.	Here is new bread.
Laat ons nu wat van dat jonge hoen nemen.	Let us take row something of that chicken.
Belieft gij een vleugeltje?	Shall I help you to a wing?
Neen, geef mij een boutje als 't u belieft.	No, give me a leg, if you pléase.

Wees zoo goed mij ook een stukje te geven.	Pray, give me also a bit.
Wilt gij niet van den patrijs hebben?	Will you not have some partridge?
Wie verstaat het voorsnijden?	Who understands carving?
Zijt gij een goed voorsnijder?	Are you a good carver?
Wees dan zoo vriendelijk dien jongen kalkoen te snijden.	Be then so kind as to carve that young turkey.
Het is van mijnen smaak.	It is to my taste.
Het smaakt goed.	It tastes well.
Geef mij dien schotel eens over.	Hand that plate this way.
Wie bereidt deze salade?	Who dresses that salad?
Daar is de slaschotel.	There is the saladdish.
Geef mij het oliefleschje.	Give me the oilcruet.
Hier is het azijnfleschje, en het zout.	Here is the vinegarcruet and the salt.
Daar is geen olie genoeg op.	There is not oil enough.
Roer ze om.	Mix it.
Geef mij een weinig.	Give me some.
Gij eet, noch drinkt.	You neither eat, nor drink.
Schenk eens in.	Fill some drink.
Hier is zwaar en dun bier.	Here is strong and small beer.
Ik zal liever een glas wijn drinken.	I will rather drink a glass of wine.
Ik heb de eer uwe gezondheid te drinken.	I have the *honour* to drink your heált, h.
Dames! op uwe gezondheid.	Ladies! to all your heált, h.
Gij drinkt te weinig.	You drink too little.

Ik ben geen groote drinker.	I am not a greát drinker.
Drink uw glas uit.	Empty your glass.
Ik ben zeer dorstig.	I am very t/hirsty.
Ik sterf van dorst.	I am almost choaked with t/hirst.
Ik kan mijn' dorst niet lesschen.	I cannot quench my t/hirst.
Jan! neem de tafel af.	John! cléar away the table.
Zet het nageregt op.	Put the desse'rt on the table.
Houdt gij van appelen, peren, perziken, kersen, aardbeziën, aalbessen, pruimen of abrikozen?	Do you líke apples, peárs, péaches, cherries, strawberries, currants, plums and apricots?
Geef mij eenige noten.	Help me to some walnuts.
Hebt gij die peren geschild?	Have you peeled these peárs.
Gooi de schillen weg.	T/hrow away the parings.
Wat zult gij nu nemen?	WHat will you take now?
Ik zal niets meer eten.	I shall éat no more.
Ik heb een goed maal gedaan.	I have made a good méal.
Ik heb genoeg gegeten.	I have éaten sufficiently.
Honger is de beste saus.	A good appetite needs no sauce.
Gij hebt gelijk.	You are in the ríght.

Vierde Zamenspraak.	*Dialogue IV.*
Ik ga naar school, het slaat negen uren.	I am going to sc/hool, it strikes níne o' clock.
Maak haast, het is veel later.	Make haste, it is much later.

Dat is niet mogelijk.	That is not possible.
Gij komt zeer laat, het gebed is reeds gedaan.	You come very late; prayers have been said (sed) alréady.
Ik ben door mijnen oom opgehouden Mijn Heer!	I have been detained by my uncle Sir!
Ik vrees dat gij mij bedriegt.	You deceive me, I féar.
Gij zijt nog niet half gekleed	You are not half dressed.
Die slordigheid mishaagt mij.	That sluttishness displéases me.
Gij hebt uwe handen en uw aangezigt niet gewasschen.	You have not washed your hands and face.
Gij zijt te laat opgestaan, geloof ik.	You got up too late, I believe.
Vergeef mij, Mijn Heer, ik zal in het vervolg beter oppassen.	Forgive me, Sir, I shall be more careful in the future.
Ga naar uwe plaats, en leer uwe lessen.	Go to your place, and learn your lessons.
Ik kan niet zitten, maak een weinig plaats.	I cannot sit down, make a little room.
Ik ga mijne opstellen schrijven.	I am going to write my exercises.
Geef mij mijn schrift, en eenige nieuwe vermaakte pennen.	Give me my writing-book, and some new made pens.
Beproef deze pennen.	Try these pens.
Zij zijn te fijn.	They are too fine.
De punten van die zijn stomp.	The points of those are blunt.
Dat schrift is niet leesbaar.	That writing is not legible (led'dsji-bil).
Houd uwe pen dus.	Hold your pen thus.

Buig den duim en de twee vingers.	Bend the thumb and the two fingers.
Rust met uwen linkerëlleboog op de tafel.	Rest your left arm upon the table.
Uw opstel is vol fouten, gij hebt de regels niet in acht genomen.	Your exercise is full of faults, you did not look at the rules.
Geef mij anderen inkt.	Give me other ink.
Deze is te dik en vloeit niet.	This is too thick, and does not run free.
Doe er eenige droppels azijn in.	Put some drops of vinegar in it.
Gij hebt in haast geschreven.	You have written in a hurry.
Ik zal ze in het net overschrijven.	I shall copy them fair.
Leen mij een velletje postpapier, ik moet eenen brief schrijven.	Lend me a sheet of postpaper, I must write a letter.
Hier is lak en ouwels.	Here is some séalingwax and wafers.
Maak den brief toe.	Séal the letter.
Brengt hem naar den post, en frankeer hem.	Bring it to the post-office, and pay the postage.
Moeten wij geene les in de aardrijkskunde hebben?	Must we not have a lesson of geog'raphy?
Ja, en dan moeten wij een dicté schrijven.	Yes, and after that we must write a dictation.
Waar zijn uwe kaarten?	Where are your maps?
Breng mij de gekleurde kaarten.	Bring me the coloured maps.
Zullen wij nu verlof hebben om te gaan spelen.	Shall we have now leave to play?
Ja, maar draag zorg	Yes, but take care not

geen geraas te maken.	to make great noise.
Wat uwen broeder aangaat, hij moet in de school blijven.	As to your brother, he must remain at school.
Hij heeft zijnen pligt niet gedaan.	He has not performed his duty.
Hij heeft slecht geschreven.	He has written very bad.
Hij zal een ander schrift maken.	He shall make another writing.
Daar is eene pen voor groot schrift.	There is a pen for text hand.
Uw schrift deugt niets, maak een ander.	Your writing is good for nothing; make another.
Toon het mij, als gij gereed zijt.	Show it me, when you are ready.
Vijfde Zamenspraak.	*Dialogue V.*
Jan! zal de kleermaker van daag komen?	John! will the tailor come to-day?
Ja, Mijn Heer, indien hij zijn woord houdt.	Yes sir, if he keeps his word.
Wanneer hebt gij hem gesproken?	When have you spoken to him?
Dat weet ik zelf niet.	That I don't *know* myself.
Gij zijt een vergeetachtig mensch.	You are a forgetful fellow.
Daar is hij reeds, geloof ik.	There he is already, I believe.
Is de Heer M. te huis?	Is Mr. M. at home.
Ja, hij is te huis.	Yes, he is.
Mijn Heer, daar is de kleermaker.	Sir, there is the tailor.
Laat hem boven komen.	Bid him come up.

Baas Lisière, ik heb een pak kleeren noodig.	M. Lisière, I want a suit (sjoet) of clothes.
Moet ik u een volkomen kleed maken, Mijn Heer?	Would you have me make you a full suit, Sir?
Wilt gij een rok, vest en broek van betzelfde laken hebben?	Would you choose to have the coat, waistcoat and trousers of the same cloth?
Neen, ik neem het vest en de broek van zijde.	No, I take the waistcoat and the trousers of silk.
Waar wilt gij den rok van gemaakt hebben?	What stuff will you have the coat made of?
Van zwart Leidsch laken, hoe veel ellen heb ik noodig?	Of black Leiden cloth, how many yards do I want?
Ten minste vierde half el.	At least three and a half yard.
Gij spreekt op zijn kleermakers.	You speak like a tailor.
Drie ellen zullen genoeg zijn.	Three yards will be sufficient.
Ik zal u nu de maat nemen.	I shall take now your measure.
Hoe wilt gij den rok gemaakt hebben.	How will hou have the coat made?
Naar de Engelsche of Fransche mode?	After the English or French fashion.
Maak hem mij naar de Engelsche mode.	Make it me after the English fashion.
Ik heb de Fransche mode lang genoeg gevolgd.	I have followed long enough the French fashion.
Moet het lijf zoo lang zijn.	Must the waist be so long?

Zonder twijfel, en de panden ort.	Without doubt, and the skirts short.
Hoe is het met de kraag?	How is it with the collar?
Zij moet hoog en zeer breed zijn.	It must be high and very broad.
Gij zult mij wonderlijk in de kleeren steken.	You will make me a singular dress.
Het zal u zeer wel staan.	It shall fit you very well.
Belieft gij den rok met zijde gevoerd?	Will you be pleased to have the coat lined with silk?
Ja, ik verkies zijden stof boven eene andere.	Yes, I prefer silk stuff to another.
Moet ik ook zakken in de broek maken?	Must I make pockets in the trousers?
Ja, en wel zeemen zakken.	Yes, and for all leather pockets.
Het horologiezakje moet grooter zijn dan dit.	The fob must be greater than this.
Wanneer zal ik mijn kleed hebben.	WHen shall I have my suit?
De aanstaande week.	The next week.
Ik hoop dat gij een man van uw woord zijt.	I hope you are a man of your word.
Ik zal mijne belofte nakomen.	I will stand to my promise.
Het is een kleermaker's belofte.	It is a tailor's promise,
Gij houdt van schertsen Mijn Heer.	You like to jest Sir.
Zesde Zamensplaak	*Dialogue VI.*
Waar zullen wij laken gaan koopen?	WHere shall we go to buy cloth?

Op het plein, in het Fransche wapen.	On the square, at the French arms.
Het is een wel beklante en wel voorziene winkel.	The shop is well accustomed and well stocked.
Waar woont de Heer A. de lakenkooper?	Where lives Mr. A. the draper?
In dat groote witte huis, naast den banketbakker.	In that great white house, next to the confectioner.
Welk een schoone winkel!	What a fine shop!
Het is de grootste van de stad.	It is the greatest of the city.
Het is een huis als een paleis.	It is a house like a palace.
Mijn Heer, laat ons laken zien, als 't u belieft.	Sir, be pleased to show us some cloth.
Hier zijn stalen van al de fijne lakens.	Here are patterns of all the superfine cloths.
Kies de kleur, die u het best aanstaat.	Choose the col'our you like best.
Dit is eene kleur, die bijzonder in de mode is.	This is a partic'ular colour in fashion.
Zij zal zeer goed staan, bij een zwart zijden vest.	It will look very well, with a black silk waistcoat.
Dat laken is zeer deugdzaam.	That cloth will wear very well.
Zou het niet te dun zijn?	Would it not be too thin.
Mij dunkt het is te kaal.	I think (me thinks) it is too threadbare.
Hier is een ander stuk van dezelfde kleur.	Here is another piece of the same colour.
Dat is het beste laken dat gij kunt begeeren.	That is the best cloth you can wish for.

Voel, hoe zacht het is.	Feel, how soft it is.
Gij zult er oneindig veel dienst van hebben.	It will do you an in'finite deal of ser'vice.
Dat laken staat mij heel wel aan.	I like that clot,h very well.
Voor hoeveel verkoopt gij het de el?	How much do you sell it a yard?
Dat laken kost een guinje, het zij men het neme of late.	That clot,h is of a guinea (gin'ni), take it or leave it.
Hebt gij mij den minsten prijs bepaald?	Have you fixed me the lowest price.
Moet ik niet afdingen?	Must I not cheapen?
In het geheel niet, ik geef het niet minder.	Not at all, I don't give it less.
Ik heb niet overvraagd.	I have not exacted.
Het zijn alle gezette prijzen.	They are all fixed prices.
Snijd er mij dan vier ellen van af.	Cut me four yards of it then.
Hebt gij geene voering noodig?	Have you no occasion for lining.
Wilt gij zijde of sergie hebben?	Will you have a silk stuff or serge?
Ik zal hemelsblaauwe zijde nemen.	I will take silk of a skyblue.
Wat is de prijs hiervan?	WHat is the price of it?
Ik kan het onder de vijf schellingen niet verkoopen.	I can't sell it under five shillings.
Ochl gij spot, geloof ik.	Oh! you joke, I believe.
Gij vraagt te veel.	You ask out of the way.
Wilt gij niets afkomen.	Will you bate not,hing of it.
Ik heb maar een woord.	I make but one word.
Het is waarlijk goedkoop.	It is indeed very chéap.

Ik zal u vier schellingen geven.	I will give you four shillings.
Het kost mij meer dan gij er voor biedt.	It stands me in more than you bid me for it.
Ik kau het niet doen zonder er bij te verliezen.	I can't do it without losing by it.
Dat belieft u zoo te zeggen.	You are pléased to say so.
Ik moet u dan geven, wat gij vraagt.	I must give, what you ask then.
Daar is uw geld.	There is your money.
Het is juist zoo, ik bedank u.	It is right, I t/hank you.

Zevende Zamenspraak

Dialogue VII.

Hier is uw pak kleeren Mijn Heer.	Here is your suit Sir.
Gij zijt een man van uw woord.	You are a man of your word.
Wilt gij den rok aanpassen?	Will you be pléased to try the coat on?
Bezie uzelven in den spiegel.	Look yourself in the glass.
Hij past u zeer goed.	It fits you extre'mely well.
Hij zit u als een haar.	It fits you to a hair.
Maar de mouwen zijn geheel scheef.	But the sleeves are all awry (er'rai').
Zie, hoe leelijk dat staat.	See, how ugly that looks.
Wat de broek aangaat, zij is veel te wijd.	As to the trousers, they are too wide.
Zij is allerslechtst gemaakt.	They are wretchedly made.
Gij moet de broek verhelpen.	The trousers must be rectified.

De knoopsgaten zijn ook niet goed gewerkt.	Neither are the button-holes well worked.
De naden moeten platter zijn.	The seams must be more pressed down.
Hebt gij uwe rekening gebragt?	Have you brought your bill?
Dat heeft geen haast Mijn Heer.	There is no hurry for it Sir.
Hier is de schoenmaker.	Here is the shoemaker.
Baas Crepin, ik heb een paar laarzen en een paar schoenen noodig.	Mr. Crepin, I want a pair of boots and a pair of shoes.
Wilt gij omgekeerde schoenen hebben?	Will you be pleased to have pumps?
Gewis, hebt gij goede?	Cer'tainly, have you good ones?
Hier is een fraai paar.	Here is a fine pair.
De zool is zoo dun als papier.	The sole is as t,hin as paper.
Ik zal ze in minder dan veertien dagen verslijten.	I shall wear them out in less than a fort-night.
Gij bedriegt u Mijn Heer, zij zijn zeer sterk.	You are mistaken Sir, they are very strong.
Zij zijn onverslijtbaar.	They are not to be worn out.
Ik zal ze aanpassen.	I will try them on.
Waar is mijn aantrekker?	W Hereismyshoeing-horn?
Stamp met den voet op den grond.	Stamp your foot upon the ground.
Daar, nu zijt gij er in.	There, your foot is in.
Daar is geene de minste vouw in.	There is not the least wrinkle in them.
Zij passen u juist.	They fit you to a hair.
Zij knellen mij te veel.	They pinch me too much.
Zij zijn te naauw.	They are too narrow.

En te puntig aan de teenen.	And the toes are too sharp.
Zij zullen in het dragen wel wijder worden.	They will widen enough in the wearing.
Want dat leer rekt als een handschoen.	For that leather stretches like a glove.
Het is best Spaansch leer.	It is of the best Spanish leather.
Het kan zijn, maar gij moet ze op de leest slaan.	It may be, but you must put them on the last.
Breng ze mij morgen terug.	Bring them back to-morrow.
Ik wil schoenen hebben, die noch te naauw, noch te wijd zijn.	I will have shoes, which are neither too narrow, nor too wide.
Gij zijt zeer moeijelijk te vergenoegen Mijn Heer.	You are very hard to please Sir.

Achtste Zamenspraak.	*Dialogue VIII.*
Ik ga eenen hoed koopen, waar woont de hoedenmaker?	I am going to buy a hat, where does the hatter live?
In de St. Paulusstraat, tegenover de Engelsche kerk.	In the St. Paul's street, over-against the English church.
Mijn Heer, ik wenschte eenen goeden hoed te koopen.	Sir, I wished to buy a good hat.
Hier zijn de beste, die gij kunt begeeren.	Here are the best, you can wish for.
Zijn zij opgetoomd?	Are they cocked?
De randen van die hoeden zijn te breed.	The brims of these hats are too broad.
Dat is nu de mode.	That is the fashion at present.

Deze past mij niet, hij is te naauw.	This does not fit me, it is too narrow.
Deze zal gaan; hij is wat wijder.	This will do, it is somewHat wider.
De bol is te hoog, dunkt mij.	The crown is too *high*, I think (me t,hinks).
In het geheel niet.	Not at all.
Ik zal hem dan houden; wat kost hij?	I will keep it then; wHat does it cost?
Twaalf gulden Mijn Heer.	Twelve guilders Sir.
Daar is de pruikmaker; wees zoo goed mij het haar te snijden.	There is the periwigmaker; be so kind as to cut my hair.
En daarna moet gij mij opmaken.	And after that you must dress me.
Gij gebruikt te veel poeder.	You use too much powder.
Hebt gij pommade genoeg?	Have you pomade enough?
Ja Mijn Heer, meer dan ik noodig heb.	Yes Sir, more than I want.
Nu moet gij mij scheren.	Now you must shave me.
Zijn uwe scheermessen scherp?	Are your ra'zors sharp?
Zij zijn pas geslepen.	They have been just ground.
Jan! haal het scheerbekken en den zeepbal.	John! fetch the bason and the washball.
Geef ook een' handdoek en warm water.	Give also a towel and warm water.
Wees voorzigtig, snijd mij niet.	Be prudent, don't cut me.
Ik geloof dat uwe hand beeft.	I believe that your hand shakes.
Wees niet bevreesd, ik heb eene vaste hand.	Be not afraid, I have a steady hand.

Hier is de waschvrouw, die mijn linnen goed brengt.

Here is the laundress, who brings my lin'en.

De hemden zijn goed ge-wasschen.

The shirts are well wash-ed.

Maar de lubben zijn niet goed.

But the ruffles are not good.

Dat is de mode zoo.

That is the fashion.

Wel nu, dan zal ik mij naar de mode schikken.

Well, then I shall com-ply with the fashion.

Negende Zamenspraak.

Dialogue IX.

Ik ben verheugd u te zien, waarde vriend, hoe is het met uwe ge-zondheid?

I am overjoyed to see you, my dear friend, how is it with your healt,h?

Het is wel een jaar gele-den dat ik u niet ge-zien heb.

It is a year since I have seen you.

Ga zitten, als het u be-lieft.

Sit down if you please.

Hoe zullen wij den tijd doorbrengen?

How shall we spend the time?

Wij zullen zamen praten, en ondertusschen een kopje thee drinken.

We shall talk together, and drink a dish of tea in the mean-while.

Ik zal dadelijk thee zet-ten.

I will make some tea imme'diately.

Het water zal zoo koken.

The water is going to boil.

Het raast reeds.

It does simmer already.

Verkiest gij theeboei of andere?

Do you choose to drink bohea-tea or other?

Het is mij onverschillig.

It is indifferent to me.

Dan zullen wij theeboei nemen.

Then we shall take bo-hea-tea.

Jan! geef mij de theebos en het theelepeltje.	John! give me the téabox and the téaspoon.
Geef haar nu tijd om te trekken.	Give it time now to draw.
Uwe thee is heerlijk.	Your téa is excellent.
Ik heb inderdaad te veel gedronken.	I have drunk indeed too much.
Nog een kopje mijn vriend?	Another cup my friend?
Ik bedank u, voor mij niet meer.	I t,hank you, no more for me.
Zullen wij nu eene wandeling doen?	Shall we take now a walk?
Laat ons dan bij uwe zuster aangaan, en vragen of zij met ons gaan wil.	Let us call then upon your sister, and ask her if she will go with us.
Zij is niet te huis, zij is op de buitenplaats van den Heer A.	She is not at home, she is at Mr. A. 's countryséat.
Dan zullen wij de wandeling tot op eenen anderen dag uitstellen.	Then we shall put off the walk to another day.
Wij zullen liever het een of ander spel spelen.	We shall rather play at some game.
Welk spel zullen wij spelen?	WHat game shall we play at?
Laat ons dammen.	Let us play at draughts (dreftz).
Waar is het dambord?	WHere is the draughtboard?
Uw knecht haalt het reeds.	Your waiter is going to fetch it.
Neem gij de zwarte, en ik zal de witte schijven nemen.	Take the black men, and I shall take the white ones.
Laat ons zien, wie be-	Let us see who shall

I

ginnen zal.	begin.
Gij moet beginnen.	You are to begin.
Ik sla er drie en haal dam.	I take three and go to king.
Ik zal zeker het spel verliezen.	I shall certainly lose the game.
Gij hebt twee dammen meer dan ik.	You have two kings more than I.
Uw spel staat niet slecht.	Your game is not a bad one.
Mijne schijven staan te veel verspreid.	My men are too much dispersed.
Ik heb het verloren.	I have lost.
Gij zijt niet oplettend genoeg.	You don't mind enough.
Het is een spel, dat veel oplettendheid vereischt.	It is a game that requires much attention.
Vooral, wanneer men het niet goed kent.	Particularly when one does not *know* it well.
En dat is mijn geval.	And that's (that is) my case.
Gij speelt veel beter dan ik.	You play a great deal better than I do.
Ik speel zoo goed als ik kan.	I play the best I can.
Ik geef het op.	I give it up.

Tiende Zamenspraak.	*Dialogue X.*
In plaats van praten, zullen wij zamen op de viool spelen.	Instead of talking, we shall play together on the fiddle or violin.
Gij weet dat de muzijk een van mijne geliefkoosde vermaken is.	You *know* that music is my darling amusement.
Ik schep er veel vermaak in.	I take great delight in it.

Zij vermaakt mij zeer.	It diverts me much.
En uw neef noemt het een droog vermaak.	And your cous'in calls it an insip'id pleasure.
Hetgeen anderen vermaakt verveelt hem.	What diverts others tires him.
Ik zal snaren op mijne viool zetten.	I shall string my violin.
Ik moet er snaren opzetten.	I must put strings to it.
Nu is zij gestemd.	Now it is in tune.
Wij zullen deze adagio spelen.	We shall play this adagio (eddeedsj-ieo).
Gij speelt te gaauw, gij moet langzaam spelen.	You play too quick, you must play slow.
Houd de maat.	Keep good time.
Gij speelt inderdaad meesterlijk.	You play indeed masterly.
Gij vleit mij, geloof ik.	You flatter me, I believe.
Ik spreek in ernst.	I am in good earnest.
Laat ons van wat anders spreken.	Let us call another cause.
Gij zijt in gezelschap geweest met den neef van uwen vriend.	You have been in com'pany with your friend's cous'in.
Ja, dat is een zeer lastig mensch.	Yes, he is a very troublesome person.
Hij berispt iedereen.	He carps at every one.
Hij vindt overal wat op aan te merken.	He finds faults with every t,hing.
Hij zegt niets dan onbeduidende dingen.	He is an emp'ty idle talker.
Hij heeft zoo veel verstand niet als mijn vriend.	He has not so much wit as my friend.
Hij heeft den Heer N. openlijk beleedigd.	He has insulted Mr. N. openly.
Hij heeft hem onaange-	He has abused him.

naamheden gezegd.

Hebt gij ooit zulk een vermetel mensch gezien? — Was there ever such an insolent fellow?

Hij heeft slechte voornemens. — He is an ill-designing person.

De Heer N. werd boos, en heeft hem zeer vernederd. — Mr. N. grew angry, and has humbled him very much.

Op het laatst maakte de zot zichzelven belagchelijk. — At last the coxcomb made himself ridic'ulous.

En ieder spottede met hem. — And every one laughed (laft) at him.

Elfde Zamenspraak. — *Dialogue XI.*

Men heeft mij verteld vriend, dat gij de Engelsche taal leert. — I have been told my friend, that you learn the English language (lang'gwidsj).

Wat denkt gij van de Engelsche taal? — What do you think of the English language?

Derzelver uitspraak is zeer moeijelijk. — Its pronunciation is very difficult.

Ik maak er mijne eenige studie van. — I make it my sole study.

Ik leg er mijzelven zoo veel mogelijk op toe. — I apply myself to it as much as possible.

Ik wenschte meer tijd te hebben om te leeren. — I wished to have more time to study.

Gij weet dat ik maar weinige oogenblikken voor mijzelven heb. — You know I have but a few mo'ments to myself.

Welke boeken gebruikt gij? — Which books do you make use of?

Ik heb de spraakkunst van den Heer S.	I have Mr. S.'s grammar.
Dat is een zeer goede.	That's a very good one.
Ik vertaal ook de geschiedenis van Griekenland door Goldsmith.	I translate also the his'tory of Greece by Goldsmit,h.
Dat is een uitmuntend boek.	That's an excellent book.
Op deze wijs zult gij vorderingen maken.	In that manner you will improve.
Door vlijtig studeeren zult gij het Engelsch in korten tijd leeren.	By dint of stud'ying you will learn English in a short time.
Hebt gij reeds eenige regels geleerd?	Have you learned already any of the rules?
Ja mijn vriend, en ook de vervoeging der regelmatige en onregelmatige werkwoorden.	Yes my friend, and also the conjugation of the reg'ular and irregular verbs.
Ik vertaal dagelijks opstellen uit het Hollandsch in het Engelsch.	I translate daily excercises out of the Dutch into the English.
Gij hebt veel geschiktheid om het Engelsch wel te leeren.	You have much disposition to learn English very well.
Wat uw' neef aangaat, hij verstaat er niet veel van.	As to your cous'in, he is not a great proficient in it.
Hij heeft volstrekt geene vorderingen gemaakt.	He has made no prog'ress at all.
Het Engelsch is inderdaad eene fraaije taal.	The English is indeed a fine language.
Zij is veel in gebruik.	It is very much u'sed.
Zij is tegenwoordig de algemeene taal.	It is at pres'ent the uni-ver'sal language.

Het wordt overal gesproken.	It is spoken every-where.
Laat ons niets dan Engelsch spreken.	Let us spéak not,hing but English.
Ik ben altijd bevreesd misslagen te begaan in het spreken.	I am always afraid of making blunders in spéaking.
Gij moet vrijmoedig zijn.	You must be cou'fident.
Ik kan het beter spreken dan verstaan.	I spéak better than I can understand it
Hoe lang hebt gij geleerd?	How long have you leárned?
Het is maar een jaar geleden dat ik begonnen ben.	It is but a yéar since I begau.
Ik verwonder er mij over.	I wonder at it.

Twaalfde Zamenspraak. — *Dialogue XII.*

Daar is onze vriend B.; welk goed nieuws brengt gij ons?	There is our friend B.; what good news will you tell us?
Is er eenig nieuws?	Is there any news?
Niet dat ik weet.	Not that I *know* of.
Weet gij dan niet dat de Heer D. dood is?	Don't you *know* then that Mr. D. is dead?
Waaraan is hij gestorven?	What did he die of?
Aan eene kwaadaardige koorts.	Of a malig'nant fever.
Hij is maar zes dagen bedlegerig geweest.	He has been bed-rid but six days.
Zijne echtgenoote is troosteloos.	His wife is incon'solable.
Hij was een deugdzaam en vlijtig man, die de	He was a virtuous and laborious man, worthy

achting van ieder waardig was. | of every body's esteem.

Het verlies is onherstelbaar. | The loss is irrep'arable.

Het is een groote slag voor zijn huisgezin. | It is a hard blow for his fam'ily.

Hoe vele kinderen heeft hij? | How many children has he?

Twee zoons en eene dochter. | Two sons, and a daugh̄ter.

Zijne dochter is zeer beminnelijk, en reeds noodig. | His daughter is very agreeable, and already of age.

De oudste zoon gaat binnen kort trouwen. | The eldest son is going to be married.

Met welke jufvrouw trouwt hij? | WHat young lady does he marry?

Met Mejufvrouw B., de eenige dochter van den Heer L. | Miss B., Mr. L. 's only daughter.

Zij is zonder twijfel zeer rijk. | She has undoubtedly a great fortane.

Haar vader wordt voor den rijksten koopman der stad gehouden. | Her father passes for the richest merchant of the city.

Hij geeft haar honderd duizend gulden ten huwelijk. | He gives her a portion of hundred t,housand guilders.

Zijn aanstaande schoonzoon verdient het. | His future son-in-law dese'rves it.

Het is een zeer geschikt jongeling. | He is a very clever young man.

Hij heeft een goed karakter. | He bears a very good c,haracter.

Mejufvrouw B. is levendig, vrolijk, en | Miss B. is lively, sprightly, and good humou-

heeft eene goede inborst.	red,
Zij heeft een goed hart.	She is a good-natured girl,
Zij is eene volmaakte schoonheid.	She is a per'fect beauty.
Zij heeft vele verdiensten.	She is a deserving young lady.
Het is niet uit eigenbelang dat hij haar. trouwt.	It is not for the sake of in'terest he marries her.
Hij zal gelukkig zijn met zulk eene volmaakte vrouw.	He will be happy with such an accom'plished person.
Zij zijn van weerszijden gelukkig.	They are happy on both sides.

Dertiende Zamenspraak.	*Dialogue YIII.*
Wees welkom Mejufvrouw, hoe vaart gij?	Be welcome Miss, how do you do?
Ik kom u bezoeken.	I come to pay you a vis'it.
Ik kom een uurtje met u doorbrengen.	I come to spend an hour with you.
Ik vrees u belet aan te doen.	I am afraid to be troublesome to you.
In het geheel niet.	Not at all.
Gij doet mij veel vermaak.	You do me a great pleasure.
Want ik ben geheel alleen, zoo als gij ziet.	For I am by myself as you see.
En ik heb geene bezigheden.	And I have no occupations,
Ik breng het grootste gedeelte van mijnen tijd met lezen door.	I spend the greater part of my time in reading.

Gij hebt dan alle dag den neus in de boeken. | You are then every day poring upon the books.

Gij weet dat men te veel kan lezen. | You *know* that one can read too much.

Laat ons nu zamen wat praten. | Let us talk now together.

Ik zal u wat nieuws vertellen. | I shall tell you some news,

Wat dan? | What then?

Ik ga eene reis doen naar Duitschland. | I am going to do a voyage to Germany.

Ik ben er verwonderd over. | I wonder at it.

Ik kan het niet gelooven. | I can't believe it.

Gij schertst, geloof ik. | You jest, I believe!

Neen, ik zeg het in ernst. | No, I am in earnest.

Met wien zult gij gaan? | With *whom* will you go?

Met mijnen oom P. | With my uncle P.

Gij zult u zeer vermaken. | You will dive'rt yourselves very much.

Duitschland is een schoon land. | Ger'many is a fine country.

En zeer volkrijk. | And very pop'ulous.

Daar zijn vele fabrijken. | There are a great many manofac'tures.

Ik wenschte dat gij met ons kondet gaan. | I wished you to go along with us.

Dat wenschte ik ook maar ik kan niet. | I wished the same, but I can't.

Gij weet zeer wel dat ik niet kan. | You *know* very well that I can't,

Wanneer zult gij afreizen? | W^hen will you set out?

Ik geloof aanstaanden Zaturdag. | I believe next Saturday.

Hoe zal ik den tijd door-brengen, gedurende uwe afwezigheid?	How shall I spend the time during your ab'-sence?
Ik zal alle oogenblik aan u denken.	I wil think on you every moment.
Gij moet mij alle veertien dagen eenen brief schrij-ven.	You must write me a letter every fortnight.
Ik zal de brieven naauw-keurig beantwoorden.	I shall answer the letters exactly.
Zij zullen mij veel genoe-gen geven.	They will give me a great deal of pleasure.
Uw vertrek bedroeft mij zeer.	Your departure grieves me much.
Ik zal in drie maanden terug zijn.	I will be back in three months.
Die tijd zal mij zeer ver-drietig vallen.	That time will be very te'dious to me.
Het zal mij zeer lang schijnen.	It will seem very long to me.
Ik ben niet gaarne van mijne vrienden geschei-den, hoewel het maar voor eenen kerten tijd is.	I don't like to be sepa-rated from my friends, though it be but for a short time.
Ik hoop dat gij mij niet zult vergeten in dien tijd.	I hope you will not for-get me in that time.
Mijne vriendschap is op-regt, ik zal u dus nooit vergeten.	My friendship is sin-cere, thus I will ne-ver forget you.
Gij kunt staat maken op mijne woorden.	You may depe'nd upon my words.
Het is tijd om naar huis te gaan, ik moet af-scheid van u nemen.	It is time to go home, I must take my leave of you.

Ik wensch u eene gelukkige reis.	I wish you a happy journey.

Veertiende Zamenspraak.	*Dialogue XIV.*

Ik heb u laten halen Mijn Heer, want ik ben geheel ongesteld.	I have sent for you Sir, for I am quite indisposed.
Ik voel eene loomigheid door mijn gansche ligchaam.	I feel a heaviness all over my body.
Ik heb hoofd- en buikpijn.	I have headake and bellyake.
Ik ben op den duur misselijk.	I am contin'ually squeamish (*skwiem'isk*).
Ik heb in het geheel geen' eetlust.	I have no appetite at all.
Sedert drie dagen ben ik zeer ziek.	Since t,hree days I am very ill.
Ik heb verleden nacht geen oog toegedaan.	I have not got a wink of sleep all last night.
Geef mij uwen arm.	Give me your arm.
Laat mij uw' pols voelen.	Let me feel your pulse.
Uw pols jaagt.	Your pulse beats very quick.
Gij zijt zeer zwak.	You are very feeble.
Hoe veel malen hebt gij de koorts reeds gehad?	How many times have you had already the fever.
Ten minste zesmaal.	At least six times.
Laat mij uwe tong zien.	Shew me your tongue.
Gij moet gelaten worden.	You must be let blood.
De chirurgijn moet u een goed gedeelte bloeds aftappen.	The sur'geon must take a good deal of blood from you.
Hier is een recept, breng	Here is a prescription,

het naar den apotheker.	bring it to the apot,h'ecary.
Gij moet het drankje dadelijk innemen.	You must take that potion imme'diately.
Ik zal morgen wederkomen, en u dan eenen zweetdrank géven.	I shall come back tomorrow, and give you then a sudorific (sjoe-do-rif'ik.)
Ik wensch u van harte beterschap.	I must heartily wish you recov'ery.

Vervolg.

Daar komt de dokter.	There is the physician acoming.
Wel, hoe bevindt gij u van daag?	Well, how do you do today?
Wat beter; ik heb dezen nacht wel gerust.	Somewhat better; I have had a good night's rest.
Heeft de purgatie wel gewerkt?	Did the purgation work well?
Ik heb zes- of zevenmaal ontlasting gehad.	I have had six or seven stools.
Het heeft mij zeer verligt.	It has given me much relief.
Hebt gij niet meer eetlust?	Have you no better stom'ac,h?
Ja, ik zou wel iets kunnen eten.	Yes, I could eat now somet,hing.
Ik heb trek naar soep.	I have a long'ing for soup.
Dat is goed, maar gij moet er niet te veel van nemen.	That's good, but you must not take too much of it.
Gij moet zeer matig zijn.	You must be very moderate.
Ik zal uwen heilzamen raad volgen.	I shall follow your sal'u-tary advice.

Ik raad u ten Leste. | I advise you for your best.

Nu zal ik u een drankje geven, om de koorts tegen te gaan. | Now I will give you a potion, to stop the fever.

Gij zult binnen weinige dagen hersteld, en in staat zijn om uit te gaan. | You shall be cu'red in a few days, and able to go abroad.

Ik zal u veel verpligting hebben. | I shall be very much obliged to you.

Vijftiende Zamenspraak. | ## Dialogue XV.

Hebt gij den brief van den Heer L. ontvangen? | Have you received the letter from Mr. L.?

Ja mijn Heer, hij meldt mij onder anderen, dat hij vijftien okshoofden wijn voor uwe rekening gekocht heeft. | Yes Sir, he mentions among others, his having bought fifteen hogsheads of wine for your account.

Hij zal dezelve bij de eerste gelegenheid aan u afzenden. | He will send you the same at the first opportunity.

Hij zou ze reeds ingescheept hebben, doch kapitein B. had zijne volle lading nog niet. | He would have shipped them away already, but cap'tain B. had not yet a full loading.

Schrijft hij niets van de dertig balen koffij, die de Heer T. geweigerd heeft te zenden? | Does he mention nothing of the thirty bales of coffee which Mr. T. has refused to send?

Ja, hij is zeer misnoegd. | Yes, he is very angry.

Hij zal het hem betaald zetten. | He will give it him as good again.

Deze weigering was eene groote beleediging	This refu'sal was a great insult.
De commissiehandel geeft den Heer L. groote voordeelen.	The commission-tradepro-cu'res much advan'tage to Mr. L.
Hij zal in korten tijd rijk zijn.	He will grow rich in a short time.
En groote schatten verzamelen.	And hoard up great trea-sures.
Hij zal toekomende week eenen wisselbrief op u trekken aan de orde van uw' neef.	He will draw next week a bill of exchange upon you, to the order of your cous'in.
Ik zal denzelven op den vervaldag betalen.	I will pay it wHen due.
Gaat gij van daag niet naar de beurs?	Do you not go to the exchange to day?
Neen, ik heb te veel bezigheden.	No, I have too much business (biz'nes) on hand.
Ik zal er mijnen boekhouder naar toe zenden.	I will send my bookkeeper thither.
Hoort gij niets van het bankroet van den Heer N.?	Do you hear nothing of the bankruptcy of Mr. N.?
De schuldeischers zullen geen duit krijgen.	The cred'itors will not get a far'thing.
Men zegt dat hij vier percent biedt.	It is told that he offers four per cent.
Niemand wil het aannemen.	Nobody will accept of it.
Hij geeft zich aan de wanhoop over.	He gives himself up to des'pair.
Hij zegt dat het verlies, dat hij onlangs gele-	He says (ses) that the loss he has lately sus-

den heeft, oorzaak van dit ongeluk is.	tained, is the cause of this misfor'tune.
Ik wil gaarne gelooven dat het zijne schuld niet is.	I willingly—believe that it is not his fault.
Zijn eerlijk gedrag is genoeg bekend.	His upright behav'iour is well kno'wn.
Men heeft hem altijd voor een braaf man gehouden.	One has taken him always for an hon'est man.
Sommige spreken toch kwaad van hem.	Some give him however an ill c,har'acter.
Dat is enkel laster.	That's mere slander.
Zijn zoon is tegenwoordig op reis naar Engeland.	His son is at pres'ent on a voyage to England.
Waarschijnlijk zal hij zich te Londen nederzetten.	Apparently he will estab'lish himself at London.
Ik hoop dat hij in alles wel mag slagen.	I wish that all that rela'tes to him may succeed.
Het is een jongeling van verdiensten.	He is a deserving young man.
Ieder bewondert zijne talenten, zelfs zijne vijanden.	Every one admires his tal'ents, even his enemies.
De Heer A. heeft hem aan zijne vrienden te Londen aanbevolen.	Mr. A. has recommended him to his friends in London.
Zij zullen zich zijne zaak aantrekken.	They shall interest themselves for him.
Hij is het waardig door zijne verdiensten.	He is worthy of it by his merits.
Hij kwijt zich altijd van zijnen pligt, en verdient de achting van anderen.	He always performs his duty, and deserves the esteem of other people.

Ik hoop dat hij in den handel gelukkiger zal zijn dan zijn vader.

I wish he shall have more good luck in com'merce than his father.

Ik moet afscheid van u nemen; ik ga naar huis, het is tijd om te eten.

I must take my leave of you; I go home, it is dinner-time.

Wilt gij met mij gaan, dan zullen wij zamen eten?

Will you go along with me, we shall dine together?

Ik dank u, ik heb mijn woord gegeven.

I thank you, I am en-ga'ged.

Vaarwel! maak mijne complimenten aan uwe familie.

Farewell! present my compliments to your fam'ily.

Ik zal niet in gebreken blijven.

I shall not fail.

Zestiende Zamenspraak.

Dialogue XVI.

Gaat gij dezen avond naar den schouwburg?

Do you go this evening to the play?

Indien de tijd het mij toelaat.

If time permits it me.

Gij weet dat ik over geen uur van mijnen tijd kan beschikken.

You *know* that I can't command an *hour* of my time.

Ik heb vele bezigheden.

I am full of business.

Welk stuk wordt er gespeeld?

What play is to be acted?

Het is een nieuw stuk, genaamd: het nieuwmodisch bankroet.

It is a new piece, entitled: *the modern bankruptcy.*

De Heer B. zal de voornaamste rol spelen.

Mr. B. will act the principal part.

Niemand kan hem overtreffen.	No one can surpass him.
Niemand is in staat hem hierin te evenaren.	None is able to come near him for that.
Hij heeft zijns gelijken niet.	He has not his match.
Wie is de schrijver van dat stuk?	Who is the author of that piece.
De Heer WIELAND.	Mr. WIELAND.
Dan zal ik niet nalaten er naar toe te gaan.	Then I shall not fail to go thither.
En ik zal bij de eerste gelegenheid gaan.	And I will go at the first opportunity.
Zeg mij op welken dag gij voornemens zijt er naar toe te gaan?	Tell me, on what day do you pur'pose going thither?
Aanstaande Zaturdag.	Next Saturday.
Op mijn ooms verjaardag.	On my uncle's birt'hday.
De reis van mijnen neef zal mij beletten er naar toe te gaan.	My cousin's voyage will prevent' my going thither.
Ik moet zijne zaken waarnemen gedurende zijne afwezigheid.	I must take care of his affairs during his ab'sence.
Ik heb hem zulks beloofd.	I have promised it him.
Ik moet mijne belofte vervullen.	I must fulfil my promise.
Hij zal er u veel verpligting voor hebben.	He will be very much obliged to you for it.
Gij zult hem oneindig verpligten.	You will in'finitely oblige him.
Hij zal op zijne beurt altijd gereed zijn u dienst te doen.	He shall, in his turn, always be ready to do you any ser'vice.
In hoe veel tijd zal hij terugkomen?	How long will it be before he comes back?

Ik weet het niet; hij zal zoo gaauw komen als hij kan.	I don't *know*; he will come again as soon as he can.
Hij zal bij tijds terugkeeren.	He shall return betimes.
Ik kan hier niet langer blijven.	I can't stay here any longer.
Ik moet nog een bezoek afleggen bij mijne tante.	I must still pay a vis'it to my aunt.
Waar woont zij?	Where does she live?
In de voorstad St. Germain.	In the sub'urb of St. Germain.
Ik heb haar adres.	I have her direction.
Ik ben uw onderdanige dienaar.	I am your *humble* servant.

Zeventiende Zamen- spraak.	*Dialogue XVII.*
Wat zijt gij voornemens van daag te doen?	What do you intend? to do to-day?
Mijn gewoon werk; ik moet vooral een aantal brieven schrijven.	My daily work; chiefly I must *write* a great many letters.
Gij weet dat wij in het drukste van den tijd zijn.	You *know* that we are in the busiest (*hiz'zïest*) of the year.
En ik verrigt mijne zaken zelf.	And I attend to my business myself.
Ik werk de geheele week en zondags.	I work all the week, and on sunday.
Daarenboven is dit een langdurig werk.	Besides this is a work of time.
Ik ben ook aan eene zaak van gewigt bezig.	I have also an important affair incum'bent upon me.

Gisteren hebben wij tien uren achtereen gewerkt.	Yesterday we have worked ten hours without intermission.
Dat is waarlijk te lang.	That's too long indeed.
Ik was er zeer vermoeid van.	I was very tired.
Sommige menschen hebben eene groote drukte over eene kleinigheid.	Some persons are in a great bustle about nothing
Onder anderen uw vriend P.	Among others your friend P.
Hebt gij mijne rekening opgemaakt?	Have you cast up my account?
Ik wil met u afrekenen, hoe eer hoe beter.	I will reckon with you the sooner the better
Hoe veel beloopt het alles?	What does the whole come to?
Ik geloof drie duizend gulden.	I believe to three thousand guilders.
Die som is vrij aanmerkelijk.	That sum is consid'erable enough.
Hebt gij geene misslagen begaan?	Have you made no blunders?
Ja; ik herinner mij, dat ik eene fout begaan heb.	Yes; I recolle'ct that I have done wrong.
Dwalen is menschelijk.	Every man is apt to fail.
Het is volstrekt noodzakelijk het over te doen.	It is ab'solutely nec'essary to do it over again.
Ik zou liever hebben dat gij het deedt.	I would rather you should do it.
Ik laat het aan u over.	I leave it to you.
Gij zijt oplettender dan ik.	You are more atten'tive than I.
Dat is maar een compliment.	That's a mere compliment.
Het verschilt vijftig gul-	It differs fifty guilders.

den, niet meer, noch minder.

neither more, nor less.

Vijftig gulden meer of minder maakt een aanmerkelijk verschil.

Fifty guilders more or less make a considerable difference.

Heeft de Heer S. den wisselbrief reeds betaald?

Has Mr. S. paid already the bill of exchange?

Ik weet het niet, maar ik zal er naar vernemen.

I don't *know*, but I shall inquire after it.

Ik ben er zeer nieuwsgierig naar.

I am eager to *know* it.

Ieder weet dat hij veel geld heeft.

Every one *knows* that he is well in cash.

Hij heeft altijd met gereede penningen betaald.

He has always paid ready money.

Hij borgt niets.

He takes nothing upon trust.

Niemand weet de reden waarom hij den wissel niet betaald heeft.

Nobody *knows* the reason of his not having paid the bill.

Men gist dat de rekening courant, die men hem gezonden heeft, niet goed was.

It is presumed that the account-current, which they have sent him, was not right.

Dat is niet onmogelijk.

That's not impossible.

Achttiende Zamenspraak.

Dialogue XVIII.

Het schip van den Heer P. is van Batavia aangekomen.

Mr. P.'s ship is arrived from Batavia.

Kapitein BOWER heeft de reis in acht maanden gedaan.

Cap'tain BOWER has done the voyage in eight months.

Zijne lading bestaat in koffij en suiker.

His cargo consists in coffee and sugar.

Hij is door eenen vijandelijken kaper genomen geweest, en aan de Kaap de Goede Hoop opgebragt.	He has been taken by a privateer of the enemy, and brought up at the Cape of Good Hope.
Maar hij is 's nachts uit de haven ontsnapt.	But he made his escape out of the harbour by means of the night.
Hij liet de gelegenheid niet ontsnappen.	He let not slip the opportunity.
Het was eene stoute onderneming.	It was a bold undertaking.
De onderneming kon mislukt hebben, dewijl hij te veel waagde.	The undertaking could have miscarried, because he hazarded a great deal.
Hij was verloren geweest, indien hem een ongeluk was overkomen.	He had been lost, if any misfortune had befallen him.
Hij is het ter naauwer nood outkomen.	He has escaped it very narrowly.
De vijanden hebben hem van alle kanten vervolgd.	The enemies have pursued him on all sides.
Zij hebben hem zonder ophouden nagezet.	They have pushed him vig'orously.
Zijn schip is ook het snelste vaartuig van de gansche stad.	His ship is also the best sailor of the whole town.
Hebt gij eene prijscourant medegebragt?	Have you brought a price-current along with you?
Ja, hier is die van gisteren.	Yes, there is that of yesterday.
Wat is de minste prijs van de koffij?	WHat is the lowest price of the coffee?

Twee schellingen, doch de prijs begint te dalen.	Two shillings, but the price begins to lower.
Dan zullen wij veel gelds verliezen.	Then we shall lose a great deal of money.
Wij moeten het nemen zoo als het valt.	We must take our lot as it falls out.
Wij hebben integendeel in het begin van het jaar veel gelds gewonnen.	On the contrary we have got much money in the beginning of the year.
Dan winnen en dan verliezen wij.	Sometimes we win, and sometimes we lose.
De suiker stijgt in prijs, en dat zal tot ons voordeel uitvallen.	The sugar grows dearer, and that shall turn to our advantage.
Het zal ons geene geringe winst geven.	It shall yield us no small profits.
Onze winst zal grooter zijn dan ons verlies.	Our gain shall be greater than our loss.
Daarbij moet gij overwegen dat onze verteringen de winst niet overtreffen.	You must observe besides that our expenses do not exceed the gain.
Wat mij aangaat, ik leef zuinig.	As for me, I live close.
Ik ben spaarzaam.	I spare myself.
Ik ben zuinig met het geld.	I am sparing of money.
Ik leef zeer goedkoop.	I live very cheap.
Ik heb geene middelen om veel te verteren.	I can't afford to spend so high.
Iedereen klaagt over den slechten tijd.	Every one complains of the hardness of the times.
Onder anderen die man, welke meer verteert dan hij inkomen heeft.	Among others that man, who spends beyond his income.

Hij is een verkwister.	He is a spendthrift.
Hij verteert zijn geld noodeloos.	He throws away his money.
Hij verspilt zijne geheele bezitting.	He wastes his whole estate.
Hij zal er eens voor boeten.	He shall suffer for it one day.
Wanneer hij tot armoede vervallen is.	When he is come to poverty.
Wanneer hij aan alles gebrek heeft.	When he wants everything.
Hij zal zich zelven in verlegenheid brengen.	He will get himself into trouble.
Hij kan de schuld niet aan een ander geven.	He cannot put the fault upon another.
Hij zal zelf oorzaak van zijn ongeluk zijn.	He will be himself the cause of his misfortune.
Wat kan men doe van hem verwachten?	What can be thus expected from him?
Ik ga naar huis, ik heb eenen vriend, die naar mij wacht.	I go home; I have a friend, who is waiting for me.
Ik verwacht ook gezelschap.	I expect also company.
Doch laat ons zuinig op den tijd zijn.	But let us be good husbands of our time.
Het leven is kort en onzeker.	Life is short and uncertain.
In mijne jonge jaren bragt ik mijne snipperuren altijd met studeren door.	In my young days I spent always my spare hours in studying.
Ik haat menschen, die hunnen tijd ledig doorbrengen.	I hate people, who spend their time to no purpose.

Gij weet evenwel dat er een tijd voor alles is.	You *know* nevertheless that there is a time for all t'hings.
Men zegt gewoonlijk:	The common saying is:
Daar is een tijd om te weenen, en een tijd om te lagchen.	There is a time for weeping, and a time for laughing (*laf'ing*).
Een tijd om te praten, en een tijd om stil te zwijgen.	A time for talking, and a time for holding one's tongue.
Gij hebt gelijk.	You are in the *right*.

Negentiende Zamen-spraak.	*Dialogue XIX.*
Kent gij den Heer N.?	Do you *know* Mr. N.?
Ja, ik ken hem zeer wel.	Yes, I *know* him very well.
Hoe lang hebt gij hem gekend?	How long have you *known* him?
Meer dan vijf jaren.	More than five years.
Hoe hebt gij kennis met hem gemaakt?	How did you get acquainted with him?
Waar raaktet gij in kennis?	WHERE came you acquainted with him?
In Londen.	At London.
Wij zijn reeds oude kennissen.	We are already old acquaintances.
Maar ik ken zijnen neef alleen van aanzien en bij naam.	But I *know* his cous'in only by sight and reputation.
Hij is bekend onder den naam van	He goes by the name of . . . .
Mij dunkt dat hij niet zeer wellevend is.	He is not very civ'il I t'hink (me t'hinks).
Het is mogelijk, maar	That is possible, but

hij is eenigermate te verontschuldigen.

there is something to be said for him.

Want hij is een vreemdeling.

For he is a for'eigner.

Hij kent de manieren van het land nog niet.

He *knows* not yet the fashion of the country.

Sommigen zeggen dat hij van lage afkomst is.

Some say that he is of *low* extraction.

Dat hij eene slechte opvoeding gehad heeft.

That he is ill-bred.

Dat hij een weetniet is.

That he is grossly ig'norant.

Dat men hem niet vertrouwen kan.

That he is not to be trusted.

Dat hij weinig verstand heeft.

That he has a narrow wit.

Zij die zoo spreken, kennen hem niet.

They, *who* speak so, don't *know* him.

Ik kan u van het tegendeel verzekeren.

I can assure you of the con'trary.

Hij is zeer beleefd jegens vreemdelingen.

He is very polite to for'eigners.

Hij heeft vele verdiensten.

He has a great deal of mer'it.

Hem ontbreekt geen verstand.

He does not want wit.

Hij is opregt en openhartig.

He is sincere and open-hearted.

Hij heeft veel smaak.

He has a great deal of taste.

Hij heeft vele talenten.

He has many tal'ents.

Hij is geleerd.

He is a man of learning.

Hij is een man van letteren.

He is a man of letters.

Hij is bedreven in de wetenschappen.

He is well versed in the sciences.

Hij is een beminnelijk en verdienstelijk man.	He is an amiable and worthy man.
Hij is zeer werkzaam.	He is very ac'tive.
Hij is zedig en zachtzinnig.	He has modesty and sweetness.
Gij verheft hem te veel.	You exto'l him too much.
Gij geeft een goed getuigenis van hem.	You give a good account of him.
Zoo veel te beter voor hem.	So much the better for him.
Gij hebt te veel van hem gezegd.	You have spoken too highly of him.
Laat ons van iets anders spreken.	Let us call another cause.
Gij weet dat mijn oom overstelpt is van droefheid.	You *know* that my uncle is *overwhelmed* with *sorrow*.
Hij is zeer neerslagtig.	He suffers himself to be cast down.
Zijn hart is geprangd van droefheid.	His heart is oppressed with grief.
Het breekt zijn hart.	It breaks his heart.
Hij is ten prooi aan het verdriet.	He is a prey to grief.
Ik denk er geheel anders over.	I am of a quite other mind.
De droefheid betaalt geene schulden.	A pound of care will not pay an ounce of debt.
Het verdriet ondermijnt de gezondheid.	Conflict destroys health.
Maar wat maakt hem zoo bedroefd?	But what makes him so sad?
De dood van zijnen besten vriend.	The death of his best friend.
Hij wordt ligt bedroefd.	He soon grows sad.

Daar is niets dat mij bedroeven kan.	There is nothing that can grieve me.
Ik heb een vrolijk leven.	I live a merry life.
Wel doen en vrolijk zijn is eene goede zaak.	It is good to be merry and wise.
Ik ben altijd in eene vrolijke luim.	I am always in a good humour.
Gij zij wel gelukkig.	You are very happy indeed.
Dat is mijn geval niet.	That is not my case.
Evenwel ik schik mij naar den tijd.	Nevertheless I conform to the time.
Ik schik mij naar de lieden van het gezelschap.	I conform to the people of the company.
Dat is mijne gewoonte.	I am used to do so.
Ik heb mij daaraan gewend.	I have accus'tomed myself to it.
En ik heb mij vele kwade gewoonten ontwend.	And I have bro'ken myself of many ill habits.
Het past jonge lieden zoo te doen.	It becomes young gentlemen to do so.
Men wordt aan alles gewoon.	One grows used to all things.
Wij moeten vooral onze driften matigen.	For all we must mod'erate our passions.

Twintigste Zamenspraak.	*Dialogue XX.*
Wel, mijn vriend, gij zijt niet opgeruimd.	Well, my friend, you are not in a good humour.
Het is geen wonder, ik heb twist met mijnen broeder.	No wonder, I am at variance with my brother.
Hij heeft mij met de	He has treated me with

grootste verachting be-handeld.	the utmost contempt.
Hij heeft nooit de minste achting voor mij gehad.	He has never had the least esteem for me.
Hij vergeldt mij kwaad voor goed.	He rewards me openly with evil.
Hij is een groot kwaad-spreker, en beleedigt mij openlijk.	He is a great slanderer, and offends me openly.
Hij wil geene kwade ge-zelschappen mijden.	He will not avoid bad company.
Zij bederven de goede zeden.	They corrupt good man-ners.
Zijn gedrag verontrust mij zeer.	His behaviour perplexes me much.
Het maakt mij boos, mijn vriend.	It makes me angry, my friend.
Ik ben zeer boos op hem.	I am very angry with him.
Ik ben beleedigd over zij-ne gesprekken.	I am offended at his dis-course.
Hij heeft mij te zeer ge-tergd.	He has provoked me a little too far.
Ik maak mij dol tegen hem.	I am mad with him.
Ik ben in zulk eene drift dat	I am in such a passion that . . . .
Zachtjes, bedaar u.	Softly, be calm.
Gij moet u inhouden.	You must contain your-self.
Houd op met twisten.	Leave off this wrangling.
Staak den twist.	Give up the dispute.
Gij blijft niet binnen de palen.	You don't keep yourself within bounds.
Ik kan mijzelven niet in-houden.	I can't contain myself.

Het gebrek der jonge lieden is, dat zij zich niet kunnen matigen.	The failing of young people, is to be unable to be mod'erate.
Gij moet het verschil in het vriendelijke bijleggen	You must settle the diff'erence amicably.
Gij zijt broeders, gij moet met elkander wel overweg kunnen.	You are brothers, you must agree well—together.
Leg het onderling bij.	Agree it among yourselves.
Ik zal u bevredigen.	I will rec'oncile you.
Dat behaagt mij zeer.	I am very much pleased with it.
Ik ben er zeer verblijd over.	I am overjoyed at it.
Het zal mij met vreugd vervullen.	It will fill me with joy.
Ik weet nu waar de twist van daan komt.	I know now whence the quarrel arises.
Gij waart vreesselijk boos.	You were as angry as a wasp.
Ik heb uwe drift gestild.	I have disarmed your an'ger.
Ik geloof dat ik u verschrikt heb met mijne boosheid.	I believe I have frightened you by my anger.
Ik hoop dat gij het mij vergeven zult.	I hope you will excuse me.
Gij tracht mij gerust te stellen	You try to make me easy.
Ik heb mijne schuld bekend.	I have o'wned my fault.
Ik moet bekennen dat het eene dwaasheid was.	I must confess that it was a folly.
Dat kan ik niet ontkennen.	I cannot deny that.

Ik ben geruster sedert ik het genoegen heb u te zien.	I am easier since I have the pleasure to see you.
Die twist was mij een steek in het hart.	That quarrel was a stab to my peace.
U ve woorden behaagden mij.	Your words pleased me.
Ik houd veel van alles, waar ik eenig onderrigt uit trekken kan.	I like every thing, from which I can hope to derive instruction.
Ik zal u altijd beminnen.	I shall always love you.
Heb eenen opregten vriend en geene vijanden.	Be a sincere friend to one, and enemy to none.
Gij zijt mijn boezem-vriend.	You are my bosom friend.
Ik vertrouw u al mijne geheimen toe.	I trust you with all my secrets
Gij bezit mijn geheel vertrouwen.	You possess my entire confidence.

Een en twintigste Zamenspraak.	*Dialogue XXI.*
Zoo dikwijls ik u zie, hebt gij de pijp in den mond.	As often as I see you, you have the pipe in your mouth.
Gij rookt altijd tabak.	You are always smoking tobacco.
Ik ben een liefhebber van tabak.	I am a lover of tobacco.
Ik rook voor tijdverdrijf.	I smoke by way of pastime.
Is uw kantoorbediende reeds naar Engeland vertrokken?	Is your clerk already departed for England?

Ja, het is omtrent een uur geleden dat hij weggegaan is.	Yes, he has been gone this *hour*.
Hij ging met weerzin heen.	He went away with reluc'tance.
Het is voor hem eene lange reis.	It is for him a long voyage.
Hij is bang voor zeeziekte.	He fears sea-sickness.
En dit weerhield hem.	And this withheld him from it.
Hij deed het alleen om mij te gehoorzamen.	He did it in obe'dience to me.
Hij volgt mijne bevelen naauwkeurig.	He follows my orders with exactness.
Hij is altijd gereed om te gehoorzamen.	He is always ready to obey.
Om mijne achting te verdienen.	In order to deserve my esteem.
Gij hebt mij eenige boeken uit uwe bibliotheek beloofd.	You have promised me some books of your li'brary.
Hier zijn er twee, die ik uit de andere bekozen heb.	Here are two, which I have chosen from among the others.
Het is moeijelijk uit zulk eene groote menigte te kiezen.	It is difficult to choose in so great a quantity.
Ik heb zeer veel smaak in het lezen.	I am very fond of reading.
Uw zoon is ook zeer ervaren in de geschiedkunde.	Your son is also well read in his'tory.
Wat mij aangaat, ik heb een slecht geheugen.	As for me, I have a poor mem'ory.
Ik vergeet weldra hetgene ik geleerd heb.	I easily forget what I have learned.

Ik slaag in mijne pogingen niet.	I don't succeed in my endeáv'ours,
Gij zult vroeg of laat slagen.	You will succeed one time or other.
Ik heb niet te veel tijd van daag: ik ga naar de beurs.	I have not too much time to-day; I go to the exchange.
Ik heb grooten haast.	I am in greát hurry.
Gij schijnt grooten haast te hebben.	You seem in greát haste.
Het is niet noodig u zoo te haasten.	You need not be in such a hurry.
Het is reeds laat; het is beurstijd.	It is late alreády; it is exchange time.
Ik moet eenige menschen spreken.	I want to spéak some persons.
Ik moet op mijne zaken passen.	I must mind my affairs'.
Indien gij uitgaat, zult gij mij ten zes ure in het koffijhuis vinden.	If you go out, you will find me at the coffee-house about six.
Gij weet dat ik den Heer N. over u gesproken heb.	You know that I have spoken to Mr. N. on your account.
Het geheele gesprek liep over u.	The whole conversation ran upon you.
Hij sprak openhartig met mij.	He spoke frankly to me.
Hij sprak duidelijk over de zaak.	He spoke plainly upon the sub'ject.
Hij sprak met geene bedekte woorden.	He did not spéak with ambig'uous words.
Het was een zamenhangend gesprek.	It was a well connected disco'urse.
Ik zeide het hem ook ronduit.	I told it him flat and plain.

Maar wat zullen de menschen van zulke dingen zeggen?	But what will the world say of such t/hings?
Het gerucht heeft er zich overal van verspreid.	It is all abroad.
Ik kan u niet zeggen hoe zeer het mij bedroeft.	I cannot express to you how much it grieves me!
Men spreekt er gemakkelijk over.	It is easy for them to speak so.
Men kan met regt zeggen dat gij gelijk hebt.	One may say with justice that you are in the right.
Verscheidene menschen hebben het mij gezegd.	I have been told it by several.
Ik kan er niets tegen zeggen.	I can say not/hing to the con'trary.
Ik ga heen, zonder een woord meer te zeggen.	I am going, without saying any t/hing more.

Twee en twintigste Zamenspraak.	*Dialogue XXII.*
Mijn waarde oom, hoe is het met uwe gezondheid?	Dear uncle, how is it with your healt/h?
Ik ben verblijd u te zien.	I am glad to see you.
Maar neef, gij zijt niet opgeruimd.	But my cous'in, you are not in a good hu'mour.
Wat scheelt u?	What fails you?
Is u een groot ongeluk overkomen?	Has a great misfor'tune befallen you?
Spreek openhartig.	Do but speak freely.
Mij dunkt, dat ik geen woord uit u krijgen kan.	I cannot get a word out of you. I t/hink (me t/hinks).

Overgroot

Gij zegt geen enkel woord.

You don't say a single word.

Ik zal het u zeggen, mijn neef heeft eene aanmerkelijke som gelds van mij geleend.

I will tell it you; my cous'in has borrowed of me a consid'erable sum.

Ik heb het hem gegeven tegen vijf percent.

I have lent it him at the rate of five percent.

Maar hij betaalt interest noch kapitaal.

But he pays neither interest nor principal.

Daarbij steekt hij diep in schulden.

Besides he is deep in debt.

Is hij zooveel schuldig?

Does he owe so much?

Hij is iedereen geld schuldig.

He is in every body's debt.

Ik ben er verwonderd over: hij heeft mij verteld, dat hij alles afbetaald had.

I wonder at it, he has told me that he had discharged all his debts.

Dat hij u niets meer schuldig was.

That he was out of your debt.

Leen hem nooit meer geld; ik waarschuw u van te voren.

Don't lend him money any more, I forwarn you of it.

Ik vrees dat ik het geld, dat hij mij schuldig is, zal verliezen.

I fear to lose the money he owes me.

Ik verzeker u dat hij onherstelbaar verloren is.

I assure you that he is undone to all intents and pur'poses.

Hij heeft zijn crediet verloren.

He has lost his credit.

Ik zal nog eens zijne geheele schuld betalen.

I will pay all his debts once more.

En hem dan aan zijn lot overgeven.

And aban'don him then to his fate.

Zonder mij meer met hem te bemoeijen.	Without meddling any more with him.
Het verlies van crediet is onherstelbaar.	Credit lost is a glass broken.
Sedert lang stond het slecht met zijne zaken.	Since long he was poorly off.
Hij heeft zijnen goeden naam verloren.	His reputation (rep-joe-tee'sjun) has suf'fered.
Hij heeft er berouw over.	He repents it.
Hij gevoelt dat hij niet wel gehandeld heeft.	He is sensible he has done amiss.
Het berouw volgt dikwijls het vermaak.	Repen'tance often treads upon the heels of pleasure.
Hij zal zich beter gedragen.	He will demean himself better.
Dan zullen alle mijne begeerten vervuld zijn.	All my desires will be accom'plished then.
Men zegt dat hij zich heeft laten verleiden.	It is said that he has suffered himself to be du'ced.
Ik ken den persoon met wien hij verkeerd heeft.	I know the person, who kept company with him.
Het is een losbol.	It is a debauched fellow.
Die noch vrees, noch eer kent.	Who is a stranger to awe (an) and honour.
Die in ongebondenheid leeft.	Whe follows ill courses.
Maar hij wil niet meer met hem te doen hebben.	But he will break with him for ever.
Laat er ons niet meer over spreken.	Let us speak no more of it.

Drie en twintigste Za-menspraak.	*Dialogue XXIII.*
Zijt gij nog hier, ik	Are you here still, I

dacht dat gij eene reis zoudt doen?

t/hought you would do a voyage?

Wie heeft u dat in het hoofd gebragt?

Who put those t/houghts into your head?

De meeste menschen zijn van die gedachten.

Most men are of that opin'- ion.

Het was nooit mijn voornemen.

It was never my intention.

Geloofdet gij het inderdaad?

Did you believe it in good earnest?

Ja; want een geloofwaardig persoon heeft het mij verteld.

Yes; for a cred'ible person has told it me.

Ik verzeker u dat het eene onwaarheid is.

I assure you that it is, an ontra't,h.

Eene groote reis komt met mijne jaren niet overeen.

A great voyage does not suit to my years.

Ik zou eene reis doen, indien ik nog in mijne jeugdige jaren was

I should do a voyage, if I was still in the flower of my age.

En zeg mij, waar zoude ik naar toe gaan?

And tell me, whither should I go?

Welk vergenoegen zou eene reis mij geven?

What pleasure would a voyage afford me?

Geheel Europa heeft door den oorlog geleden.

All Europe has suffered by the war.

Het is het verderf van vele menschen.

It is the ruin of many people.

De oorlogvoerende mogendheden brengen groote legers op de been.

The bellig'erent powers raise great armies.

De keizers van Rusland en Oostenrijk, met de koningen van Pruissen en Engeland, zijn bondgenooten.

The empe'ors of Russia and Austria, with the kings of Prussia and England are allies.

210

Alle landen zijn uitgeput.	All countries are exhausted.
Zij zullen er evenwel alles op zetten.	They will venture however every thing.
Zij zullen alles wat zij hebben voor de vrijheid wagen.	They will hazard all they have for liberty.
De natiën zijn door den tiran onderdrukt.	The nations are oppressed by the ty'rant.
Hij heeft het regt der volken geschonden.	He has violated the law of nations.
Wij zijn allen verarmd.	We are all impov'erished.
De welvaart van den koophandel is verdwenen.	The prosper'ity of trade is disappeared.
Wij hebben den roem onzer voorouders verloren.	We have lost our forefathers' fame.
De post is juist aangekomen, en deze brief maakt melding van de oorlogsverklaring.	The mail is just arrived, and this letter makes mention of the declaration of war.
Daar is reeds een slag voorgevallen.	There has been already a battle.
Er loopt een gerucht dat de Franschen in stukken gehouwen zijn.	The report is that the French have been cut to pieces.
Dezelve was in het begin bloedig en twijfelachtig.	It was in the beginning bloody and doubtful.
De bondgenooten hebben evenwel de overwinning behaald.	The allies however have got the vic'tory.
Er is veel volks van weerszijden gesneuveld.	Great numbers have been killed on both sides.
Het was geene schermutseling maar een algemeen gevecht.	It was not a skirmish but a gen'eral action.

211

Het zesde regiment van de garde te voet heeft veel geleden.	The sixth regiment of the foot-guard has suffered a great deal.
Het paardenvolk heeft wonderen gedaan.	The horse have done wonders.
Zij deden eenen loozen aanval, waardoor de vijanden in wanorde geraakten.	They made a false attack, which put the enemies in disorder.
Zij hebben al hun geschut vernageld.	They have spiked all their cannon.
De bondgenooten hadden groote verschansingen gemaakt.	The allies had made great retrenchments.
Zij hadden twee batterijen met zwaar geschut opgerigt.	They had raised two batteries with great guns.
De Generaal B. had het bevel over den regtervleugel.	General B. commanded the right-wing.
Hij is in de krijgskunst volleerd.	He is perfectly learned in the art of war.
Hij is een groot krijgsman.	He is a great warrior.
Hij heeft dappere daden gedaan.	He has done great achiev'ements.
Zijne onversaagdheid is genoeg bekend.	His intrepid'ity is well kno'wn.
Bij het eindigen van den slag waren er zes duizend dooden en vier duizend gekwetsten.	At the end of the battle there were six t'housand killed and four thousand wounded,
Zij hebben tienduizend gevangenen gemaakt.	They have made ten t'housand pris'oners,
Uw vriend, Kapitein S., is onder het getal der gevangenen.	Your friend, Captain S., is of the number of the pris'oners,

Kolonel BOOT is door een' snaphaankogel gedood. | Colonel (kor'nil) BOOT has been killed by a musketball.

De Hertog van D., die het opperbevel over het leger had, is ligtelijk gewond. | The Duke of D., who commanded the army in chief, has been slightly wounded.

De vijanden hebben al hun geschut verloren. | The enemies have lost all their artil'lery.

Zij zijn al vechtende terug getrokken. | They have maintained a running fight.

Vier en twintigste Zamenspraak. | *Dialogue XXIV.*

Vervolg.

De bondgenooten belegeren nu Maintz. | The allies are now laying siege to Mentz.

De stad is geheel ingesloten. | The town is wholly invested.

Het is eene der sterkste plaatsen in Duitschland. | It is one of the strongest places in Germany.

Het garnizoen is zeer talrijk. | The gar'rison is very numerous.

Zij doen van tijd tot tijd zeer voordeelige uitvallen. | They make, from time to time very advanta'geous sallies.

Eens hebben zij de werken der belegeraars vernield. | Once they have destroyed the besieg'ers' works.

Maar er werden in drie dagen weder twee nieuwe batterijen opgerigt. | But two new batteries were raised in three days.

Zij zullen de stad stormenderhand innemen, | They will take the place by storm, and put the

en het garnizoen ombrengen.	garrison to the sword.
Zij zijn voornemens niemand kwartier te geven.	They intend to give no quarter.
Dat is de wet van den oorlog.	That is the law of the war.
Zij zullen de stad laten uitplunleren.	They will let the town be plundered.
De plaats verdedigt zich wel.	The place deferds itself very well.
De vijanden trekken op tot hulp van de stad.	The enemies are marching to the assis'tance of the place.
Indien zij de belegeraars aanvallen, zullen zij terugeslagen worden.	If they attack the besiegers, they shall be repulsed.
Men zegt dat het garnizoen gekapituleerd heeft.	It is said that the garrison has capit'ulated.
De bondgenooten zijn meester van de stad.	The allies are masters of the town.
Het heeft hun veel volks gekost.	It has cost them abun'dance of men.
Is het garnizoen ook krijgsgevangen?	Have the gar'rison been made pris'oners of war?
Gewis; doch het is veroorloofd met slaande trom, brandende lont en vliegende vaandels de stad uit te trekken.	Cer'tainly; but it is permitted to march out of the town, drum beating, matches lighted and col'ours flying.
Men heeft hun eerlijke voorwaarden toegestaan.	They have had honourable terms granted them.
De Engelschen hebben ook eene landing gedaan.	The English have made also a descent.

Hunne troepen zijn met honderd vijftig schepen overgevoerd.	Their troops are transported with hundred fifty ships.
Zij hebben reeds hun paardenvolk ontscheept.	They have already disembarked their cavalry.
Daar is ook een zeeslag voorgevallen.	There has been also a seafight.
De geheele vijandelijke vloot is verslagen.	The whole fleet of the enemies has been ruined.
Wij hebben tien schepen van hen genomen.	We have taken ten of their men of war.
En zes in den grond geboord.	And sunk six.
Men spreekt ook van eenen geheimen krijgstogt.	They talk of a secret expedition.
Naar de Vereenigde Staten van Noord-Amerika.	To the united States of North America.
Het is waarschijnlijk dat wij dezen zomer vrede krijgen.	It is very likely that we shall have peace this summer.
Zij zullen aan al de vijandelijkheden een einde maken.	They will put an end to all the hostilities.
Ik hoop het van ganscher harte.	I hope so with all my heart.

Enige Engelsche Spreekmanieren en Spreekwoorden.

Some Anglicisms and Proverbs.

Hij is er aan bezig.	He is a doing it.
Hij kent geene A voor eene B.	He knows not A from B.

215

Hij gaat op de jagt.	He goes a hunting.
Zij gaan bedelen.	They go a begging.
Hij komt.	He is a coming.
Ik zou gegaan zijn.	I would a gone.
Zij zijn gereed om er aan te beginnen.	They are about to do it.
Ik zou niet te goed zijn om hem eene oorvijg te geven.	I could afford to give him a box on the ear.
Hij gelijkt naar zijnen vader.	He takes after his father.
Ik ben geheel van mijn stuk af.	I am quite out of my aim.
Iemands vertrouweling zijn.	To be all in all with any one.
Beloven en doen zijn twee dingen.	It is one t/hing to promise and another to perform.
Een ongeluk komt zelden alleen.	One misfortune comes upon the neck of another.
Ik zal u in het voorbij-gaan bezoeken.	I will see you as I go by.
Hij heeft het gedaan luk of raak.	He has done it at adven'-ture.
Het zal u berouwen.	You'll (you will) repent your bar'gain.
Iemand foppen.	To sell one a bargain.
Ik kwam er maar slecht af.	I had but a dull bargain of it.
Hij is zoo mager als een geraamte.	He is not/hing but skin and bo'nes.
Gij hebt ongelijk.	You are to blame.
Ik zal geld ontvangen.	I am to receive money.
Aan een ding bezig zijn.	To be in hand with a t/hing.

Men kan er zich geen denkbeeld van maken.	It is not to be imagined.
Verzint eer gij begint.	It behooves us to look before we leap.
Het scheelde niet veel of hij werd gedood.	He was near being killed.
Iemand wakker afrossen.	To belabour one's bones.
Honger is een scherp zwaard.	A hungry belly has no ears.
Uwe oogen zijn grooter dan uw buik.	Your eyes are bigger than your belly.
Hij was aan het beste end.	He had the best of it.
Hij heeft het met een goed oogmerk gedaan.	He did it for the best.
Het is beter te buigen dan te breken.	Better bow than break.
Hij heeft eene voordeelige kostwinning.	He has a good birth.
Bont en blaauw.	Black and blue.
Het zal een ongelukkige dag voor hem zijn.	It will be a blue day for him.
Zijne les leeren.	To learn one's book.
Naarstig leeren.	To mind one's book.
Zijne les van buiten opzeggen.	To say one's lesson without book.
Het is beter in het begin, dan op het einde gespaard.	It is better to spare at the brim, than at the bottom.
Vacantie hebben.	To break up school.
Het is zoo breed als het lang is.	It is as broad as long.
Het past niet te zeggen.	It is a bull to say.
Iemand wat knapuilen vertellen.	To tell one a story of a cock and a bull.
Het sap is de kool niet waard.	The business will not quit cost.

217

Iemand te gronde helpen.	To do one's business.
Hij is altijd werkzaam.	He is as busy as a bee.
Het is geen duit waard.	It is not wort/h a button.
Ik zal hem aanmoedigen.	I will call on him.
Bij iemand aangaan.	To call upon a person.
Ik kan mij niet van lagchen onthouden.	I cannot but laugh.
Wat scheelt het mij?	WHat care I for it?
Ik geef er niets om.	I don't care a pin for it.
Zich grootsch aanstellen.	To carry it high.
List gebruiken.	To carry it cunningly.
Het hemd is nader dan de rok.	Char'ity begins at home.
Iemand knollen voor citroenen verkoopen.	To make any one believe that the moon is made of green cheese.
Zoo schoon als zilver.	As cléan as silver.
Iemand kortwieken.	To clip one's wings.
Iets geheim houden.	To keep a t/hing close.
Den baas spelen.	To be cock-a-hoop.
Het komt op hetzelfde uit.	It comes all to one.
Iemand onderkruipen.	To come upon another man's market.
Al zijn haar valt uit.	All his hair comes off.
Binnen de palen blijven.	To keep within compass.
Ik zal daar orde op stellen.	I shall take a co'urse for that.
Eene dagelijksche gewoonte.	A daily course.
Verkeerde wegen inslaan.	To take bad courses.
Wijsselijk te werk gaan.	To take a wíse course.
Hij denkt mij haug te maken.	He t/hinks to crack me out.
Iemand ten toon stellen.	To cry down a person.
Veel geschreeuw en weinig wol.	A greát cry and a little wool.

Iemand hemelhoog prijzen.	To commend a person out of cry.
Kamp op spelen.	To cry quit'tance.
Om genade roepen.	To cry mercy.
Iemand in de rede vallen.	To cut any one short.
Iemand werk verschaffen.	To cut out work to one.
Naar een ieders pijpen dansen.	To dance to every man's pipes.
Iemand achter naloopen.	To dance after any one.
Gevaren trotseren.	To dare dangers.
Ik durf volstrekt niet.	I dare not for my ears.
Voor eene oude schuld werken.	To work for a dead horse.
Zich van zijnen pligt kwijten.	To discharge one's duty.
Iemand iets verwijten.	To lay a t'hing in one's dish.
De mensch wikt, maar God beschikt.	Man purposes, and God disposes.
Aan anderen doen, zoo als wij wenschen dat ons gedaan worde.	To do by others as we wou'd be done by.
Iemand wel doen.	To do well by one.
Dat kan niet gaan, gelukken.	This won't (will not) do.
Gelijk met gelijk vergelden.	To do like for like.
Hij is er een oude geslepen vogel in.	He is an old dog at it.
Met gereed geld betalen.	To pay the money down.
In het verval raken.	To go down the wind.
Geld bij de visch.	Down upon the nail.
Alles moet voor hem zwichten.	He drives all before him.
Iemand die van niets tot iets geworden is.	A man risen from a dunghill.

Hij is doof aan dat oor.	He is deaf of that ear.
Praatjes vullen den buik niet.	A hungry belly has no ears.
Hooren, zien en zwijgen is best.	Wide ears and a short tongue is best.
Het eene oor in en het andere uit.	In at one ear and out at another.
Elkander bij de ooren pakken.	To fall together by the ears.
Tot over de ooren toe in schulden steken.	To be in debt over head and ears.
Zijne woorden herroepen.	To eat one's words.
Hij is in zijn element.	He is in his element.
De tering naar de nering zetten.	To make both ends meet.
Het speelt mij op de lippen.	I have it at my tongue's end.
Men zal hem van kant helpen.	He will be made an end of.
Gij zijt aan het beste end.	You have the better end of the staff.
Ik ben ten einde raad.	I am at my wit's end.
Geld genoeg, vrienden genoeg.	Money enough, friends enough.
Ik zal het hem betaald zetten.	I will be even with him.
Het vuur in de eene, en het water in de andere hand dragen.	To carry two faces.
Eén leugen staande houden.	To face out a lie.
Al te haastig is kwaad.	Fair and softly goes far.
Te laat komen.	To come a day after the fair.
Zij geven er niet om.	They don't care a pin for it.

Zóó veel hoofden, zoo veel zinnen.	So many heads, so many minds.
De kat in de zak koopen.	To buy the pig in a poke.
Water in de zee dragen.	To carry coals to Newcastle.
Iemand waarzeggen.	To tell one's fortune.
Iemand werk verschaffen.	To cut out work for one.
Nood breekt wet.	Neces'sity knows no law.
Goede wijn behoeft geen krans.	Good wine needs no bush.
Al te goed is buarmans gek.	Daub yourself with honey, and you'll (you will) never want flies.
Ik wed twee tegen een.	I lay two to one.
Wij kunnen ons niet van lagchen onthouden.	We can't forbear laughing.
Het mistrouwen is de moeder der zekerheid.	Suspic'ion is the parent of su'rety.
Veel waters vuil maken.	To make much ado.
Dat brengt water aan den molen.	That brings grist to the mill.
Die waagt, die wint.	Not,hing ven'tured, not,hing have.
Het is de moeite niet waard.	It is not wort,h the while.
Van den wal in de sloot.	Out of the frying-pan into the fire.
Vuur en vlam tegen iemand spuwen.	To vom'it fire and fla'mes against any one.
Men noemt geene koe bont of er is eene vlak aan.	No smoke without fire.
In troebel water is goed visschen.	In muddy water is the best fishing.
Wij zullen hem beenen maken.	We shall make him find his legs.

Het is met hem verloopen.	He is behind hand in the world.
Dat in het vat is verzuurt niet.	Long delay is no acquittance.
Hoogmoed komt voor den val.	Pride comes before ruin.
De gedachten zijn tolvrij.	Thoughts are free.
Men ziet geene uilen bij boute kraaijen.	Birds of a feather flock together.
De tijd staat niet stil.	Time and tide stand for nobody.
Stille waters hebben diepe gronden.	Stil waters have deep bottoms.
Iemand eenen steek geven.	To give one a clean wipe.
Van dreigen sterft men niet.	T, hreatened folk live long.
Het ijzer smeden terwijl het heet is.	To heat the iron whilst it is hot.
Den baas spelen.	To play the master.
Den spijker op den kop slaan.	To hit the nail on the head.
Hoe meer haast, hoe minder spoed.	The more haste, the less speed.
Twee vliegen in eenen slag slaan.	To kill two birds with one stone.
Gaan als eene slak, die kruipt.	To go a snail's pace.
Ik weet er den slenter van.	I know the knack of it.
Iemand met schoone woorden paaijen.	To keep a person at a bay.
Leeren met schade of schande.	To learn with shame or loss.
Dat doet de haren te berge rijzen.	That makes the hair stand on an end.
Lont ruiken.	To smell a rat.

Honger is de beste saus.	A good stomach is the best sauce.
Er is geen regel zonder uitzondering.	There is no rule without exception.
Een goed woord vindt eene goede plaats.	Good words cool more than cold water.
De pot verwijt den ketel dat hij zwart is.	The pot calls the kettle black arse.
Het paard achter den wagen spannen.	To put the cart before the horse.
Een paard met vier pooten struikelt wel eens.	It is a good horse that never stumbles.
Dien de schoen past, trekt hem aan.	If any fool finds the cap fits him, let him put it on.
Iemand in de pekel laten zitten.	To leave any one in the lurch.
De overhand krijgen.	To get the better
Uit den overvloed des harten spreekt de mond.	Out of the fulness of the heart the mouth speaks.
Hoe ouder hoe gekker.	The elder the foolisher.
Eene opgeraapte leugen	A forged lie.
Belust op iets zijn.	To long after a thing.
Onder vier oogen zijn.	To be face to face.
Kleine potjes hebben ook ooren.	Children have ears too.
Uw oog is grooter dan uw buik.	Your eye is bigger than your belly.
Bergen ontmoeten elkander nooit, maar menschen wel.	Never hills meet one another, but men sometimes.
Den dans ontspringen.	To get clear off.
Van de gelegenheid gebruik maken.	To lay hold of the opportunity.
Niets komt hem ten onpas.	Not hing comes amiss to him.

M

Er ontbreekt u altijd iets.	Your shoe always wrings you in some place or other.
In iemands ongenade vallen.	To incur one's displeásure.
In het onderspit geraken.	To go backward in one's affairs.
De ondervinding is de beste leermeesteres.	Expe'rience is the mistress of fools.
Niets onbeproefd laten.	To leave no stone unturned.
Van eene mug eenen elefant maken.	To make a mountain of a molehill.
Ik heb het in den neus.	I smell it out.
Nieuwe heeren, nieuwe wetten.	New lords, new laws.
Al zijn zij nog zoo verstandig.	Let them be ever so wise.
Iets noodig hebben.	To stand in need for a t/hing.
Net de noorderzon verhuizen.	To go away in a mist.
Eene harde noot te kraken hebben.	To have an ill crow to pluck.
De tering naar de nering zetten.	To cut the cloak according to the clot/h.
Eene goede netel brandt vroeg.	It early pricks that will become a t/horn.
Iemand bij den neus hebben.	To rook any one.
Eenen langen neus krijgen.	To get a sad balk.
De gewoonte is een tweede natuur.	Custom is a second nature.
Weet gij eenen naald, ik weet eenen draad.	Do you know a sore, I know a cure.

Iemand scheldnamen geven.	To call one names.
Zich naauw behelpen.	To make a poor shift.
In het naauw zijn.	To be at a pinch.
Het hemd is nader dan de rok.	Charity begins at home.
Vergeefsche moeiten aanwenden.	To t/hresh the water.
Hij is zoo gek niet als zijne muts wel staat.	He is not so silly as he seems to he.
Zij hebben geen kruis noch munt.	They have not a fart,hing in their possession.
Men heeft niets zonder moeite.	No,thing is to be had without trouble.
Ieder heeft er den mond vol van.	It is in every body's mout,h.
Zijnen mond mispraten.	To overshoot one's self.
Iemands geduld misbruiken.	To wear out one's patience.
De ledigheid is de moeder van alle ondeugden.	Idleness is the mother of all vices.
Dwalen is menschelijk.	To err is but of man.
Van twee kwalen de minste kiezen.	Of two e'vils choose the least.
Koper geld, kopere zielmissen.	No ponny, no paternoster.
Zoo heer, zoo knecht.	Such a master, such a man.
Hij meet anderen naar zich zelven af.	He measures other people's corn by his own bushel.
Veel werks van iemand maken.	To make much of a person.
Vele kleintjes maken een groot.	Many a little, make a mickle.

225

Het kleed maakt den man.	Fine feathers make fine birds.
Die eerst komt, eerst maalt.	First come, first served.
Zoo mager als een hout zijn.	To be as léan as a stick.
Mal moertje, mal kindje.	A fond mother makes a bad child.
Het kwaad loont zijn' meester.	Crímes come home at last.
Hongerige luizen bijten scherp.	Hungry flíes bíte sore.
Na lijden komt verblijden.	After annoy comes joy.
Armoede zoekt list.	Poverty begets devíces.
Hij heeft leergeld gegeven.	He has leárned by déar-bought expe'rience.
Van de hand in den tand leven.	To live from hand to mout,h.
Eene groote lantaarn, en weinig licht.	A greát heád void of understanding.
De kruik gaat zoo lang te water tot zij breekt.	The pitcher goes oft to the well, but is broken at last.
Beter laat dan nooit.	Better late than never.
Iemand knollen voor citroenen verkoopen.	To make any one believe that the moon is made of green cheese.
Oude koeijen uit de sloot halen.	To revive old dispu'tes.
Die te hoog klimt valt ligt.	He that soars too high may soon fall.
Des nachts zijn alle katten graauw.	In the dark all cats are grey.
Den put dempen als het kalf verdronken is.	To shut the stable-door when the steed is stolen.

De wassenhuid aan de leeuwenhuid naaijen. — To add craft to strength.

Gij maakt mij het hoofd warm. — You break my head.

Eene naald in eene voer hooi zoeken. — To look for a needle in a bottle of hay.

De hekkens zijn verhangen. — The tables are turned.

Hoe meer ik drink, hoe meer dorst ik heb. — The more I drink, the thirstier I am.

Iemand honig om den mond smeren. — To honey one.

Ik wil er haring of kuit van hebben. — I will win the horse or lose the saddle.

Tusschen hangen en worgen. — Between the devil and the deep sea.

De heler is zoo goed als de steler. — The receiver is as good as the thief.

Eigen haard is goud waard. — Home is home, be it ever so homely.

Het scheelt geen haar breed. — It is within a hair's breadt,h.

Hij is de haan van de buurt. — He is the cock of the dunghill.

Zoo ver als het gezigt reiken kan. — As far as the eye can reach.

De gift is gering, maar het hart is goed. — The gift is small, but love is all.

In het geweer komen. — To meet in arms.

Geweld met geweld te keer gaan. — To repel force by force.

Het is een geslepen gast. — It is a cunning Isaac. (ai'zek).

De boog kan niet altijd gespannen zijn. — The bow can not always be bent.

Hij heeft eene gespekte beurs. — His pocket is well filled.

Zoo gewonnen, zoo ge-ronnen.	E'vil got, evil spent.
Lang slapen doet ge-scheurde kleederen dra-gen.	Luziness brings poverty.
Genoegen is het al.	Contentment is better than riches.
Zij gelijken elkander als twee droppels water.	They are like one another as they can stare.
Het is meer geluk dan wijsheid.	It is more good luck than good guiding.
Goed geld naar kwaad geld gooijen.	To t/hrow away good mo-ney upon bad.
Hij is beladen met geld als een pad met veren.	He is as full of money as a lawyer of honesty.
De gelegenheid maakt den dief.	Opportunity makes a t/hief.
Iemand voor den gek houden.	To play the fool with any one.
Het geld is de ziel van den koophandel.	Money is the spirit of trade.
Hij is zoo gedwee als een handschoen.	He is as meek as a lamb.
Iemand een goed voor-beeld geven.	To set a good example before one.
De ouderdom komt met vele gebreken.	Old age is attended with many infirmities.
Hij staat in gedachten.	He is buried in t/houghts.
Dat is de weg naar het gasthuis.	That's the direct road to ruin
Met de noorderzon ver-huizen.	To make a hole in the moon.
De gaande en komende man.	The comers and go'ers.
Tegen eenen oven gapen.	To talk to the wall.
Iemand te gemoet gaan.	To go to meet one.

Van kwaad tot erger vervallen.	To go from bad to worse.
Dat is de ergste kwaal.	That is the worst of evils.
Juist even groot zijn.	To be equally tall.
Het einde goed, alles goed.	All's well, that ends well.
Het einde kroont het werk.	The evening crowns the day.
Wij weten wat er de el kost.	We *know* it to our cost.
Elk het zijne is niet te veel.	Each his own is not too much.
Die erg denkt vaart erg in het hart.	Evil to him *who* evil t,hinks.
Effen is kwalijk passen.	It is difficult to please every one.
Effene rekeningen maken goede vrienden.	Even reckonings make long friends.
Hij is tot alles bekwaam.	He is good at all kind of game.
Eendragt maakt magt.	Concord produces strengt,h.
Spreekt van den duivel en hij is bij of omtrent u.	Spéak of the devil and his imps appéars.
Zij eten als dijkwerkers.	They éat like plou*gh*men.
De druiven zijn zuur, zeide de vos.	The grapes are sour, said the fox.
Dat is eene doodsteek voor hem.	That's a mortal stab to him.
Dat is hem een doorn in den voet.	That is a t,horn in his side.
Hij dingt naauw en betaalt wel.	He bargains hard and pays well.
Tusschen hoop en vrees dobberen.	To fluc'tuate betwixt hope and féar.

229

Het is een dollemanswerk.	It is a madman's work.
Den ouden deun zingen.	To repéat the old story.
Ieder is een dief in zijne nering.	Every one is a t,hief in his profession.
Stille waters hebben diepe gronden.	The still sow drinks the draught (dreft).
De groote dieven hangen de kleine.	The great t,hieves hang the little ones.
Hij is zoo digt als een mand.	He is as close as a sieve.
De dag begint aan te breken.	The day begins to appéar.
Zij verschillen als dag en nacht.	They are as different as light and darkness.
Iets tegen wil en dank doen.	To do a t,hing against the grain.
Geen pijp, geen dans.	No money, no friend.
Hij heeft eene goede bui.	He is in a good cue (kjoe).
Hij heeft er zich in te buiten gegaan.	He is gone too far in it.
Hij werd op de daad betrapt.	He was taken in the very deed.
Ik breek er mijn hoofd niet mede.	I don't bréak my brains about it.
Hij is een vrolijke broeder.	He is a merry companion.
Zij heeft de broek aan.	She wéars the breeches.
Kwaad brouwen.	To brosch mischief.
Met de borst op iets vallen.	To apply to a t,hing with might and main.
Eene goede naam is beter dan rijkdom.	A good name is above wealt,h.
Van boven tot onder.	From top to bottom.
In brand geraken.	To take fire.
Het scheelt haar in den bol.	She has a wéak place in her head.

Hij heeft de bons gekregen. — He is turned away.

Iemand iets door den neus boren — To undermine any one in a thing.

Hij heeft een bord voor het hoofd. — He has a brazen face.

Hij zal het met zijnen dood moeten boeten. — It will cost him his neck.

Beter geblazen dan den mond gebrand. — It is better to blow than to burn one's mouth.

Tegen den maan blaffen. — To bark at the moon.

Zijne biezen pakken. — To betake one's self to one's heels.

Het is beter laat dan nooit. — It is better late than never.

Hoe langer hoe beter. — The better and better.

Hij is er niet beter om. — He is not a whit the better for this.

Hij trekt niet gaarne zijne beurs uit. — He don't like to part with any money.

Een schurf schaap bederft den geheelen hoop. — One scabbed sheep mars the whole flock.

Gouden bergen beloven. — To promise golden mountains.

Hij belooft veel, maar geeft weinig. — He promises much but performs little.

Beter benijd dan beklaagd. — Better to be envied than pitied.

Van spijt bersten. — To burst with envy.

Men kan geen paard loopend beslaan. — One cannot shoe a running horse.

Ik zal er mij op beslapen. — I will advise with my pillow about it.

Het hoogste toppunt van eer beklimmen. — To rise to the pinnacle of glory.

Slechte tijden beleven. — To live in sorry times.

Zijn' eigen lof bazuinen.	To be one's own trumpet.
Wij vinden er geene zwarigheid in.	We make no bone of it.
De bakens zijn verzet.	The case is altered.
Den baas spelen.	To play the master.
Iemand eene pots bakken.	To play one a trick.
Hij is oploopend.	He is hot-spurred.
Allemans werk is niemands werk.	What's every man's business is no man's business.
Het is met hem twaalf ambachten en dertien ongelukken.	He is a jack of all trades.
Wij zullen het op de apostels paarden rijden.	We shall foot it.
Iemand de loef afsteken.	To get the better of any one.
Iemand naäpen.	To mimick a person.
Hij is een bemoeiäl.	He is a busy body.
Aansprekelijk voor iets zijn.	To be answerable for a thing.
Zijne schreden verdubbelen.	To mend one's pace.
Hij zal de reis aannemen; sterven.	He shall go to his long home.
Iemand taak geven.	To set one his task.
Iets onderteekenen.	To set one's hand to a thing.
Zich tegen iets aankanten.	To set one's self against a thing.
Het komt op hetzelfde uit.	It comes all to one thing.
Dat doet er mij op denken.	That makes me think on it.
Ik denk dat hij niet komen zal.	I think he won't come.
Ik kan mij zijnen naam niet herinneren.	I cannot think of his name.

Het schijnt hem veel moeite te zijn, daar naar toe te gaan.	He t,hinks much to go thither.
Ik verlang om te gaan.	I t,hink it long till I go.
Ik acht het weinig.	I t,hink light of it.
Dat zijn mijne gedachten.	I t,hink so.
Ik zal mijne gedachten zeggen.	I will speak my t,houghts.
Hij zorgt niet voor het toekomende.	He has no t,hought for the future.
Zijt niet bekommerd voor den dag van morgen.	Take no t,hought for to-morrow.
Ik heb slechte gedachten van hem.	I entertain ill t,houghts of him.
Ik zou niet gaarne zien dat men dacht.	I would not have it thought.
Als men in de wereld voort wil komen, moet men er vroeg bij zijn.	He that will t,hrive, must rise at five; he that has t,hriven, may lie till seven.
Ik ben door en door nat.	I am wet quite t,hrough.
Iemand buiten de deur stooten.	To t,hrust any one out of doors.
Hij zegt geen enkel woord.	He has lost his tongue.
Hij bedenkt niet wat hij zegt.	His tongue runs before his wit.
Met der tijd bijt eene muis een kabel door.	A mouse in time may bite a cable in two.
Indien de tijden veranderen.	If the times turn.
Het zal mij altijd gelegen komen.	Any time will do with me.
Maakt het gereed tegen dien tijd.	Get it ready by that time.
Eene zaak juist van Pas doen.	To time a business well.

Iemand de handen smeren.	To tip one's hand.
Ik stopte hem tien gulden in de hand.	I tipt him ten guilders.
Hij is een babbelaar.	He is all tongue.
Hij heeft een gladde tong.	His tongue is well oiled.
Een' kwaden naam hebben.	To be under an ill tongue.
Op lekkernijen gesteld zijn.	To have a sweet tooth.
Iemand in het voorbijgaan een steek geven.	To give a person a touch by and by.
Iemand omkoopen.	To touch any one.
Iemand zoeken te verstrikken.	To lay a train for one.
Hij is zulk een eerlijk man, als er op voeten gegaan heeft.	He is as honest a man as ever tread upon shoe-leather.
Jonge lieden kunnen, maar oude moeten sterven.	Young men may die, but old men must.
Effen op, effen aan leven.	To make even at the year's end.
Den verkeerden bij den kop vatten.	To take the wrong sow by the ear.
Elk weet het best waar hem de schoen wringt.	None knows so well where the shoe wrings him as he that wears it.
Te gronde gaan.	To go to wreck and ruin.
Hij bezit een millioen.	He is worth a million.
Hij verloor het.	He got the worst on it.
Hoe hooger staat, hoe meer kosten.	The more worship, the more cost.
Ik vrees dat wij er slecht af zullen komen.	I fear we shall come by the worst of it.
Iets ten ergste nemen.	To make the worst of a thing.

Alles naar wensch hebben.	To have the world in a string.
Iemand den voet ligten.	To work any one out of his place.
De tijd zal het leeren.	Time, will work it out.
Lustig werken.	To be hard at work.
Zijn voornemen voltrekken.	To work out one's design.
Hij heeft van daag veel gewerkt, verdiend.	He has made a good day's work.
Hij gaat wonderlijk te werk.	He goes strangely to work.
Vele woorden, over eene kleinigheid, den hals breken.	To make many words about a trifle.
Iemand kwade woorden geven.	To give a person ill words.
Doe toch een goed woord voor mij.	Pray! speak a word for me.
Iemand bij zijn woord vatten.	To take one at his word.
Hij heeft zonderlinge manieren van doen.	He has some particular ways with him.
Iemand met een goed oog aanzien.	To look upon any one with a good eye.
Iemand een' steek onder water geven.	To give one a deadly wipe.
Iemand zijn geld afwinnen.	To wipe a person of his money.
Wanneer de wijn is in den man, is de wijsheid in de kan.	When the wine is in, the wit is out.
Het is een slechte wind, die niemand goed waait.	It is an ill wind, that blows nobody good.
Ik had er aanstonds de lucht van.	I had it in the wind presently.

Met alle winden draaijen.	To turn with every wind.
Het voor den wind hebben.	To have a fore-wind.
Iemand tot iets overhalen.	To win one over to a t/hing.
Gewillige arbeid valt niet zwaar.	Not/hing is impossible to a willing mind.
Gij zijt ver van den weg af.	You are wide of the mark.
Hij kwam er heelhuids af.	He come off with a whole skin.
De keel smeren.	To wet one's wHistle.
Hij weet geen onderscheid te maken.	He knows not wHich is wHich.
Al wat in mijn vermogen is.	Whatever lies in my power.
Iets zonder moeite doen.	To do a t/hing with a wet finger.
Wel begonnen is half volbragt.	A t/hing well begun is half ended.
Ik wensch u van harte welzijn.	I heartily wish you well.
Hij wordt beter.	He grows well again.
Hij is zeer onbestendig.	He is like a weathercock.
Hij heeft een slag van den molen weg.	He is crack-brained.
Ik weet niet naar welken kant ik mij wenden moet.	I know not wHich way to turn myself.
Gij neemt het verkeerd op.	You take it the wrong way.
Dat doet mij watertanden.	That makes my mout/h water.
Uwe redenering houdt geen steek.	Your reasoning does not hold water.
Draipnat van het zweet.	To be all in water with sweat.

Staan blaauwbekken.	To wait like a dog.
Ik zal mijn uiterste best doen.	I shall do my utmost.
Gij denkt dat een ander is zoo als gij zelf zijt.	You muse as you use.
Ik vermag niets op hem.	I can gain not,hing upon him.
Twee oogen zien meer dan een.	Two eyes see better than one.
Een ander liedje zingen.	To turn over a new léaf.
Ontevreden zijn.	To be out of tune.
Iemand frisch afrossen.	To béat one to some tune.
Het scheelde maar een weinigje.	It was with the turn of a die.
De eene dienst is eene andere waard.	One good turn deserves another.
Is dat uwe gading?	Does that serve your turn?
De waarheid wil niet altijd gezegd zijn.	All truths are not to be spoken at all times.
Ik zeg de zuivere waarheid.	I tell the naked trut,h.
Iemand polsen.	To try any one about a t,hing.
Zich moeijelijkheden op den hals halen.	To bring troubles upon one's self.
In de jeugd moet men leeren.	An old dog will learn no tricks.
Iemand zijne misdaden onder het oog brengen.	To tell a derson of his faults.
Men spreekt er niet meer van.	There's no more talk of it.
Zij is een regte snapster.	She is full of talk.
De grootste windmakers voeren het minste uit.	The greatest talkers are the léast do'ers.

237

Iets van hooren zeggen hebben.	To have a thing from héar-say.
Zij kiezen het hazenpad.	They take to their heels.
Geloof mij op mijn woord.	Take my word for it.
Volg mijnen raad.	Take my advice.
Wees op uwe hoede.	Take heed what you do.
Een spiegel aan anderen nemen.	To take example by others.
Wij zullen met ons lot gedold hebben.	We will take our fortunes.
Na het zoete komt het zure.	After sweet meat comes sour sauce.
Men moet niet al te veel vertrouwen.	Sure bind, sure find.
Pas op dat gij er niets van laat blijken.	Be sure not to take notice of it.
Zoo waar als ik leef.	As sure as I am alive.
Het steekt hem nog in den krop.	It still sticks in his stom'ach
Schoenen aan hebben, die te klein zijn.	To lie in the schoemaker's stock.
Gij zijt in dezelfde moeijelijkheid.	You stick in the same mire.
Een misslag begaan.	To make a false step.
Hij beweegt hemel en aarde.	He sets all springs agoing.
Gij zult er voor boeten.	You'ill (you will) smart of it.
Zich uit een kwade zaak redden.	To slip one's neck out of the collar.
Hij is bang voor zijn leven.	He is afraid of his skin.
Hij ziet niet verder dan zijn neus lang is.	He sees no farther than his nose.

外国語教授法の現在:外大メソッドの開拓

Contemporary Pedagogy of Foreign languages
:Frontier of GAIDAI Method

BOOK

2

第1章

翻訳指導を用いた4技能統合型指導
—TILTの観点から—

辰己　明子

1. はじめに

　高等学校学習指導要領に、「授業は英語で行うことを基本とする」(文部科学省, 2010)という方針が示されて以降、教室内ではコミュニケーション活動を中心とした授業が行われている。その背景には、Communicative Language Teaching(CLT)の影響がある。CLTとは、学習者のコミュニケーション能力を養成することを目的とした教授法である。CLTの影響を受ける以前の日本の英語教育では、文法指導・訳読を中心とした指導が行われてきたが、CLTの普及により、母語である日本語を介して行う英文和訳は否定的に捉えられる傾向にある。しかしながら、教室内では英文和訳を用いた指導が現在も行われている。

　日本の英語教育がこのような現状にある中、近年、外国語教育における母語の復権を目指すTranslation in Language Teaching(TILT)がGuy Cook(2010)により提案されており、母語による外国語習得の再評価が行われている。TILTの影響を受け、通訳翻訳研究では、サイト・トランスレーション研究の可能性(長沼・船山・稲生・水野・石塚・辰己, 2016)やリーディング指導における翻訳指導の使用(辰己, 2015)といったTILTに関する研究が行われ始めている。しかし、英語教育への応用を目指した通訳翻訳研究の多くは理論基盤を持たず通訳翻訳を用いた指導法の提案を行っている。そこで、本稿では、現在の日本の英語教育の流れを踏まえ、TILTの観点から理論にもとづいた翻訳指導(英語から日本語)を用いた4技能統合型指導の提案を行う。

2. TILT

外国語教育における学習者の母語（以下、L1）の役割を再評価する教育運動であるTILTは、外国語習得の際にL1を積極的に使用することを提唱している。TILTが目標としていることは、文法訳読式授業の復活ではなく、①正確な読解力やメタ言語能力を養成すること、②他者の思考を深く理解しようとする姿勢を育むこと、③自らの思考を的確に表現する能力を養成すること、である（染谷ほか, 2013）。

　TILTが提唱されるまで、言語教育において、19世紀から20世紀初頭まで翻訳は拒絶されてきた（Cook, 2010, p.61）。その背景には、文法訳読法と翻訳が混同されてきたことにある。文法訳読法とは、19世紀末までヨーロッパにおける主流な教授法であり、文法規則の解説と学習、学習者の第二言語（以下、L2）から訳すことを組み合わせてL2を教えることにあった（Cook, 2001）。文法訳読法への批判として、スピーキングが無視されてきたこと（Cook, 2001; Howatt & Widdowson, 2004）、4技能をバランスよく身につけたいと考える学習者に対して総合的な学習の道筋を与えることができないこと（Cook, 2001）、がある。このように形式の正確さばかりに焦点をあてる文法訳読法と教室内で用いられる翻訳を、直接教授法が同一のものとしたため、二言語併用の意思疎通を介する教育・言語活動である翻訳として扱われなくなったことにある（Cook, 2010, p.61）。このように、伝統的な文法訳読法と混同されてしまったため、教室内での翻訳の使用は批判にさらされることとなった。しかし、伝統的な文法訳読法とは異なり、TILTが目指すことは、上述のTILTが目標とすることを、L1を介して学習者が習得することである。ゆえに、学習者のL1を介する翻訳の訓練がL2習得には有効であるということである（染谷ほか, 2013）。

3. 翻訳と英文和訳の定義

　翻訳と英文和訳の定義は、研究者により異なり、様々に議論されてきた。その1つに、Jakobson（1959）による翻訳3類型の1つである言語間翻訳（ある

言語から別の言語に置き換える)がある。言語間翻訳で考えると、翻訳と英文和訳は同一のものと捉えることができ、翻訳と英文和訳を区別することは難しい。しかし、それぞれが持つ特徴、訳す目的、訳し方は異なる。以下の表1では、双方の違いを踏まえ、3つの観点(特徴、訳す目的、訳し方)から翻訳と英文和訳を定義し、この定義を基に、本稿では翻訳指導を用いた4技能統合型指導の提案を行う。

表1　翻訳と英文和訳の定義(一部改編)(辰己, 2015)

	翻訳	英文和訳
特徴	文脈を考えて訳を産出する。	文脈を考えずに語や句を訳す(translating)。教室内での外国語指導、学習者によるL2習得の手段である。
訳す目的	原文の語句や文構造を的確に理解した上で、目標言語を使って第3者にわかりやすく伝えること。	対象となる外国語の記号レベルでの解読と表層的な記号変換作業(transcoding)であり、原文の語句や文構造を理解できているかどうかを確認すること。
訳し方	起点テクストの意味をより正確に伝えるために、言語的に埋め込まれた意味に加え、起点文化と目標文化の違いなど言語を超えた言語外の意味を取り込み訳文に再生する。	辞書の訳語を当てはめ、機械的変換を行ない書記化したもので、訳文の質は問われない。

4. 英文和訳にまつわる問題

　日本の英語教育に目を転じると、リーディング指導では、これまで英文和訳が行われてきた。英文和訳の指導では、学習者が語句、文法、文構造を理解することを目的として指導が進められてきた(山岡, 2001, p.118)。伝統的に授業の中で行われている英文和訳に関する問題について、先行研究では様々に議論されている。靜(2002, p.50)は、英文和訳の指導には時間がかかることから時間的浪費の問題を指摘している。門田・野呂・氏木(2010, p.82)は、英文和訳をする際、学習者の意識は英文和訳をすることばかりに向けられてしまい、英文が何を伝えようとしているのか文章全体像をつかむことができないことを述べている。卯城(2009, p.92)と山田(2006, p.5)は、学習者は

辞書の訳語を参考にし、目標言語（英語）と訳語の一対一対応により英単語を日本語に置き換えるだけで、文脈の意味を汲んで訳していないため、日本語として不自然な訳文や誤訳が産出されることを指摘している。また、山岡（2001, p.121）は誤訳の原因に学習者が代名詞を理解せずに英文和訳をしていることを指摘し、代名詞が何を指しているのかを学習者が理解した上で訳さないと誤訳の原因になることを述べている。

　このように先行研究で英文和訳の問題が指摘されているが、教室内の英語授業では英文和訳を用いた指導が行われている現状にある。しかし、CLTの影響を受けたコミュニケーション重視の今日の英語教育では、アウトプットが日本語である英文和訳が批判にさらされることは容易に想像できる。ゆえに、次節では、先行研究での英文和訳に関する問題とCLTの影響を受けた現在の英語教育の流れを踏まえ、TILTの観点から翻訳指導を用いた4技能統合型指導を提案する。

5. 翻訳指導を用いた4技能統合型授業

　本稿では、辰己（2015）による小説を用いた翻訳指導をもとに、TILTの観点から翻訳指導を用いた4技能統合型指導を提示する。翻訳指導では、訳出までの翻訳プロセスに焦点をあて、学生の訳文が英文和訳から翻訳へと転換することを目指してvan Dijk and Kintsch（1983）のテキスト理解モデルを援用した染谷（2010）による翻訳プロセスモデルをもとに、翻訳指導を行う。

　染谷（2010）による翻訳プロセスモデルでは、読み手は、図1で示しているルート（1）もしくはルート（2）のどちらかを経て訳が産出されることを示している。ルート（1）の英文和訳プロセスでは、読み手は原文を読み、原文に埋め込まれた意味を回復することでテキストモデル（Text-base Model）を構成する（染谷, 2010）。このプロセスでは、読み手の長期記憶にある言語システム（レキシコンと文法）を参照し、辞書的に対応する語彙をあてはめ、理解した内容をそのまま訳出することを示す（染谷, 2010）。

　ルート（2）の翻訳プロセスでは、読み手は、テキストモデルでの理解をもと

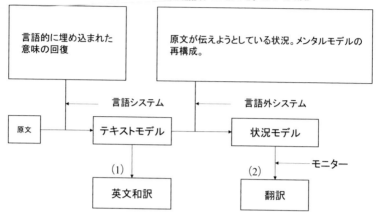

図1　染谷(2010)による翻訳プロセスモデル(一部改変)

に、テクストから得た情報に既有知識や推論を加えてより精密な心的表象を作り、それを参照しながら訳文を産出する(染谷, 2010)。ルート(2)では、翻訳として訳出される前に、読み手自身が自分の訳が理解可能かどうかをモニターした後に、翻訳として訳出される。このように、図1で示した翻訳プロセスモデルは、英文和訳と翻訳が産出されるまでのプロセスを説明している。

　本稿では、van Dijk and Kintsch(1983)のテキスト理解モデルを援用した染谷(2010)による翻訳プロセスモデルを用いて、学生の訳出までの翻訳プロセスに焦点をあてた指導を行い、英文和訳から翻訳への転換を学生に促すことを翻訳指導の1つの目的として行う。以下の表2に翻訳指導を用いた4技能統合型指導の概要を示す。

表2　翻訳指導を用いた4技能統合型指導の概要

概要	内容
形態	個人での取り組み後、ペアまたはグループを実施
目的	a) 学習者に深い読みを促すために、①英文和訳から翻訳への転換を図ること、②文法と文構造を理解することである。 b) 翻訳指導で使用材料について理解を深めた後、学習者のスピーキング、ライティング、リスニングを育むことである。
材料	*Tuesdays with Morrie*(「モリー先生との火曜日」) The First Tuesday: We Talk about the World (pp. 48-52)

対象者	大学生
対象授業	一般英語授業または翻訳関連授業
指導後の取り組み	毎回の指導後に、学生に授業を受けての感想を英語で書かせ、ペア・グループ内で発表させる。

　表2の翻訳指導を含めた4技能統合型指導の概要を踏まえ、全7回の指導手順と内容を以下に示す。

表3　翻訳指導を含めた4技能統合型指導全7回の指導手順とその内容

指導回数	手順と内容
第1回目: 翻訳課題1 (付録1参照)	英文和訳と翻訳の違い、使用する材料のあらすじを説明する。翻訳課題部分の文法説明や文法演習を行い、各自で太字の翻訳課題部分を訳させる。
第2回目: 翻訳課題1	第1回目指導にて取り組んだ各自の訳文をペア・グループにて発表させた後、ペア・グループ内で共同の修正訳を考えさせる。それぞれのペア・グループの修正訳を発表させる。修正訳を求める際に、以下の翻訳指導を行う。 1) 登場人物は誰なのか、誰が誰に対して語りかけているのか、といった点を踏まえ、書き手が読み手に何を伝えようとしているのかをイメージしながら、読み手にわかりやすい日本語で表現させる。 2) 英語表現(身長)について理解させる。
第3回目: 翻訳課題1	前回の授業内容の復習後、翻訳課題1の下線部(1)と下線部(2)の訳を学生に求める。訳をさせる前に、以下に示す代名詞に関する翻訳指導をする。 1) 代名詞が何をさしているのかを明らかにする。 2) 代名詞を訳出する際には、文脈に応じて訳す。 3) 代名詞を訳出しない場合と代名詞をそのまま訳出する場合(例: "they"を「彼ら」と訳す)、どちらが読み手にとり訳文が理解しやすいのかを考え訳す。 代名詞に関する翻訳指導の後、学生個人で翻訳課題1の太字部分を訳させ、各自の訳文をペア・グループで発表させた後、ペア・グループでの共同の最終訳に取り組ませ、授業内で発表させる。
第4回目: 翻訳課題2 (付録2参照)	これまでの授業で行った翻訳指導内容(読み手を意識した訳出といった翻訳する際のポイント、主語や代名詞の把握)を踏まえた後で、翻訳課題2の文法説明と内容理解を行う。翻訳課題2で提示している英文を再度学生に読ませた後に、太字部分の訳を各自でさせる。その後、ペア・グループ内で各自の訳文を発表し、各グループで共同の最終訳に取り組ませる。

第5回目: 翻訳課題2	第4回目翻訳指導にて、ペア・グループ内で作成した最終訳をそれぞれ発表後に、以下の翻訳指導を実施する。 1) 誰と誰の対話なのかを明らかにする。 2) 主語は誰を指しているのか、代名詞は誰を指しているのかを明らかにして訳出する、または訳出しない方が、読み手にとりわかりやすい訳文となるのかを考えて訳出する。 3) 訳文全体を、読み手にとりわかりやすい日本語で翻訳する。 上記の翻訳指導内容を基に、再度、ペア・グループで第4回翻訳指導での共同最終訳を推敲し、修正版最終訳を作成させる。
第6回目: 翻訳課題1と 翻訳課題2	これまでの授業の内容の振り返り後に、翻訳課題1と翻訳課題2で産出した訳と翻訳家別宮貞徳による翻訳書「モリー先生との火曜日」の『最初の火曜日—世界を語る』を配布する。各ペア・グループにて自分の最終訳とプロの翻訳家による訳文の比較を行い、気づいた点を日本語で箇条書きにした後に、その内容を英語でまとめ、ペア・グループごとに英語で発表してもらう。発表後には、小説の内容をより深めるため、学生は、翻訳課題部分を含め映画「モリー先生との火曜日」を鑑賞する。
第7回目: 翻訳課題1と 翻訳課題2	第6回目指導にて、映画「モリー先生との火曜日」を通して、学生は翻訳課題1と翻訳課題2に関する内容理解をさらに深めた後、小説のオーディオ音声を使用して、翻訳課題1と翻訳課題2に関するディクテーションを行う。最後に、全指導を通しての気づきと「モリー先生との火曜日」についての感想を各自に英語で書かせ、ペア・グループにてそれぞれが英語で発表した後に、ペア・グループメンバーそれぞれにコメントを英語で書かせる。

このように翻訳指導に加え、様々な活動を加えることで学生の4技能を総合的に育むことができるといえよう。各指導の指導時間に関しては、学生の英語力に合わせて、指導に充てる時間を決めて実施することが重要である。また、本稿で取り上げた章以外を用いて、全15回の翻訳指導を用いた4技能統合型指導を行うことができる。

6. まとめ

　本稿では、TILTの観点から、翻訳指導を使用した4技能統合型指導の提案を行った。コミュニケーション重視の日本の英語教育において、大学英語教育ではアクティブラーニングに焦点をあてた授業展開が求められている。本稿で提案した指導は、英文和訳が抱える問題を解消し、翻訳とスピーキング・ライティング・リスニング活動を組み合わせることで、現在の英語教育

の流れを踏まえた発展的な4技能統合型指導であると考える。今後は、本稿の翻訳指導で使用した小説以外の他の小説や新聞記事といった他のテクストタイプを使用し翻訳指導を用いた4技能統合型指導の開発が必要であろう。

引用文献

Albom, M. (1997) Tuesdays with Morrie: An old man, a young man, and life's greatest lesson. New York: Broadway Books.

Albom, M. 別宮貞徳 (訳) (2004)『普及版Tuesdays with Morrie モリー先生との火曜日』NHK出版.

Albom, M. 新井ひろみ・新井康友・服部昭郎・高梨康雄 (編) (2008)『Tuesdays with Morrie. モリー先生との火曜日』南雲堂.

Cook, V. (2001) Using the first language in the classroom. Canadian Modern Language Review/La Revue canadienne des langues vivantes, pp.57, 402-423.

Cook, G. (2010) Translation in language teaching. Oxford: Oxford University Press.

Howatt, A. P. R., & Widdowson, H. G. (2004) A history of English language teaching. Oxford: Oxford University Press.

Jakobson, R. (1959) On linguistic aspects of translation. In R.A. Brower (Ed.), On Translation (pp. 232-239) Cambridge, MA: Harvard University Press.

van Dijk, T. A., & Kintsch, W. (1983) Strategies of discourse comprehension. New York: Academic Press.

卯城祐司 (2009)『英語リーディングの科学—「読めたつもり」の謎を解く』研究社.

門田修平・野呂忠司・氏木道人 (2010)『英語リーディング指導ハンドブック』大修館書店.

靜哲人 (2002)『英語テスト作成の達人マニュアル』大修館書店.

染谷泰正. (2010)「大学における翻訳教育の位置づけとその目標」『外国語教育研究』3. pp.73-102.

染谷泰正・河原清志・山本成代 (2013)「英語教育における翻訳 (TILT: Translation and Interpreting in Language Teaching) の意義と位置づけ」. 語学教育エクスポ2013. Retrieved from http://someya-net.com/99-Misc Papers/TILT_Symposium 2013. pdf

辰己明子 (2015)「大学英語教育における翻訳指導に関する研究:一般英語授業での翻訳指導実践を事例として」『通訳翻訳への招待』13, pp.67–82.

長沼美香子・船山仲也・稲生衣代・水野的・石塚浩之・辰己明子 (2016)「サイト・トランスレーション研究の可能性」『通訳翻訳研究への招待』16, pp.142-162.

文部科学省 (2010)『高等学校学習指導要領解説外国語編・英語編』開隆堂出版.

山岡洋一 (2001)『翻訳とは何か　職業としての翻訳』日本アソシエーツ.

山田雄一郎 (2006)『英語力とは何か』大修館書店.

Connie opened the door and let me in. Morrie was in his wheelchair by the kitchen table, wearing a loose cotton shirt and even loose black sweatpants. They were loosen because his legs had atrophied beyond normal clothing size — (1)<u>you could get two hands around his thighs and have your fingers touch.</u> Had he been able to stand he'd have been no more than five feet tall, and he'd probably have fit into a sixth graders' jeans.

"I got your something, "I announced, holding up a brown paper bag. I had stopped on my way from the airport at a nearby supermarket and purchased some turkey, potato salad, macaroni salad, and bagels. I knew there was plenty of food at the house, but I wanted to contribute something. I was so powerless to help Morrie otherwise. And I remember his fondness for eating.

"Ah, so much food!" he sang. "Well. Now you have to eat it with me."

We sat at the kitchen table, surrounded by wicker chairs. This time, without the need to make up sixteen years of information, we slide quickly into the familiar waters of our old college dialogue, Morrie asking questions, listening to my replies, stopping like a chef to sprinkle in something I'd forgotten or hadn't realized. He asked about the newspaper strike, and true to form, he couldn't understand why both sides didn't simply communicat4e with each other and solve their problems. (2) <u>I told him not everyone was as smart as he was.</u>

Occasionally, he had to stop to use the bathroom, a process that took some time. Connie would wheel him to the toilet, then lift him from the char and support him as he urinated into the beaker. Each time he came back, he looked tired.

"Do you remember when I told Ted Koppel that pretty soon someone was gonna have to wipe my ass?" he said.

I laughed. You don't forget a moment like that.

"Well, I think that day is coming. That one bothers me."

Why?

"Because it's the ultimate sign of dependency. Someone wiping your bottom. But, I'm working on it. I'm trying to enjoy the process."

Enjoy it?

"Yes, After all, I get to be baby one more time."

That's a unique way of looking at it.

"Well, I have to look at life uniquely now. Let's face it. I can't go shopping, I can't take care of the bank accounts, I can't take out the garbage. But I can sit here with my dwindling days and look at what I think is important in life. I have both the time- and the reason—to do that."

So, I said, in a reflexively cynical repose, I guess the key to finding the meaning of life is to stop taking out the garbage?

He laughed, and I was relieved that he did.

第2章

A Teaching Method for All Occasions, Levels and Situations

KUMAR, Krishan

Introduction

2020 has been a challenging year for the world due to the outbreak and spread of COVID-19. At the start of 2020 it was an upcoming worry that turned into a full-blown global pandemic. Times are changing, and the way we teach is constantly evolving, as is the technology we use to better inform our practices and educate our learners. Although online learning is not a new feature of education and has been present for the last few decades, particularly in higher education, it is not a form of teaching and learning that many people in education or the general population are familiar with using. All over the world, the COVID-19 pandemic forced many thousands of teachers to suddenly adapt to a new way of instruction, and millions of students to adjust to a new way of learning. Some courses shifted to "on demand" learning, where lectures are recorded, and the students have unlimited accesses to the course materials for the duration of the particular module or course. This type of instruction is commonly found on "distance/online" courses at higher education institutions offering part-time undergraduate and postgraduate programmes. It gives students, particularly those with full-time jobs who cannot commit to conventional and/or sociable study times, the opportunity to learn in their own time and at their own pace.

However, the pandemic pushed the vast majority of teachers into online teaching despite most not having the available time or resources to create highly interactive on-demand programmes, and thus were forced to quickly shift their in-class teaching into an online environment. Teachers familiar with digital learning/teaching technology and those who had previous training had a much smoother transition than others, yet just coping with the situation and learning as you go became the norm for most, meaning that for many it has been a difficult adjustment. Therefore, teachers need something that is engaging and promotes active learning, whilst being easily adaptable into any teaching context at any given time irrespective of the experience held by the teacher. Is there a method that we can fall back onto that can cover most situations and help assist teaching while keep learners motivated?

Popular methods in Language Education

In second language education, there are a vast array of instruction methods and approaches for teachers to implement in their classes. In this section, four popular and communicative, yet varied, methods have been selected and will be briefly described. Some methods were purposely not considered due their complexity and/or the teacher ideally needing sufficient experience, such as post-method pedagogical approaches or Dogme language teaching, while others were not included due to either being heavily teacher-centred or non-communicative, such as the grammar-translation method or the silent way. The selected method's descriptions will include a quick overview of each method along with a few benefits and limitations associated with that particular method:

•Task-Based Language Teaching (TBLT)

Task-based language teaching, or TBLT for short, has been a popular method for a very long time as *tasks are meaningful, and in doing them students need to communicate'* (Larsen-Freeman & Anderson, 2011, p149). In addition, the requirements to complete a task ensure that there are clearly defined start and end points along with a set of outlined goals, which act as a pathway throughout the task. This means that both student and teacher are aware of how communication proceeds and whether the goals of the task have been fulfilled. For example, if the task is a role-play where students have to hold a small business meeting, they need to work together to complete it. If one of the goals is missed or not properly communicated, everyone present will quickly realise that something is amiss and have to backtrack to solve the issue or seek clarification; otherwise, the task cannot be successfully completed. There are many approaches to implementing a TBLT class; however, the general sequence of events are the Pre-task, Task Cycle, and Post-task review components (Richards & Rodgers, 2014, p190). The main three disadvantages surrounding this method are that it requires the teacher to give extreme care when planning each task, which can be very time consuming. The second is that it can be a challenge to implement TBLT with low-level learners as language difficulties may mean that students become overwhelmed leading to demotivation or confusion. The third is that a great amount of scaffolding may be required during the pre-task stage meaning that a teacher might have to use other teachings methods to coach students, resulting in it becoming a heavily teacher-centred and time-consuming period; again, leading to demotivation or boredom for students. Nevertheless, if carefully implemented, the practical possibilities and communicative benefits TBLT presents for students can outweigh the limitations.

·Communicative Language Teaching (CLT)

CLT is not only a popular teaching method but also a very influential one in the world of language education due to its focus on communication, hence the name, and the learner's spoken skills. Even though it is not a new method, CLT aims to compensate for the lack of speaking and natural communication that was absent from methods that relied on repetition and memorisation of language structures, such as the audio-lingual method (Larsen-Freeman & Anderson, 2011; Scrivener, 2011; Richards & Rodgers, 2014; Didenko & Pichugova, 2016). The aim is to present learners with useful and real communicative interactions found in everyday life centred on the core idea that 'plentiful exposure to language in use and plenty of opportunities to use it are vitally important for a student's development of knowledge and skill' (Harmer, 2007, p69). Therefore, teacher talk time is at a minimum and student talk time dominates lessons with group work activities and role-plays being common features found in a CLT classroom. It is not a perfect method as Didenko & Pichugova (2016) pointed out that it cannot always be applied to every situation and can be a challenge for teachers to accurately replicate real-life communication in a class when the audience are still in the process of learning; this difficulty is amplified when classes contain large student numbers. Despite the limitations, it is still widely used and is a great way to engage students in active language learning.

•Engage, Study, Activate (ESA)

ESA is a method often introduced to teachers new to the field of language teaching in various language teaching certificate programmes. The engage (E) stage often contains a game, warmer or short activity to prepare students for the lesson content or review previous material, the study (S) stage presents the main study material in an active and as student-centred style as possible, and the activate (A) stage presents the learners with activities or games to use the knowledge they learnt or give them time to apply or discover the lesson topic in a communicative and enjoyable way. This method is a redesigned, refocused and more versatile version of the Present, Practice, Production (PPP) method.

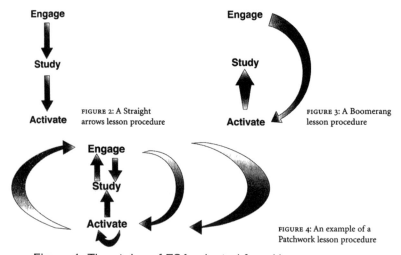

Figure 1: The styles of ESA adapted from Harmer (2007, p67)

Despite its simplicity, what makes it stand aside from the PPP method is that the order of ESA can be reversed or expanded to fit the learners' and class content's needs. These are placed into three lesson categories, straight arrow, boomerang and patchwork: With PPP for example, you cannot have students produce something if you have not already presented it, but with ESA the stages can be mixed dependent on the current needs of the class. An ESA straight arrow lesson follows the standard engage to study and finishes with activating the studied knowledge. The ESA boomerang begins with an engage stage but then has an activity before studying and then finishing by reengages students with a short task; the finishing style being E-A-S-E, with the reverse also being a possibility. The ESA patchwork is the most diverse and its organisational implementation is at the discretion of the teacher to meet the needs of the students and the lesson. Lessons may begin with studying, or even an activity, may include multiple activities, multiple study sessions and may even reengage learners on multiple occasions; it may have multiple components, for example S-A-E-S-A-A-S-E-A. The method itself does not really have any disadvantages as it is simple to learn and implement, usually taught to new teachers during initial teacher training, and extremely versatile; however, it may be disregarded by experienced teachers as being a basic "trainee" method due to its origins, connection to the PPP method, and use it teacher training programmers.

·Flipped Classroom

This is probably the most modern approach to teaching compared with some of the others in this section. The flipped classroom works in the opposite way to how conventional teaching operates in that instead of studying in class and then doing tasks and problems for homework, the lesson material is studied <u>outside of class</u> and the task and activities are done <u>in class</u>. The downside with this style is the preparation that the teacher has to do in advance before the start of the course in both the organisation and recording of study materials, and the careful design of them so that they prepare students for the in-class activities connected to each lesson. For students unfamiliar with this style, they will encounter a very steep learning curve, and confusion may arise when they simply cannot just ask the teacher questions on things during the study process, which they may not understand. However, this is a student-centred method where the content is on-demand, so students are free to study at their desired pace, and then work collaboratively to activate their knowledge during the in-class time, where teachers can better identify student learning styles and the difficulties they face; they can thus alter parts of the class or course to better suit the learner needs (Herreid & Schiller, 2013; Akçayır & Akçayır, 2018). With online learning becoming an instant necessity due to the 2020 pandemic, the flipped classroom may see an even larger rise than ever before.

A method for all occasions, times, levels and abilities?

Each of these methods are equally worthwhile in their own right, but could any of these effectively serve students both online and offline, or be easily adapted by experienced teachers or those new to the profession? Although some methods can be slightly altered so as to be adapted into any teaching situation, most methods require specific conditions to be met. For example, adopting a flipped classroom for teaching requires the instructor to first spend a great deal of time creating a series of study materials (files, videos, recordings) for students to view outside of class, and plan activities to use during the actual class that are carefully linked to the study materials. The time taken to create these means that a quick implementation from the start of a course is most definitely not possible. In addition, a situational change, such as in the form of a face-to-face class switching to online delivery or visa-versa, may require a re-evaluation of the course and students, and amendments to the course materials prior to being resumed. Another example is with TBLT and how it is implemented. As it most likely requires students to be at a certain language level and needs to be very carefully planned with strong teacher control to be successfully implemented, it may not be available to be easily adapted to any situation, such as an online class. In addition, the heavy teacher-led pre-task may require use of other methods, such as PPP or ESA, to prepare students for the upcoming task.

Additional Considerations

No matter how useful, great or flexible an instructional method may be, there are still additional considerations that a teacher should take into account, and certain additional factors to include, to make their desired method, and the lesson it is used in, a success. All the methods mentioned in the previous section have one major feature in common, and that is the desire to make the students more active in their learning. There are many elements and approaches available to teachers which can enable them to make their lessons more student-centred and engaging. The possibility is always that some approaches or additions implemented alongside a teaching method may or may not fare well or might even be incompatible with their lessons. However, there are three considerations, and one optional inclusion, that a teacher should always aim to include within their teaching practices regardless of the teaching methods they wish to employ. The three are cooperative/collaborative learning, deep learning, and inductive approaches with the final optional inclusions being using assessment for learning strategies.

The first element for consideration is the insertion of cooperative/collaborative learning (Chui, 2004; Attle & Baker, 2007; Kusaba, 2016). This is a where teachers usually split learners into smaller groups, presenting them with activities that require interaction and cooperation to take place in order to complete the tasks/activities. The underlying aim is for learners to interact with one another and discover things together as a team to enhance each other's learning: not just rely on the teacher. The most efficient way to maximise this approach's effectiveness is for the teacher to group learners with different skill sets together (Pearsons, 1998), but a faster and simpler way is to constantly mix students into different groups so that the same people are not constantly working together.

This leads toward the importance of deeper learning (Lublin, 2003), or as it is more commonly refereed to as active learning. it moves away from the traditional approach of passive learning, which is more teacher-centred as it contains less interaction between students and teachers due to the lesson focus being geared to note-taking and listening to presentations of the topic material. Having lessons that encourage deeper learning for students means there is more collaboration, communication, critical thinking and interactive content between the learning material and the activities. Deeper learning also encourages students to become more autonomous in their learning, and to produce *higher-order thinking skills'* (Baepler et al., 2016, p122), because they will need to activate their knowledge throughout each activity within a lesson. In addition to the student's active learning development, the teacher also has chances to interact more with learners, thus being able to monitor potential problems and student progress, and trial new activities which can help inform and strengthen their teaching practices.

The final consideration is the promotion of an "inductive approach". Although this is contingent upon the lesson's material, it is nevertheless a useful student-centred approach to include if possible. The inductive approach is where the teacher presents material in a way that students must discover the intended meaning for themselves. For example, in a "deductive" grammar lesson the teacher would present the desired syntax structure to the learners, describe its use and then present them with an activity for them to practice it. In an "inductive" grammar lesson, the teacher may instead ask a question using the desired syntax structure, give an answer using the same structure, then have the learners ask each other and present their answers to one another in groups while they are being monitored. Finally, the teacher would have them construct the structure before cleaning up any misunderstandings and presenting additional information about the content. Therefore, students discover how to use the structure for themselves and will have already practiced it, become slightly familiar with its use before being directly told what it is. This enables them to make the mental connect between the new study material and their own background knowledge.

The optional inclusion is the insertion of assessment _for_ learning (AfL) into classes or a course as a whole. The most widely used and traditional style for assessing learning is to hold assessment at the conclusion of a course to test what has been learnt, and this is known as assessment _of_ learning. AfL instead shifts the focus from judging the achievement of students to supporting their ongoing learning via formative assessments (Harrison, 2013). The aim with AfL strategies is for teachers to gain a better understanding of what their students understand about the class/course material, where they are and where they need to go, by advising them and thus supporting their learning (Wiliam, 2011). Therefore, students can work though any problems or misunderstandings they have encountered by solving them both alone and while working with classmates, thus encouraging them to take control of their ongoing personal learning progress and not just focus on just fulfilling the testing goals of the course. This inclusion differs from the other mentioned considerations as it requires the teacher to consider what they will include and do throughout their given course, regardless of their teaching experience or the course format. This is because, if a teacher decided to implement AfL strategies into their classes, they will need to incorporate it into their practices from the start as students need to be aware and become accustomed to the style.

These additional considerations are not strict requirements; however, they can help the teacher to supplement their chosen method and enhance their teaching efficiency while improving the chances of constructing lessons that are engaging, educational and interactive for learners.

Conclusion

Out of all the methods examined in this paper, it could be argued that it is possible to adapt each one to any given format or situation immediately or for any level of experience; however, some will be more demanding than others. Ideally, the flipped classroom would be an excellent method to recommend as the teachers can actively work on enhancing student development during class time and not strictly focus on teaching. On the other hand, the heavy preparation and task planning may not only be an intimidating thought, but also be a challenge for inexperienced teachers, and may even deter experienced teachers who are comfortable with their own practices. From the list of methods mentioned in the previous section, the ESA is probably the most easily adoptable and versatile method for all that can be immediately implemented with only a small amount of preparation. The learning curve and preparation for implementing the method are relatively minimal compared with other methods, and it can be quickly taught and mastered in a very short time. In addition, the ability to customise the stages to the leaners or the lesson content, even at a moment's notice if required, mean that the teacher's experience and situation do not really impact the method's delivery style. As long the teacher using the method clearly understands the stages and the lesson categories, they are free to implement it as they see fit. Its student-centred nature, and flexible structure mean that it is the recommended method for adoption in any teaching situation or format. After the COVID-19 situations subsides, there may be new teaching styles, and possibly methods, that arise due to the experiences and ideas developed during the pandemic.

References

Akçayır, G., & Akçayır, M. (2018). The flipped classroom: A review of its advantages and challenges. *Computers & Education*, 126, pp.334-345.

Attle, S., & Baker, B. (2007). Cooperative Learning in a Competitive Environment: Classroom Applications. *International Journal of Teaching and Learning in Higher Education*, 19 (1), pp.77-83.

Baepler, P., Walker, J. D., Brooks, D. C., Saichaie, K., & Petersen, C. I. (2016). *A Guide to Teaching in the Active Learning Classroom: History, Research, and Practice.* Sterling, Virginia: Stylus.

Chui, M. M. (2004). Adapting Teacher Interventions to Student Needs During Cooperative Learning: How to Improve Student Problem Solving and Time On-Task. *American Educational Research Journal*, 41 (2), pp.365-399.

Didenko, A. V., & Pichugova, I. L. (2016). Post CLT or Post-Method: major criticisms of the communicative approach and the definition of the current pedagogy. *SHS Web of Conferences*, 28 (1), pp.1-4.

Harmer, J. (2007). *The Practice of English Language Teaching* (4th ed.). Harlow: Pearson.

Harrison, C. (2013). *Assessment for learning: are you using it effectively in your classroom?* Retrieved January 4, 2020, from The Guardian: https://www.theguardian.com/teacher-network/teacher-blog/2013/aug/29/assessment-for-learing-effective-classroom

Herreid, C. F., & Schiller, N. A. (2013). Case Studies and the Flipped Classroom. *Journal of College Science Teaching*, 42 (5), pp.62-66.

Kusaba, K. (2016). Progress Tracking: Differentiating English Sounds to Aid Pronunciation Improvement for Japanese Learners through Cooperative

Learning. *The Journal of Nagasaki University of Foreign Studies*, 20, pp.27-34.

Larsen-Freeman, D., & Anderson, M. (2011). *Techniques & Principles in Language Teaching* (3rd ed.). Oxford: Oxford University Press.

Lubin, J. (2003). *Deep, surface and strategic approaches to learning*. Dublin: UCD Dublin.

Pearsons, O. S. (1998). Factors Influencing Students' Peer Evaluation in Cooperative Learning. *Journal of Education for Business*, 73 (4), pp.225-229.

Richards, J. C., & Rodgers, T. S. (2014). *Approaches and Methods in Language Teaching* (3rd ed.). Cambridge: Cambridge University Press.

Scrivener, J. (2011). *Learning Teaching: The Essential Guide to English Language Teaching* (3rd ed.). London: Macmillan.

Wiliam, D. (2011). What is assessment for learning? *Studies in Educational Evaluation*, 37, pp.3-14.

第3章

Utilizing Social Media and the Socratic Method in the
English Language Classroom to Promote Leadership
and Civic Engagement

Kaitlin Eison-Washington, Ed.M.

English language classrooms do not exist in a vacuum. Each day, students carry to class the complexities of their identity, the weight of current events, the excitement of the world around them. As an instructor, I fundamentally believe that the language learning classroom can and should be a place for students to not only develop their language skills, but to also express their thoughts, questions, and emotions in the process. By regularly making use of social media and implementing Socratic-style discussions, I provide students the space to engage with the world around them in a way that is both challenging and accessible.

Social Media as an Asset

Recognizing that university students are growing increasingly reliant on social media in their everyday lives as both sources of information and outlets for expression, utilizing modalities with which they are familiar has allowed students enrolled in English as a Foreign Language (EFL) courses to engage more meaningfully and enthusiastically in the classroom. In a chapter analyzing teaching media literacy, Dr. Arda Arikan explains that "bringing the media products of the English-speaking countries (which are already available through the television, radio, etc.) into our classrooms could

introduce students to authentic language use" (Arikan, 117). As an
English language instructor, I strive to frequently expose students
to high-quality examples of authentic language. Whether in an
introductory conversation course or an advanced course covering
controversial topics, social media has proven to be an invaluable
and accessible tool to increase student engagement, highlight a
multitude of world views, and ignite discourse.

With this in mind, I regularly seek and create opportunities
to make use of social media in the classroom in order to enrich
the learning experiences of all students. Social media also presents
students with examples of the ways in which people engage
with each other and social movements online. As mentioned, the
language classroom does not exist in a vacuum, and therefore,
it is irresponsible to assume that students are not affected in
some way by what they see on a regular basis. Students are
constantly inundated with information as a result of using social
media, however, the same applications — Instagram, Twitter,
and TikTok, for example — can also be a means for students to
process and engage with that information.

Gleason and Von Gillern offer an insightful interpretation of
media use as a gateway to civic engagement in the classroom:

Digital media offers an engaging way for young people to
learn about significant dimensions of citizenship and civic
education while lowering barriers to participation. For
example, while many young people may not run for political
office, volunteer for a politician, or even vote, they can still
develop competencies and connections through digital media.
Second, the use of social media (e.g., Twitter) is a way for young
people to develop their competencies of digital citizenship

through producing, sharing, and discussing information related to politics. (Gleason, 208)

As such, the intentional use of media, and particularly social media, has become an integral aspect of my pedagogy.

Socratic Discussions

Regardless of speaking proficiency, it is my goal to have all students engage to the best of their ability in Socratic-style discussions. That is, open-ended, student-driven discussions based on a particular topic or question. Typically, in all courses, students are provided an opportunity to experience the rewarding, though at times frustrating, challenge to express their complex thoughts in English. By attempting to answer one open-ended question with no single "correct" answer, students are prompted to recall previously studied vocabulary, grammar patterns, and phrases in order to effectively convey their thoughts to the others in their group. Students are also encouraged to experiment with language and look up new vocabulary during this process.

During each Socratic discussion, students are urged to ask follow-up questions of each other and to prevent the discussion from coming to an end. Although "wait time" is embraced in these discussions to allow for students to formulate their responses, students must stay actively engaged in the discussion throughout the entirety of the allotted time. The goal of these Socratic sessions is quantity rather than accuracy. Mistakes are always welcome during Socratic discussions.

Lesson Review: "The China Virus"

To illustrate the ways in which I implement social media and Socratic-style discussions in EFL courses, I will next outline one unit of the advanced course "Current Topics in the World". Students in this course must consolidate their speaking, reading, writing, and listening skills in order to participate in conversations about temporally relevant social issues.

This Fall, students were tasked with creating social media campaigns addressing the increasing incidents of anti-Asian and xenophobic discrimination as a result of the COVID-19 pandemic. The rationale for selecting this as a topic for discourse was that students could explore the lived experiences of others around the world and compare them with their own lived experiences as Asian students. It is a fundamental belief of mine that learning spaces such as classrooms can simultaneously function effectively as spaces for students to process their beliefs, experiences, and emotions. This two-week unit also served to develop and strengthen 21st Century Skills in students, namely the skills collaboration, initiative and self-direction, and media literacy.

The purpose of the first of the two 90-minute classes was to contextualize the topic, define important terms, clarify misconceptions, and introduce overarching questions. This was done through teacher-led instruction, student-led discussion, and media viewing. At the beginning of the first of the two 90-minute classes, students were asked to consider two questions and share their reflections with their neighbors. Students were first asked, "When you hear the term 'China virus', what do you think?" The follow-up question to this was, "What emotions do you feel?" It is important to note that I had previously dedicated a significant amount of time to the building of relationships among students in this course. Many topics covered in Current Topics in the World require some degree of introspection, speculation, and risk-taking, and therefore, the classroom must be a safe learning space for students to do so. The creation of this learning space, I believe, allowed students to openly and bravely engage in this portion of the lesson.

Recognizing that the daunting open-endedness of the two questions could present a challenge to students, students were provided an extensive online list of English words used to express emotions that could be easily accessed by the QR Code reader on their mobile phones. Students were also encouraged to use dictionaries and online thesauruses to find words that would accurately express their emotions. At the end of this process, students were able to find and make use of words such as "disappointed", "annoyed", "bitter", "heartbroken", "biased", and "aggravated" when discussing their responses in small groups.

In preparation for this unit's social media campaign assignment, the next portion of class time was spent understanding and contextualizing vocabulary words such as "xenophobia", "racism", "prejudice", and "discrimination". It was particularly important for students to fully understand the nuances of each term in order to use them skillfully in English discussions and to ultimately create meaningful social media campaigns tackling the topic at hand. Before offering definitions and contextualization, I asked students to use their personal dictionaries (cell phones, "denshi jisho", or bound dictionaries) to define the terms and compare their findings with classmates in a small group. Doing so momentarily transfered the role of "educator" from me, the instructor, to the student, and allowed students the opportunity to take a leadership role over their own learning. This step of answer-seeking supports Dr. Sarigül's argument that "it is an undeniable fact that a learner who makes good use of a dictionary will be able to continue learning outside the classroom and this will give him considerable autonomy about the decisions he makes about his own learning" (Sarigül, 157). In order to work towards developing the aforementioned sense of autonomy, which I would argue is an invaluable life skill, students are regularly tasked with using dictionaries and other reference books to find answers to their questions during class.

While still in small groups, students used their findings to construct one incontrovertible definition for each vocabulary term. This step required students to collaborate before presenting their definitions to the whole class. After this step, I projected the definitions on a large screen for students to compare, edit, or expand upon the definitions they decided on in their small groups.

After confirming that students understood the terms, I presented without comment the first piece of media. In this case, an English-captioned video compilation of the current United States President, Donald Trump, using phrases such as "China Virus" and "Kung Flu" when discussing COVID-19 during public rallies throughout 2020. Again without comment, students were presented with unedited news headlines that referreed to a "panda-monium" and the "Chinese virus". Finally, students were asked one overarching question: What is the impact of calling COVID-19 other names such as "Kung Flu", "China Virus", or "the panda-monium"? Students were given time to formulate their thoughts and connect this question to previous lessons about identity, discrimination, and social justice. Projected on the screen were the words "personal life", "safety", "policies", "public opinion", and "medical care". Students were instructed to consider the impacts, if any, on these concepts in particular.

Thus began the first Socratic discussion of the unit. In groups of roughly six to seven, students were given space to share their responses, as well as question and challenge the responses of their peers. It is a belief of mine that creating room for students to engage in student-led discussions in an EFL classroom promotes critical thinking, meaningful reflection, and natural and authentic communication in English. Sylvia Simard-Newman in her research entitled "Teaching the Socratic Method Using Current News from Francophone Countries" posits that the Socratic discussion "strengthens metacognitive skills by having students engaged in meaningful conversations about themselves, others, and the text or film they are studying. They are encouraged to talk about their emotions and listen to their classmates' feelings and opinions. They think critically about concepts while considering different and even conflicting ideas" (193). This statement informs much of my instruction in Current Topics in the World, as well as in English communication courses.

My role during the Socratic discussion was primarily that of the observer and time-keeper. As students shared their responses and opinions, I visited each group, making note of insightful comments, areas that required whole-class clarification, and/ or interrupted to ask a probing question aimed at pushing their thinking or eliciting elaboration. Within each group, one student was assigned the role of the facilitator to help the conversation stay on course and ensure that every participant had an opportunity to speak. Students then took ownership of their own learning with minimal instructor intervention, which is again an example of the 21st Century Skill referred to as "initiative and self-direction". The student facilitator also presented their respective group's findings and main points of discussion to the whole class at the end of the time allotted for the Socratic discussion.

To conclude the first 90-minute class, students spent the remainder of the time researching the news and social media for mentions of derogatory nomenclature in place of COVID-19 and instances of discrimination. In the spring, we spent two 90-minute courses analyzing the myriad ways in which people use social media, including how social media is used as a tool for engaging in social justice movements. Therefore, students had been primed to engage with this portion of the lesson. Reclaiming my role as "leader", I presented students with relevant news headlines, Tweets, trending hashtags, and Instagram posts highlighting real impacts of calling COVID-19 other pejorative names, as well as examples of people using social media as a platform to amplify their voices. Students were again asked to share their initial reactions in small groups.

The second of the two 90-minute classes served three purposes: to discuss the ways in which social media can be a useful tool in society, to view effective social media campaigns, and to work on students' social media campaign assignments. All three portions of this lesson required students to discuss and collaborate with their peers.

Before beginning to work on their social media projects, students were asked to consider and discuss the following questions:

Who is your target audience and why?

What do you hope to achieve with your campaign?

How might this campaign influence thought or action in real life?

What are possible hashtags you might use for your campaign? While one aspect of this project required students to make use of modern technology and design programs, other goals were for students to demonstrate an understanding of the potential impact of their work, as well as recognize their power to create social change. Gleason and Von Gillern's research in "Digital Citizenship with Social Media: Participatory Practices of Teaching and Learning in Secondary Education" supports this goal. They state that engaging with social media presents "opportunities for both educators to help students develop valuable digital citizenship skills and bridge in-school learning with the students' out-of-school interests, values, and commitments. While requiring students to distribute PSAs, contact representatives, or engage in politically-centered Twitter activities may not always be appropriate in the classroom itself, educators can prepare students for such activities in the classroom and help them conceptualize methods and opportunities for these and other forms of civic participation that can be used for out-of-school activities and experiences" (209). For this reason, I view social media as a powerful learning tool rather than an annoyance, time-waster, or hindrance. With social media, students are able to witness current events and discussions take place in real-time, become familiar with varying points of view, and engage actively with others around the world. Doing so allows them to formulate their opinions on issues based on the information that they have processed and critically considered, and finally choose the best course of action in response.

For their projects, a majority of students opted to create colorful and impactful public service announcements that could be uploaded and widely shared as Instagram posts. As a result of two weeks of Socratic-style discussion, media review, and collaboration, students created infographics that taught viewers how to be allies to friends of Asian descent, fun Instagram filters that projected the words "I am not a virus" above the face of those being photographed, and powerful phrases meant to inspire viewers to think about their own biases. At various points throughout the unit, students demonstrated their ability to take leadership over their learning and their role as active and critical participants in society.

References

Arikan, Arda. "Chapter Nine: Critical Media Literacy and ESL/EFL Classrooms." Counterpoints, vol. 176, 2002, pp. 113-124.

Gleason, Benjamin, and Sam Von Gillern. "Digital Citizenship with Social Media: Participatory Practices of Teaching and Learning in Secondary Education." Journal of Educational

Technology & Society, vol. 21, no. 1, 2018, pp. 200-212.

Sarigül, Ece. "The Importance Of Using Dictionary In Language Learning And Teaching." Selcuk University Journal Of Faculty Of Letters [Online], 0.13 (1999): pp. 153-157.

Simard-Newman, Sylvia. "Teaching the Socratic Method Using Current News from Francophone Countries." The French Review, vol. 88, no. 1, 2014, pp. 193-196.

第4章

幕末〜明治期のドイツ語教育

坂本　彩希絵

1. はじめに

　ドイツ語は、英語やフランス語と同様、その教育ないし学習の歴史が日本の近代化の経緯と不可分に結びついた外国語であり、そのような位置づけが現代にいたるまで、ドイツ語教育において制度的に大きく影響している。周知のように、明治維新とともに始まった近代日本の高等教育においては、主に英米独仏から雇い入れた各分野の専門家がそれぞれの母語を用いて教授したため、中等教育機関がさながら上記言語の語学学校の様相を呈したのも必然であった。ただし、ドイツ語教育のスタートは、英語・フランス語と比べると、半世紀ほど遅い。ドイツ語、あるいはドイツという国自体が脚光を浴びるのは、1871年の普仏戦争の結果、ドイツ帝国が誕生して以降のことである。そして、明治14年の政変を機に、日本政府がプロイセン（ドイツ帝国の中核となった王国）式の上意下達の国家形態へと舵を切ったのを受けて、ドイツ語は知的エリートが修めるべき必須の教養として不動の地位を確立することになる。[注1]

　本稿では、ドイツ語教育および学習の、幕末における黎明と、明治期における隆盛について、主に教材に焦点を当てて瞥見する。先行研究の記述に拠るところが大きく、新奇性には乏しいが、取り上げている貴重書のデジタル公開の現状に触れることで、若干の独自性が出せたのではないかと思う。

2.「独逸学」の興り

蕃書調所「独逸学科」設置

　日本でドイツ語学習が組織的に開始されたのは、1862（文久2）年、幕府直

轄の蕃書調所（後の洋書調所、開成所）に「独逸学科」が設置されたときのことである。[注2] このとき教授職に命じられた蘭学者の市川兼恭（斎宮）と、その娘婿で、のちに東京帝国大学の第2代総長となる加藤弘之（弘蔵）は、その2年前の1860（万延元）年、プロイセン特命全権大使ツー・オイレンブルクが来航する直前に、既にドイツ語学習と辞書編纂の内命を受け、独習をはじめていた。（宮永1993:pp.136-168） 1861年1（万延元年12）月の日普修好通商条約の締結に際してはオランダ語を介さざるを得なかったのは当然としても、非公式な場では使節団の随行員とドイツ語で会話を試みたというから、やはりオランダ語の素養がドイツ語の速習を助けたといえるだろう。[注3]

ドイツ学の草分けたちがどのようにしてドイツ語を学んだのかは、現存する古典籍や当人たちの回想からある程度推定されている。加藤による後年の談話「獨逸学の由来」（1899年に『独逸語学雑誌』に初出）では、「何分之を學ぶに誰も先生にする人がない、尤も獨逸の文法書や、或は其外の書物で、和蘭文と對譯したものが大分學校（蕃書調所）に在つで、それで和蘭の書物は二人（市川・加藤）が讀めるから、それと對譯したもので一つやって見やう」、「晝間は教授（公務）が急がしいから、夜中の業にして、吾輩二人と外にまだ一二人同志の人があつて、それ等と共に、和蘭文と對譯した獨逸の文法書や其外の書物を、大分研究した」とあり[注4]、苦心惨憺、手探りの様が察せられる。

このように、市川、加藤は、学習歴わずか2年でドイツ語を教える立場となったわけだが、舶来の辞書や教科書が数冊しかないなかでは、教授するのも苦労が多かったようである。前出の「獨逸学の由来」で、加藤は、独逸学科の設置時、生徒は50名ほどだったと回想している。これは、当時洋学の中で最も盛んだった英学のおよそ4分の1、仏学の2分の1の人数であるが、とはいえ、全員に行きわたるほどの書籍がなかったことは疑いえない。欧文の活版印刷機自体が日本に数機しかない時代であるから、翻刻も簡単にはできず、生徒は教科書をまずは書写し、その講釈を受けたり、また会読したりしたと伝わっている。（宮永1993:pp.151-153;在間1999:p552） なお、蕃書調所が洋書調書、開成所へと発展するにつれて、ドイツ語の学習者は100名ほどに増

えたという。

『官版独逸単語篇』

　独逸学科が設置されたのと同年、すなわち1862（文久2）年の冬には、蕃書調所改め洋書調書は、日本初のドイツ語辞典『官版独逸単語篇』を刊行した。編者は不詳であるが、市川と加藤が深く関与したのは確実であろう。この極めて貴重な資料は、現在、早稲田大学中央図書館、静岡県立中央図書館葵文庫、武蔵大学図書館に1冊ずつ所蔵されている。[注5]　いわゆる中本と呼ばれる書型（縦約18センチ、横約12センチ）の木版刷りの和綴じ本で、25丁（49頁）に約1780語が収録されている。収録語の大半は定冠詞ないし不定冠詞を伴った名詞で、訳語も付いていないため、辞典というよりは単語帳と呼ぶ方がよさそうな代物で、収録語彙の分野的な偏りからは、最初期のドイツ学の目的が第1に軍事、次いで医学と外交にあったことが窺い知れる。[注6]

3. 明治初年のドイツ語教育

官立学校におけるドイツ語の課程

　蕃書調所は洋書調書と名を改めた後、1863（文久3）年には開成所と更に改称し、幕府解体とともに一旦閉鎖された後、明治新政府によって官立開成学校として再興された。この開成学校が東京大学と東京外国語大学の源流であることは広く知られている。明治期の教育制度は目まぐるしく変革され、それに合わせて教育機関も統廃合や分離を繰り返したため[注7]、ドイツ語学習をめぐる環境も少なからずそれに影響を受けた。例えば、1873（明治6）年に、文部省が開成学校を高等教育機関に改編するにあたり、教授言語を英語のみとし、ドイツ語をフランス語とともに廃したのは、高等教育相応のドイツ語を習得した学生が僅少であったからだけでなく、人件費の抑制の目的があったと言われる。しかしその一方で、1870（明治3）年、政府がドイツ医学を採用する方針を定めて以降、医学を志す者の多くが私塾などでドイツ語を学び、医学校（幕政時代の医学所の後身で、のちに開成学校と統合され東京大学と

なる)へと進んだ。

　西洋科学の受容を目的とする明治の高等教育機関においては、先進諸国から雇い入れた外国人教師がそれぞれの母語で講義したため、中等教育の中心が、外国語教育となったのは必然であった。1872年4（明治5年3）月に制定された南校（開成学校の後身、1871年7月〜1872年8月）の学科課程によると、ドイツ語の課程は、「四ノ部」（初級）から「一ノ部」（最上級）まで、学力に応じて分けられており、年4回の試験の結果次第で進級が可能とされた。授業は語学（作文・文典・読方・書取・習字・単句・綴方）および算術などの基礎科目のほか、代数学・幾何学・窮理（物理）学・歴史学・地理学・博物学などが、ドイツ人教師によって教えられていた。ただし、完全な直接教授法が採られたのは最上級の四ノ部だけであり、それ以下の部では日本人教官が通訳として付いていた。雇い入れた外国人教師の専門性次第では開講できない科目もあったようで、特に、英語およびフランス語の課程では開講されていた「会話」の授業がドイツ語にないのは興味深い。（『東京大学百年史』）

お雇いドイツ人教師による授業と輸入教材

　南校の記録には、ドイツ人教師として、クニッピング（Knipping, Erwin）、シェンク（Schenk, Carl）、グレーフェン（Greeven, C.A.）などの名が登場する。これらの名は、同時期の他の資料にも見られ、最初期のいわゆる「お雇い外国人」として、その経歴や足跡もある程度明らかにされている。それらの先行研究によると、上記クニッピングの本職は航海士、シェンクは鉱山技師であったようだ。またグレーフェンの前歴は不明だが、建築に関する技術に詳しい人物であったらしい。いずれも20代の後半から30代の青年で、教育に関して何らかの専門資格を有していたわけではなかった。なかには、明治初期の複数の資料に登場するワグネル（Wagner, G）およびホルツ（Holtz, V.）のように、ドイツ本国で初中等教育に従事していた有資格者が招聘された例もあるが、ほとんどは、もとは別の目的で来日していたところをリクルートされた、いわばアマチュア教員であった。[注8]

　このように、明治初期の官立学校では、現代的に言えばイマージョン教育

に近い状況が生じていたわけだが、前述のように、教育に当たる側には専門家が乏しく、ドイツ語の教育に関しても、教授法と呼べるような本格的な技法が導入されていたとは思われない。伝わるところでは、京都でドイツ語を教えていた工学士レーマン（Lehmann, Rudolf）は、単語を1日に5つずつ覚えさせ、文法規則を重視し、ドイツ語でおとぎ話を書かせるようなことを行っていたという。(吉島・境2003:71) 他のドイツ人教師たちの教え方も似たり寄ったりであったろう。なお、このレーマンは1872(明治5)年から数年をかけて『独和字書』を編纂している。[注9] この時期、用いられた教科書も当然ドイツ語で書かれたものであった。ドイツ語の教科書もまた然りで、小学生用の初級読本「フィーベル」[注10]がよく用いられたと伝わっている。

カデルリー『大学南校の上級クラスのためのドイツ語読本』

　他方で、お雇いドイツ語教師自身が日本において出版した教材が2、3ある。[注11] なかでも、ヤーコプ・カデルリー（Kaderly, Jacob）が1791(明治3)年に刊行した、最初の本格的なドイツ語学書 *Lehrbuch der deutschen Sprache für die höhern Klassen der kaiserlich-japanischen Akademie, Daïgaku Nanko*（『大学南校の上級クラスのためのドイツ語読本』)(以下、カデルリー文典)は特筆すべきであろう。カデルリーはスイス出身で、上述のクニッピングらよりも1年以上も早く大学南校に赴任していた最初のお雇いドイツ人教師である。このカデルリー文典は、総頁数522にも及び、前半には発音規則および文章論が、後半には散文(逸話・寓話)および韻文(ゲーテやシラーなどの詩編)、そして末尾に韻律法がまとめられている。これだけの大著を赴任の翌年に刊行したというカデルリーの離れ業には驚かされるが、どうやら、来日以前に既に多くの部分を書いていたようである。1872(明治5)年、1878(明治11)年、1886(明治19)年と3度再版されたことや、後年ドイツから他の文法書が輸入されて以降も並行して使われ続けたところを見ると、カデルリー文典は、日本の初期ドイツ語学習者のニーズによく合っていたものと思われる。

　カデルリーについては、お雇いドイツ語教師の第1号で、カデルリー文典の著者であり、1872(明治5)年に離日したということ以外は長らく不詳であった

が、1990年代以降、新たに複数の資料が発見され、現在ではその経歴や足跡がかなり明らかになっている。詳しくは先行の研究に譲るが[注12]、スイス小村の貧農の生まれで、おそらくは初等教育しか修めていなかったにもかかわらず、家庭教師として諸国を渡り歩いていたという異色の経歴の持ち主である。つまり、外国人にドイツ語を教えることに関しては、お雇いドイツ人教師たちの中で最も実地経験の豊富な人物であったと言える。そのことを裏付けるのが、カデルリー文典の最初の10頁が発音規則に割かれていることであろう。その後にドイツから輸入されたシェーフェル文典（後述）は、本来中等教育段階の母語話者向けに書かれたものであり、それゆえか、発音については本の中盤にわずかに説明があるのみだというから、それに比してカデルリーには、非母語話者がまず身に着けるべきは発音規則である、という意識があったかと推測される。やや大げさに言ってよければ、「外国語としてのドイツ語」（Deutsch als Fremdsprache（DaF））という研究分野がまだ萌芽すらないこの時代に、学術体系の外にいた在野の士が、経験則や直感的洞察によって数十年先を行っていたということになる。カデルリーが日本にいたのはおよそ2年半と短い期間だったが、その間に教えた者たちからドイツ語私塾の塾主が多数出たこと、また、加藤弘之や司馬盈之（凌海）[注13]という、幕末にドイツ語を修め、本格的なドイツ学の創始者として知られる2名にも個人教授を行ったことを踏まえると、カデルリーの働きはまさに礎業であったといえる。[注14]

4. 明治中期におけるドイツ語教育

英語で書かれたドイツ語教材の導入

　明治10年代のドイツ語教育は、それ以前と大きな相違がなく、ドイツ語で書かれた教材やその翻刻、そして、日本人がそうした教材を直訳した一種のガイド本によって行われた。先行の研究によると、その種のガイド本、あるいは「あんちょこ」の数は相当に多く、特にカデルリー文典に基づく『独逸文典直訳』（中村雄吉訳、1872年）や、後にドイツから輸入され一世を風靡した

シェーフェル（Schäfer, Edmund）の *Leitfaden beim Unterrichte in der deutschen Sprache für die unteren Klassen höherer Lehranstalten*（『高等教育機関低学年のドイツ語授業用入門書』）（前出、シェーフェル文典）に基づく『シェーフェル氏独逸文法独学』（平塚定二郎訳、1885年）は好評を博したようだ。[注15]

　明治20年代になると、教材の傾向に変化が現れる。きっかけは、当時東京帝国大学でドイツ語、ドイツ文学、教育学を講じていたハウスクネヒト（Hauskunecht, Emil）が[注16]、アメリカで開発された教材 *A German Course* を用いたことであった。この本は、アメリカの学者コンフォート（Comfort, G.F.）[注17]が1884年に出版したもので、副題の *Adapted for Use in Colleges, Academies, and High-Schools* から明らかなように、アメリカの大学生、専門学校生、高校生向けのものである。4部構成で、第1部は練習問題を多く含んだ文法学習中心の内容、第2部は慣用句・類義語・日常会話・書簡・ビジネス文書における表現集およびドイツ文学の抜粋を集めた文章論、第3部はドイツ語史・言語学的特徴・方言に関する概説となっており、第4部にはドイツの貨幣・重量・面積などの単位語、略語、人名・地名、独英・英独語彙が集められている。[注18] アメリカのドイツ語教育界で絶賛されたというこの本は、上掲のハウスクネヒトが使用したのを皮切りに、日本でも当時の多くの中等教育機関で採用されるようになった。そして、明治30年代になると、同じく英語で書かれた *German Conversation-Grammar* が輸入され、再び中等教育界を席巻した。著者のオットー（Otto, Emil）はハイデルベルク大学で外国人を相手に教えていた語学講師で、「会話文典」と銘打ったこの文法書によって、実際に話し、書くことができるドイツ語、すなわち現代風に言えば「生きたドイツ語」が学ばれることを目指したとされる。[注19] この本も、コンフォートの *A German Course* と同様、著者の言語学的な見識と実際の教授経験に裏打ちされており、外国人学習者がドイツ語固有の困難性を克服するのに非常に有効だったようである。（上村1994）このように、明治中期以降、ドイツ語教育は、少なくとも教材の面では、外国語としてドイツ語を学習する者向けに体系化された枠組みの中で行われるようになったのである。

*A German Course*と*German Conversation-Grammar* の導入が示すもう1つの自明の事実として、学習者に英語の素養が求められたということがある。これは、当時の中等教育の状況を考えれば、それほど奇異なことではない。というのは、この時代、ドイツ語を学習する者たちには、それ以前に4、5年の英語学習歴があったからである。[注20] 例えば、ニーチェの紹介者として名高い独文学者の登張竹風は、高等中学校時代に学んだ *A German Course* について「英語で説明してあるだけに、よくわかる」と述懐しているし、また、同じく独文学者の山岸光宣も、コンフォートやオットーの英書には、高等学校生にとって、中学校で習得した英語とドイツ語を比較対照できるという利点があったと回想している。(上村1994:p100) もっともこれは、後年に時代を代表する独文学者として名を成した俊才の見解であるから、当時の学生一般も同じように感じていたと断じるのは軽率であるかもしれない。いずれにせよ、明治期の高等中学校ないし高等学校においては、週に優に10時間以上の語学の授業が行われていたことを鑑みると、平均的な学生であっても相当の習熟度に達していたかと思われる。この授業時間数はその後の大正・昭和期の旧制高校においても維持され、戦前の知的エリート層の語学力を支えたのである。

5. おわりに

　以上、江戸末期から明治期にかけてのドイツ語教育・学習の歴史を概観し、ドイツ語教育が、母語話者向け(あるいはオランダ人向け)の教材を書写あるいは翻刻して解読した時代から、お雇いドイツ語教師お手製の文法書を手引きに小学生向けの読本を読んだ時代、そして、アメリカから輸入した外国人学習者向けの教材を用いた時代へと、変化していったことを明らかにした。なお、明治後年になると、日本のドイツ語学者が著した文法書(大村仁太郎・山口小太郎・谷口秀太郎によるいわゆる「三太郎独逸文典」)が登場するが、これについて論じるには、残念ながら紙数が足りなかった。

　大学はもちろん、中等教育機関でさえ現代とは比べ物にならないほど少

なかった時代のことであるから、地方でドイツ語が学ばれる機会は非常に限られていたのは言うまでもない。ただ長崎では、江戸時代後期にすでに、蘭学者や医学者がドイツ語をかじったと伝わっている。また、明治初期にも広運館や後身の長崎外国語学校ではドイツ語が教えられていたようだが、1873（明治6）年に長崎英語学校へと改称になったのを機に、課程の中心は英語に絞られたものと思われる。

　近世・近代の長崎における「独逸学」の系譜については別の研究に譲って擱筆としたい。

注

1　1883（明治16）年に参議山縣有朋の名で出された意見書には「英国の治風は、所謂議院政体にして、政党を以て国の実権を掌握するものなり。是に反するものは、独逸とす。独逸は、乃ち立憲君主政体にして、君主内閣の組織を用ひ、君主と内閣とは、常に議院政党の外に立ち、而して、議員は国の全権を制するものに非ざるなり。（中略）我国体、国風の近似する所を問へば、又智者を待たずして、其の英に倣ふべからずして、寧ろ独乙に取るべきを知らん」（新字体に改めて引用）とあり、続けて、政論は従来の教育によって醸成されるものであるので、「大・中学に用ゆる英学を廃し、独逸学を用ふる事」とある。（大山編1966:p135）このように、英学の影響が強かった自由民権運動を牽制し、君主大権を維持した近代国家を目指すという開化政策のもと、ドイツ語学習が奨励されたのである。なお、この意見書に基づき独逸学協会学校（現在の独協大学）が設立された。

2　英学は1859年、仏学は1861年に設置されており、いずれも独逸学よりも早い。また、両言語の学習が蘭学者に命じられたのは、それより半世紀も前のことであり（英語は1809年、フランス語は1808年）、これは、1808年のフェートン号事件を受け、幕府が当時のイギリスとフランスの脅威と、研究の必要を痛感したためである。（在間1999:pp.521-524）

3　使節団が電信機を幕府に献上するにあたり、使用法習得のために市川・加藤の両名がプロイセン使節団の接遇所へ赴いた。オイレンブルクの『日本遠征記』には、その際どちらかが、不完全ながらも意味は伝わるドイツ語で会話を試みたという記録がある。（宮永1993:p147）

4　加藤の「獨逸学の由来」は、のちに『古事類苑』に転載された。

5　現在では早稲田大学中央図書館は古典籍総合データベースで、所蔵の『官版独逸単語篇』全ページの画像を公開しており、葵文庫も表紙と本文の一部を画像公開している。

6　以下の22の分野に区分されている。「世界と元素について」32語、「時間と四季について」47語、「食べ物と飲み物について」114語、「血縁者について」60語、「人間とその部分について」116語、「罹病と障碍について」90語、「生業と手仕事について」108語、「男性及び女性の衣服について」83語、「研究と筆記具について」64語、「家屋の部分及び家財

について」82語、「台所及び地下貯蔵室で見られるもの」59語、「厩舎で見られるもの及び
騎行に使われるもの」59語、「庭仕事、花及び樹木について」51語、「鳥類について」68語、
「魚類について」47語、「四足歩行動物について」66語、「葡匐動物、害虫及び蠕虫につ
いて」54語、「金属と色彩について」45語、「田園及び都市で見られるもの」61語、「舞踊と
楽器について」48語、「諸国と諸民族」156語、「軍事用語」272語。各分野の題目の意訳
と各収録語彙数は荒木の調査に拠る。(荒木2010:pp.140-139)

7　開成学校は1869年12(明治2年11)月には大学南校と改称され、1871年7(明治4年5)月
に文部省が設置されるまで(このとき南校と再改称)、教育機関であるとともに教育行政官
庁としての役割も担った。また、1871年4(明治4年2)月には、大学南校のなかにドイツ語を
学ぶ学生を対象にした一種の別科として独逸学教場が設けられ、これが翌1872年9(明
治5年8)月の学制発布を受けて、(洋学第一校と改称されたのち)第一大学区第二番中
学へと改編(南校本校は同区の第一番中学に)、更に1873年3(明治6)月、第一大学区
独逸学教場と再改称した。翌月には、第一中学(元・南校本校)が専門的な高等教育機関
として、第一大学区開成学校となり(翌年には東京開成学校と再改称)、その学生が上級
生の専門学生徒と下級生の語学生徒とに分けられた。そして同年11月、開成学校の語学
生徒と、第一大学区独逸学教場および外務省の独魯清語学所(ドイツ・ロシア・中国語研
究部署)が統合され、官立の外国語学校として東京外国語学校(東京外国語大学の前
身)となった。(在間1999:p523)

8　ホルツは中等教育修了後に専門教育を受けた小学校教師である。ワグネル(ヴァーゲナー
と書く方がドイツ語の発音には近い)はギムナジウムの教員資格を持ち、またゲッティンゲ
ン大学から学位を授与されている。なお、このワグネルは幕末に来日し、長崎で石鹸工場
やウォルシュ商会で働いた後、佐賀藩に雇用されて有田の窯業の近代化を指導し、「近
代窯業の父」と呼ばれた人物である。(小澤2015:pp.103-104, pp.127-128, p148, pp.184-
185)

9　ドイツ語辞書については先行研究が豊富にあるため、本稿での詳述は割愛する。明治初
期には、他にも数冊の辞書が刊行されたが、いずれも中級・上級の学習者の実用に耐える
ものではなかったようだ。(宮永1993:pp.213-228;園田2004)

10　フィーベル(Fibel)とは、子どもに最初に読み書きを教える際に広く用いられた本の総称
で、そのルーツは15世紀にまで遡れる。(『マイヤー百科事典』) 明治初年に使用されたと
思われるフィーベルが東京大学駒場図書館に所蔵されている。また、フィーベルは近代日
本の国定国語教科書にも大きな影響を与えたという。(首藤2012)

11　1870(明治3)年に *Die Ersten Lectionen des Deutschen Sprachunterrichts*(『最
初のドイツ語レッスン』)、1871(明治4)年に *Deutsche Lese- und Uebungsbuch*(『ドイ
ツ語の読み物と演習』)が、大学南校から刊行されている。前者は加藤弘之が明治天皇
にドイツ語を進講する際にも用いられたとされる。(宮永1993:p228) 両者とも著者は不明
で、前者は日本人の手によるものである可能性も指摘されているが、後者の著者は先述の
ワグネルである可能性が高い。(城岡2006)『最初のドイツ語レッスン』は早稲田大学の古
典籍データベースで全ページの画像が公開されており、静岡県立図書館葵文庫も表紙と
本文の一部を画像公開している。『ドイツ語の読み物と演習』は東京大学、東京外国語大
学、横浜国立大学に所蔵がある。

12　城岡啓二の研究が特に詳しい。

13　1839（天保10）年に佐渡に生まれた医師・洋学者。江戸で松本良甫（松本良順の養父）に、長崎でオランダ人ポンペに医学を学び、また英語・ドイツ語をはじめ6カ国語に通じて語学の天才と呼ばれた。明治5年に『和洋独逸辞典』を出版。（『日本人名大辞典』；宮永1993:pp.133-136）

14　ただし、カデルリーには標準ドイツ語とスイス方言との区別がついていなかったと思しき面があり、これに更に、同僚ドイツ人たちとの間の、おそらくは学歴差別的な軋轢も加わり、結果、1872年年始に南校を定期退職（雇止め）となった。円満退職とはならなかったようで、カデルリー文典の版権の問題（第2版が初版の3分の1の紙数へと無断で改訂されていた）や、本務以外の超過勤務に対する手当の未払い（日本人のドイツ語助教への指導や南校が導入した体操器具の取り扱い説明書作成など）をめぐり、訴訟を起こしている。（上村1985:城岡2006:城岡2007）

15　『カドリー氏原書独逸文典直訳』と『シェーフェル氏独逸文法独学』は両者とも国立国会図書館デジタルコレクションで公開されている。前者は早稲田大学の古典籍総合データベースでも公開されている。なお、シェーフェル文典の原書は東京大学総合図書館をはじめ、いくつかの大学図書館に所蔵がある。

16　1887〜1890年在職。日本にヘルバルト教育学をもたらした人物として有名である。（宮永1993:p420, p424）

17　美術史家でもあり、メトロポリタン美術館の設立者の一人。

18　東京大学駒場図書館をはじめ、複数の大学図書館に所蔵がある。

19　同じく、東京大学駒場図書館をはじめ、複数の大学図書館に所蔵がある。

20　1872（明治5）年に敷かれた学制は、その後、教育令（1880/1885年）、学校令（1886年）へと改正され、大学への進学を前提とした中等教育制度が整備されていった。これにより、前期中等教育において英語を学び、後期中等教育の機関である高等中学校（後に高等学校）において第2外国語を学ぶという流れがつくられていった。

参考文献

荒木康彦（2010）「幕末期の「独逸学」と『官版独逸単語篇』」近畿大学大学院文芸学研究科編『渾沌』(7)、pp.146-132。

大山梓編（1966）『山県有朋意見書』原書房。

小澤健志（2015）『お雇い独逸人科学教師』青史出版。

上村直己（1985）「明治初年の東京のドイツ語塾について」『熊本大学教養部紀要　外国語・外国文学編』20、熊本大学教養部、pp.43-63。

――――（1994）「明治の独語教科書―コンフォートのGerman Courseとオットー会話文典」『熊本大学教養部紀要　外国語・外国文学編』29、熊本大学教養部、pp.85-103。

在間進（1999）「ドイツ語」東京外国語大学史編纂委員会編『東京外国語大学史』東京外国語大学、pp.521-552。

首藤久義（2012）「ハンザフィーベルとサクラ読本」『千葉大学教育学部研究紀要』千葉大学。

城岡啓二（2006）「1871年刊行の大学南校のドイツ語教材について―言語的特徴から見た

編著者問題を中心に」『人文論集』57(1)、静岡大学人文学部、pp.67-106。
────(2006)「日本最初のドイツ語お雇い教師カデルリー(1827-1874)というひと─スイスの貧農の生まれ、傭兵、家庭教師、冒険旅行家、「鉱物学教授」」『人文論集』57(2)、静岡大学人文学部、pp.151-196。
────(2007)「お雇いドイツ語教師カデルリーの日本時代について─採用から退職、そして離日までの日々」『人文論集』58(2)、静岡大学人文学部、pp.151-193。
園田尚弘(2004)「明治初期に現れた独和辞書の研究」園田尚弘・若木太一編『辞書遊歩』九州大学出版会、pp.95-112。
東京大学百年史編集委員会編『東京大学百年史 通史一』東京大学、pp.179-184。
宮永孝(1993)『日独文化交流史:ドイツ語事始め』三修社。
吉島茂・境一三(2003)『ドイツ語教授法─科学的基盤作りと実践に向けての課題』三修社。
「司馬凌海」『講談社日本人名大辞典』講談社、p923。
「獨逸学の由来」『古事類苑』文学部二七「外国語学」。
Fibel: Meyers enzyklopädisches Lexikon : in 25 Bänden, mit 100 signierten Sonderbeiträgen. 9., völlig neu bearbeitet Aufl. c1971-1984, vol. 8, p. 747.

デジタルアーカイブにおける閲覧可能状況

早稲田大学中央図書館古典籍総合データベース　https://www.wul.waseda.ac.jp/kotenseki/
　全ページ公開
　　・『官版独逸単語篇』
　　・*Die Ersten Lectionen des Deutschen Sprachunterrichts*
　　・*Lehrbuch der deutschen Sprache für die höhern Klassen der kaiserlich-japanischen Akademie, Daïgaku Nanko*
　　・『独逸文典直訳』(中村雄吉訳)
　　・フィーベル(*Deutsche Fibel*)

静岡県立図書館葵文　https://www.tosyokan.pref.shizuoka.jp/aoi/
　一部公開
　　・『官版独逸単語篇』
　　・*Die Ersten Lectionen des Deutschen Sprachunterrichts*(『最初のドイツ語レッスン』)

国立国会図書館デジタルコレクション　https://dl.ndl.go.jp/
　全ページ公開
　　・『独逸文典直訳』(中村雄吉訳)
　　・フィーベル(*Deutsche Fibel*)
　デジタル化資料送信サービス参加館の端末からのみアクセス可能
　　・『シェーフェル氏独逸文法独学』(平塚定二郎訳)

- *German Conversation-Grammar*

マイクロフィルム所蔵（非公開）

- *Die Ersten Lectionen des Deutschen Sprachunterrichts*
- *Deutsche Lese- und Uebungsbuch*
- *Lehrbuch der deutschen Sprache für die höhern Klassen der kaiserlich-
  japanischen Akademie, Daïgaku Nanko*
- *A German Course*

第5章

初年次中国語教育における直接教授法的な手法による
会話教育
—長崎外国語大学2018・2019年度の実践事例報告—

土居　智典

1. はじめに　問題の所在

　日本の大学における中国語教育は、ほとんどが教養課程の一環で、第二外国語として選択されるものがほとんどである。しかもその授業時間は、週に1コマ（90分）ないし2コマ程度で、正確な統計があるわけではないが、週2コマの授業時間を設けている大学は、減少傾向にある。減少どころか、地方都市の私大においては、軒並み第二外国語の授業を消滅させてしまった例もある。第二外国語教育そのものが、危機に瀕しているといえるが、このような状況により、教材の作成にも大きな影響が出ている。現在販売されている教科書の多くが、週1コマの授業を前提としたものになっており、週2コマ前提の教材を選定するのにも苦労を要する状態である。

　上記のような状況下において、長崎外国語大学のような専門の語学教育課程を備えるところでは、教材の選定から困難がつきまとう。長崎外国語大学では、初年次の中国語教育には、週5コマという贅沢な授業時間が設定されている。内訳は、会話2コマ、文法1コマ、講読1コマ、演習1コマである。著者は2010年度から、長崎外国語大学での1年生向け中国語教育では、講読1コマを担当しているが、週1コマの第二外国語の担当経験しかなかった者としては、やはり教材の選定において困難に直面した。前任者は、週1コマ前提の1年生向け教科書を使用し、学習ペースを速くし、1年で2冊の教科書を学習し終えるなどの方法で対処していたとのことであったが、これでは結局、週1コマレベルの授業を、ただハイスピードで繰り返すだけのことになり、高い学習効果は得られないと判断し、1年で1冊の既存の教科書と

いうペースで授業を実施することにした。しかしそうなると逆に、学習内容が薄くなるという問題が生じるため、補助教材を作成するなどして補った。この作業は、結果として長崎外国語大学向けの独自教科書の作成へと繋がっていくのだが、この講読向け教材の作成（2016年度から試験運用開始）と使用の実践報告については、また別の機会に譲りたい。

　今回は、順序は前後するが、この長崎外国語大学向けの講読教材の次に作られた直接教授法向け会話教育の教材と、その使用実践報告を行う。上述の講読向け教科書の導入により、1年で中国語検定3級を受験可能な内容を一通り授業の中に落とし込むことに成功した。それにより、長崎外国語大学では、初年次の1年の中国語教育で、中国語検定3級合格を達成する学生が、毎年4人以上という水準を達成することが出来ている。

2013 年度生　中国語検定 4 級スコア（11 月度）		
受験者数名 16 名（中国語専修 9 名　英語専修 7 名）		
	4 級・リスニング	4 級・筆記
平均点	65.31	77.69

　しかし、1年生の年度途中の成長度合いを測るのに丁度良い、11月の中国語検定4級の平均点を見ると、全般にリスニングの方が筆記より低い年度が多い（2016年度のみ例外）。なぜ2016年度のみリスニングの平均点が高かったか、理由は不明であるが、検定の問題の難易度バランスに左右されたことが考えられる。リスニングで成果をあげるには、「中国語のシャワー」を浴びるような会話教育が必要であると考えられるが、長崎外国語大学では、長らく直接教授法及びそれに近似した会話教育の手法もとられていなかった。

2016 年度生　中国語検定 4 級スコア（11 月度）		
受験者数名 8 名（中国語専修 4 名　英語専修 4 名）		
	4 級・リスニング	4 級・筆記
平均点	65	59.25

2017 年度生　中国語検定 4 級スコア（11 月度）		
受験者数名 13 名（中国語専修 6 名　英語専修 7 名）		
	4 級・リスニング	4 級・筆記
平均点	66.64	73.43

そこで試みたのが、普段中国語検定対策の授業として運用されていた演習の授業を、直接教授法の会話授業へ切り替え、著者が担当することであった（2018・2019年度実施）。まず結果からいうと、2018年度の方は、演習受講者と非受講者の間に、そう大きな差はつかなかったが、2019年では大きな差が見られ、一定の効果が確認できる。

2018 年度生　中国語検定 4 級スコア（11 月度）		
受験者数名 13 名（中国語専修 6 名　英語専修 7 名）		
	4 級・リスニング	4 級・筆記
演習受講者の平均点	63.33	66.87
演習非受講者の平均点	62.5	65.75

2019 年度生　中国語検定 4 級スコア（11 月度）		
受験者数名 31 名（中国語専修 5 名　英語専修 26 名）		
	4 級・リスニング	4 級・筆記
演習受講者の平均点	75.29	75.65
演習非受講者の平均点	56.43	76.93

2020 年度生　中国語検定 4 級スコア（11 月度）	
受験者数名 36 名（中国語専修 14 名　英語専修 22 名）	
4 級・リスニング	4 級・筆記
55.83	72.44

　残念ながら、この直接教授法会話授業としての演習の授業の運用は、2018・2019年度のみで終了してしまい、以後の成果観察を行えなくなってしまった。しかし、直接教授法を行わなかった2020年11月のスコアも合わせ見れば、行った年との落差は明白である。2020年は、会話授業担当者の熟練度の問題や、オンライン対応を強いられるなどの条件により、直接教授法が実践出来なかったわけであるが、上述のような効果を見れば、早急な再開が必要なことは、誰の目から見ても明らかなことであろう。そこで、ここに実践の状況を報告し、後日再び実施、もしくは週2コマで実施されている会話授業の中に、直接教授法を上手く繰り入れる等の措置をとる際の手がかりを残しておく事を試みる。

2. 先行研究

　中国語の直接教授法での会話授業についての論考や実践報告は、日本における実施の例に限ると決して多くないが、参考にすべき論考・報告はいくつか存在する。まず戦後直後のものであるが、戦前時期の直接教授法を批判した王武軍氏の論考の紹介を香坂順一氏が行っている[注1]。これは、戦前期の北京語学習書『急就篇』を用いた直接教授法を、王氏が批判した論考を、香坂氏が紹介したもので、直接教授法の問題が列挙されている。直接教授法は、帝国主義国家とその植民地において用いられていたとか、反マルクス主義だとかいう、時代を感じさせる批判も見受けられるが、現在でも傾聴すべき問題点も挙げられている。すなわち、直接教授法は実用主義教育に繋がるが、論理的思惟を軽視し、思惟と言語の関係性を認めないといった点。身振り手振りへの依存、語彙中心になる点。また、模倣を特徴とする直接教授法は、理論的学習を拒否し、文法・発音知識などは補助的位置づけになり、さらには抽象表現などの能力育成が出来なくなる点が挙げられている。そもそも、成人の外国語学習と、子どもの母語学習を等しくみることが過ちであるということも、傾聴に値する指摘だろう。香坂氏は、上記の弊害に加えて、古典の「素読」の伝統が中国語教育に持ち込まれているという事も指摘している。

　少し後の長谷川良一氏の論考にも、同様の弊害への指摘がある[注2]。母語を話す際には、「人は考えたり意識したりすることなく、拡張法・代入法・短縮法を用いて、これらの型を組まなく操作している。この型は、社会に順応しはじめる幼い頃から非常に深く根をおろしているため、殆ど本能と思われる程の習慣となっている。しかし外国人の大人がこういった習慣を身につけるには、先ず知的に理解し、次に練習によってこの理解を自動反応の域にもってゆく以外に道はない。　（中略）　一方的直接教授法では、厳密にいうと母国語の使用を許さないのであるから、型を始めに理解させることはないし、またこの方法では確かに練習はさせはするが、もっとも役に立つ体系的な形で練習させることは殆どない。つまり直接教授法は大人の外国語学習者

を、他の言語は全く知らず、母国語を話すことしか出来ない、5・6歳の子供と全く同じだと考えているのである」として、単純な直接教授法の採用を戒め、オーラル・アプローチを採用している。オーラル・アプローチとは、母語で簡単な説明を行い、その後、練習させ型を修得させるものである。確かに、ここまで列挙した直接教授法の弊害をみれば、オーラル・アプローチの採用が理想的だろう。しかし、母語を用いたパートと、直接教授法のパートを明確に分けなければ、いつの間にか間接教授法になってしまうようなことは起こりかねない。オーラル・アプローチの理想をいえば、週2コマ以上の授業回数が確保され、直接教授法のコマと間接教授法のコマを明確に分ける事が可能な環境が望ましいのではないだろうか。しかし近年、第二外国語としての中国語教育の場では、週2コマの授業を維持することが難しく、週1コマの授業すら存亡の危機にさらされている。やはり直接教授法的手法の実践報告が少ないのは、そういった事情によるところもあるだろう。

　近年の直接教授法の実施を報告しているものとして、APUにおけるチームによる直接教授法の実施報告があり、参考になる[注3]。著者も方法論的には、こちらを参考にしたものの、基本的には一人で実施した点が異なるのと、使用した教科書が、講読の授業内容とリンクし、文法的説明は講読の授業の中で間接教授法（日本語での説明）を併用した点が異なっている。また、学習成果を測る指標として、アンケートなどは用いず、あくまで中国語検定のスコアなどを拠り所とした。

　もちろん、中国における「対外漢語教育」の実践報告の中に、直接法授業に関わるものも多く存在するはずであるが、今回は著者が実践の際、実際に参考にし得た、日本における実践例のみを参考にした。

3. 実践

　直接教授法を実施するにあたって、極力日本語での指示・説明を行わずにすむよう、また学生の積極性を引き出すために、いくつかの工夫を行った。まずはそれらの工夫を、ここに列挙しつつ授業内容の詳細の説明に進んで

いきたい。

a.授業時間内における直接教授法部分の明確化

　まず大前提であるが、教員・学生両者にとっても、授業全てを中国語で行うのは難しい。教員が非ネイティブ・スピーカーであればなおさらである。両者の負担も考え、直接教授法的手法を取る部分は、目的を達成するために、使用場面を厳密に選別すべきである。例えば授業中のルールの説明、小テストの実施方法の説明、その他の授業関連の連絡事項までを中国語で行う必要はない。直接教授法をとる最大の目的は、授業中、極力多くの中国語を耳にすること、多くの中国語を発話させること、反射的に特定の質問に対して紋切り型のフレーズをリアクションさせるための反射訓練を行うという3点であり、その目標に関してあまり必要のない中国語でのやり取りは、極力避けるようにした。授業の中核となる部分のみを中国語で行い、その他の部分との区別を図るため、明確な時間的な線引きを行った。授業の冒頭部分で、授業のルールを説明するところや、その他の重要な伝達事項は日本語で行い、それが終了したあとは、「那么，我们上课吧！ 大家打开书！(それでは授業をはじめましょう、テキストを開いて下さい。)」というきっかけのワードで授業を開始する。授業内容終了のタイミングは、「今天的内容到此这里。（今日の内容はここまでです）」というフレーズで区切る。この中国語フレーズ自体、ゼロ初級の学生にとっては、文法的にも単語的に理解するのは難しいものであるが、毎回必ず同じフレーズを使うことによって、音でこれが授業開始の合図、終了の合図というのが刷り込まれれば問題ない。合図的な記号として機能すればよいのであって、詳しい中身を理解する必要はない。2、3回も授業で同じフレーズを使えば、学生はこれが授業開始および終了のきっかけであるという事が理解できるようになる。この際に気をつけないといけないのは、なるべく表現の揺れがないようにすることである。たとえば、授業開始のきっかけは「我们上课吧！」以外にも「我们开始吧！」や「我们开始上课吧！」など、いくつか揺れのある表現が考えられるが、特に初期の段階においては、全く一言一句変わらない表現を毎回踏襲すべきである。学生はまだ、そのフレーズの文法

的意味内容などは理解しておらず、応用に弱い段階であるので、初期においてはなるべく揺れの少ない表現で刷込を行うのが有効であると考えられる。これは、その他の授業用フレーズについてもいえることである。

b.授業用フレーズの揺れを最小限にとどめる

　授業用フレーズというと、「教科書を開いて下さい。」「一緒に発音しましょう。」「二人組で会話練習しましょう。」といった、毎回必ず使う授業用のフレーズである。直接教授法の授業を進めるにあたって、必要となるこれらのフレーズは、決して多くはない。会話応答を反射的に行わせる訓練が授業の最大の目標なので、詳しい解説を行うためのフレーズは、使用する必要が無いからである。上記の3つのフレーズは、年度を通して「大家,打开书!」「跟我一起念一下。」「那么,两个人练习吧。」といったフレーズを用い、ほぼ揺れがないように配慮した。これらも、中国での授業などでは頻繁に用いられるものであるが、本当に文法的に理解しようと思うと難しい。しかし、直接教授法の進行にあたっては、これらのフレーズの文法的な理解は無用で、きっかけを作り出す合図として機能しさえすればそれでよい。ただ、合図として機能させには、なるべく初期の段階では揺れがない事が好ましい。

c.座席位置の指定

　直接教授法の授業を行うにあたって、長崎外国語大学では、受講者20人前後で調整することが認められた。受講者が多い場合には、2クラス分割を行い、適切な人数調整の配慮が与えられたことには感謝したい。せっかくの少人数でのクラス編制であるので、その利点をいかさない手は無い。通常の講義形式の座席位置では、学生の積極的参加が十分に得られないため、毎回の授業は、机を車座に配置して行うことにした。積極的に教室前方に座っている学生だけに授業参加が限られるようなことになっては、少人数クラスの意味もない。また、車座に席を配置した上、毎回必ずクジを引いてもらい、毎回座席位置を変更した。これは一定のゲーム性を持たせる効果があると同時に、緊張感も引き出すための工夫である。また、毎回座席位置

を学生の任意に任せてしまうと、積極的な学生とそうでない学生の間で、特定の依存が生じてしまうことがある。常に授業参加の意志が低い学生が、優秀な学生の隣に着席し、何か課題が与えられる度に優秀な学生に依存して、自ら答えを考えないということはよく見られる光景である。そのような状態では、せっかくの少人数クラスで全体の底上げをしようという意図が台無しである。そのため、手間ではあるが、毎回クジによって座席位置を変えるようにした。

d.音声ファイル・辞書の使用

　さらに、授業中に込み入った解説をすることを避けるために、使いやすい音声ファイルの準備と、積極的な辞書の使用を勧めることに留意した。

　一見積極性のある学生に見えて、実は教師を辞書がわりに使おうとする学生もいる。基本的に単語の意味は、自ら辞書を引いて調べることを、学期の最初から徹底して指示しておくべきである。また、授業中に質問がでても、辞書を調べればわかる程度のものは、常に手元にある辞書を指さして「查词典吧!(辞書で調べて下さい)」といって、そちらで調べることを促す。そうすれば、学生は「查词典吧」というフレーズも記憶出来ることになり、一石二鳥である。直接教授法の基本は、無理にストレートに質問に応じないことである。学生自ら調べ、理解することを促すことを優先すべきであるので、解説したいという欲を如何に抑えるかがポイントとなる。

　またよくある質問として、単語の発音およびフレーズの発音を聞かれることがある。これも授業のテンポを崩さないための配慮、もしくはなるべく学生が日本語で質問しないようにする措置として、あらかじめ使いやすい音声ファイルを準備しておくべきである。直接教授法を行った中国語演習の授業用テキストでは、用意した音声ファイルを、全てネット上に置いた。

http://www.tomodoi.sakura.ne.jp/kyozai.html

　CDなどに焼いて配付する方法も考えられたが、昨今の学生は、そもそもCDで音声を再生する機会

そのものが減っている。しかも、授業中においても使いやすいメディアということになると、もはやCDは使いやすいものではなくなっている。そこで音声ファイルは、ネット上に置いて、スマホでアクセスし、スマホで再生することが可能なようにした。テキストの表紙に、ファイルを置いたページのURLを記入したが、スマホで読み込むことも考えてQRコードも用意した。学生たちにとっては、このQRコードはスマホでアドレスを読み込む際に、必須のアイテムといってもよいので、今後オンラインで何かを提供する際には、必ず準備しておきたいものである。2年間授業を実施した中で、学生たちのスマホ保有率は100%であったので、スマホで、その場で音声を確認することをルールとした。授業によっては、スマホの使用を禁じる授業もあるが、中国語演習の授業では、逆に積極的な使用を促した。これにより、学生たちは一々、分からない発音を教師に質問する必要がなくなり、授業そのものの進行も円滑になった。

e.オーラル・アプローチ（講読授業との連動）および各週の学習項目

　最後に、授業の中で込み入った解説を避けるための措置として重要なことは、講読の授業との連動である。全ての授業進行を、純然たる直接教授法で行うことには、様々な問題も指摘されており、そこはあらためて前述の香坂・長谷川氏の報告の内容を参考にされたい。そしてその経験・指摘を踏まえ、全くの間接法的措置を排除するようなことは避け、文法的な説明などは、あらかじめ日本語で行う工夫を行った。具体的には、演習の授業と並行して行われる講読の授業において説明される文法事項を基礎に、会話内容を組み立てられるような進行順序を考慮した教材を作成した（表1・2の演習I・IIテキストの各課の見出し参照）。

　しかし、必ずしも連動できない回も存在する。講読の授業は、最初の3回がピンイン（発音のアルファベット表記記号）および声調（中国語の基本4つのイントネーション）についての解説に充てられている。この間は、学生は発音の手がかりとするピンインを自由に使いこなすことが出来ないし、講読の授業から文法的解説のサポートを受けることが出来ない。そこで冒頭3回の授業は、なるべくピンインが読めなくてもこなせそうな、挨拶フレーズの運用を中心に、授業を

進めた。そこでは、正確に発音することよりも、なんとなくそれらしい発音で即応する必要性を、学生たちに方向付けていくことが重要である。使用するフレーズも、文法的理解抜きで運用可能、もしくは運用して欲しいものを選択した。例えば、「你好(こんにちは)」や(帰宅する人などに対して発する)「请慢走(お気をつけて)」といった挨拶フレーズは、本当に文法的理解を求めようと思うと、少し高度な解説を要する。前者は、「你好吗?(お元気ですか)」という疑問文からの派生である事を解説しなければならないし、後者は「请」が使役・依頼を意味する動詞であるという解説を行わなければならないとすると、一学期目での導入は不可能である(使役・依頼の動詞などは、どうしても2学期目の講読IIあたりの学習内容に回さなければならない優先順位の文法学習項目である)。ただ、中国人が帰宅する人に向けて「请慢走」というフレーズを発話する際、一々これが使役・依頼を意味する文章であることを意識しているわけではない。帰宅する人に対して発する、記号的なキーフレーズとして記憶・発話しているに過ぎないわけで、文法的な正確な理解はひとまず不要であると考えられる。まず冒頭3回は、そういった紋切り型の挨拶フレーズの多読・応用で授業を進行する。自己紹介フレーズの回では、ある程度文法解説は必要になるが、基本的には「A是B(A=B)」構文や、「A叫B(AはBといいます)」といった単純な構文のみに限ら

表2:
演習Ⅱのテキスト各週の学習項目見出し

第1週　夏休みの想い出（復習・作文）
　　　　買い物（復習）
第2週　ものを知っているか尋ねる
　　　　伝聞
　　　　形容詞述語文の復習・発展
　　　　出迎え
第3週　人の話を伝える（直接・間接話法）
　　　　概数
　　　　地下鉄やバスの乗り換え
　　　　電話をかける
第4週　形容詞＋地＋動詞
　　　　没办法＋動詞
　　　　ホテルで1・2
第5週　ホテルで3・4
　　　　「着」を使った表現
　　　　様態補語
第6週　会食1・2
第7週　仮定の表現
　　　　結果補語
第8週　宿題・レポート・プレゼン
　　　　授業のコマ数・授業の単位
第9週　比較の表現
　　　　機会・タイミングに関する会話
第10週　病状を説明する
　　　　「把」を使った表現
　　　　「被」を使った表現
第11週　「让」を使った表現
　　　　「请」を使った表現
第12週　トラブル
第13週　〜にいわせると
　　　　〜以外に
第14週　自己紹介（発展応用・作文）
　　　　好き・嫌いを表現する
第15週　自分の考えを表現する
　　　　〜のようだ

れるので、板書やゼスチャーでの解説で乗り切ることが可能である。

4週目以降の内容は、講読の授業でフォローした文法内容を応用した会話フレーズを導入するといった順番で、2つのテキストの連動を行い、直接教授法というより、オーラル・アプローチに近い会話応用の授業を実現した。

各週の学習項目は、文法的な項目を中心にまとめたものと、シチュエーション重視でまとめたものの併用で構成した。ちなみに、演習Ⅰのテキストでタクシーに乗るシチュエーションと、空港で搭乗・到着の際のシチュエーションを入れたのは、1学期目で、一人で中国に行ってタクシーに乗って、いずれかの大学まで行くことが出来るようになる能力を身につける事を目標と設定したためである。

なお、2学期目の第1週と14週に含まれる作文を課題としたセクションでは、直接法は行わず、日本語での添削・解説を織り交ぜた。作文指導は、直接法に馴染まないと考えられるので、そこは学習内容に応じた柔軟な措置をとった。

f.ペアワーク

「c」の項目で触れた配慮と、重なる部分はあるが、授業は、毎回クジで決められた座席位置で、隣席した学生同士のペアワークで進めた。学生数が偶数にならない場合は、3名の組を作るか、余った1人は教員と会話練習する形で進めた。

各回の授業の冒頭部分で、前回の授業で習った応答パターンの復習が出来ているか、教員の側から中国語で質問する時間をとるが、教員と会話応答をする場面は、ほぼこの冒頭部分に限定し、新出内容とその練習は、基本的に学生同士のやりとりで進めさせる。もちろん、せっかく車座に着席させ、目が行き届く状態を作り出しているわけであるから、会話が上手く進まないペアがないか、注意深く観察し、上手くいっていないところがあれば、積極的に机間指導および会話応答のペアに、臨時に教員が入るなどの指導を行った。

g.授業の基本フローとチェンジワード（换词练习）

最後に、演習用に用意したテキストで、最も重要な点は、チェンジワードを中心とした練習を行わせることであり、それに適した教材作成に注力するということである。毎回のテキストで、基本的な応答フレーズをペアワークで練習させた後、必ず基礎フレーズをもとにして、単語を入れ替えて別の表現を作って会話をさせるターンを設ける。ここまで出来て、初めて直接教授法の真価が発揮できるといえる。逆にいうと、ここまで出来なければ、直接法もただの不便な授業進行手法に過ぎなくなってしまう。

参考までに、次頁に演習Iの第5週のテキスト内容を掲載しておく。ここに掲載した頁が、演習の授業の4分の1の時間程度に充てられる内容であり、かつ基本フローを示したものでもある。まずは「一緒に発音してみましょう（跟我一起念一下）」の掛け声のあと、全員で、「彼は誰ですか」に該当する中国語を読み、それへの受け答えである「彼は鈴木健太さんです」の部分を発音練習し、2番目、3番目のやり取りへと移行していく。その後、ペアワークで発音練習を行わせる。攻守交代して読ませれば、最低でも2巡は発話

○「谁」を使ってものをたずねる

1. Track57

Tā shì shéi
他是谁？「彼は誰ですか。」

[想定されるうけこたえ]

Tā shì Língmù jiàntài
他是 铃木健太。「彼は鈴木健太
　　　　　　　　　さんです。」

2. Track58

Shéi yǒu qiānbǐ
谁 有 铅笔？「誰が鉛筆を持
　　　　　　っていますか。」

Tā yǒu qiānbǐ
他 有 铅笔。「彼が鉛筆を持
　　　　　　っています。」

Shéi chī miànbāo
谁 吃 面包？「誰がパンを食べ
　　　　　　ますか。」

Língmù chī miànbāo
铃木 吃 面包。「鈴木さんが
　　　　　　　パンを食べます。」

Shéi hē niúnǎi
谁 喝 牛奶？「誰が牛乳を飲み
　　　　　　ますか。」

Zhāng jiànjūn hē niúnǎi
张 建 军 喝 牛奶。「張建軍さん
　　　　　　　が牛乳を飲みます。」

3. Track59

Zhè shì shéi de bēizi
这是 谁 的杯子？「これは誰の
　　　　　　コップですか。」

Zhè shì wǒ de bēizi
这是 我的(杯子)。「これは私
　　　　　　の(コップ)です。」

◎単語の入れ替え応用

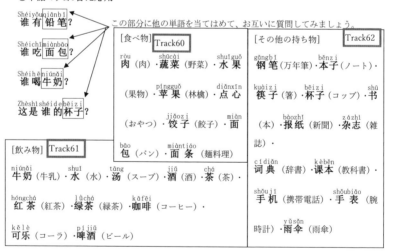

Shéi yǒu qiānbǐ
谁 有 铅笔？

Shéi chī miànbāo
谁 吃 面包？

Shéi hē niúnǎi
谁 喝 牛奶？

Zhè shì shéi de bēizi
这是 谁 的杯子？

この部分に他の単語を当てはめて、お互いに質問してみましょう。

[食べ物] Track60

ròu
肉 (肉) ・ shūcài 蔬菜 (野菜) ・ shuǐguǒ 水果

(果物) ・ píngguǒ 苹果 (林檎) ・ diǎnxīn 点心

(おやつ) ・ jiǎozi 饺子 (餃子) ・ miàn 面

bāo
包 (パン) ・ miàntiáo 面条 (麺料理)

[飲み物] Track61

niúnǎi
牛奶 (牛乳) ・ shuǐ 水 (水) ・ tāng 汤 (スープ) ・ jiǔ 酒 (酒) ・ chá 茶 (茶) ・

hóngchá
红茶 (紅茶) ・ lǜchá 绿茶 (緑茶) ・ kāfēi 咖啡 (コーヒー) ・

kělè
可乐 (コーラ) ・ píjiǔ 啤酒 (ビール)

[その他の持ち物] Track62

gāngbǐ
钢 笔 (万年筆) ・ běnzi 本子 (ノート) ・

kuàizi
筷子 (箸) ・ bēizi 杯子 (コップ) ・ shū 书

(本) ・ bàozhǐ 报纸 (新聞) ・ zázhì 杂志 (雑
誌) ・

cídiǎn
词典 (辞書) ・ kèběn 课本 (教科書) ・

shǒujī
手机 (携帯電話) ・ shǒubiǎo 手表 (腕

時計) ・ yǔsǎn 雨伞 (雨傘)

練習することになる。1度の発音練習で、発音が分からないという学生には、「Track○」と書かれた部分を指さし、直接音声ファイルで発音確認を行わせる。

　基本のやり取りの練習が終了したら、「チェンジワード（换词练习）」のターンに移行する。ターン以降のきっかけの合図は、「换词练习吧!（チェンジワード練習しましょう）」である。これも、最初は学生にとっては意味不明のワードであるので、初期の段階においては、「换词练习吧!」と言った後に、日本語で「単語の入れ替え練習」と補足してもよいかもしれない。物を入れ替えるゼスチャーを併用するのも良い。指定の部分に、いくつか与えられた単語の選択肢から適切な単語を選び、次々に応答内容を変えて、二人でやり取りさせていく。

　時間に余裕があれば、いくつかのペアをピックアップして、全員の前で単語入れ替えをしたフレーズでやり取りを演じてもらう。もし上手く進行していないペアがあれば、そこに教員が積極介入する。どの授業でもありがちな失敗として、積極的な学生としか教員のコミュニケーションが成り立っていないというケースがあるが、積極的に進められる学生は、むしろ放置していても安心なのであって、上手く授業進行についていけない学生を素早く拾い上げる方に注力すべきである。また、これまで述べた進行方法では、実感として、ついて来られない学生を見出して指導することが、極めて容易であったことから、クラス全体のレベルの底上げにも、今回試した授業手法は有効であったと考えられる。

4. おわりに

　中国語の指示に従いながら、とっさに単語を入れ替えて、応答内容を作れる反射的な能力育成をすることが、直接教授法の最大の目標である。このような授業を行うことによって、実施した年度においては、語学検定でもリスニングにおいて高い成果をあげている。本年度は残念ながら、直接教授法的な会話授業が出来ず、残念な結果が出てしまったが、教員がしゃべる

時間を極力短くし、如何にして学生に多く喋らせるかという工夫を、本報告通じて今後の授業改善の手がかりとして残し、かつ次年度以降の授業運用の中で活用して頂ければ幸いである。

注

1　香坂順一（1955）「直接教授法の本質:王武軍氏の論文大要」『中国語学』p45。
2　長谷川良一（1961）「John De Francis: Beginning Chineseによる実験:その中間報告」（『中国語学』p106）。
3　呉青姫（2011）「APUにおける初級中国語学習者向けの学習指導法--復旦大学の外国人向け中国語教育実態から学んだ経験と教訓」（『ポリグロシア』p20）。

第6章

コロナ時期における中国語教授法

桂　雯

1. はじめに

　2020年、新型コロナウイルスという世界規模の事件により、国内外の環境や情勢が短い期間のうちに大きく変化した。新型コロナウイルスに効果的に対応するために、世界各地で一時的な休校が相次いでおり、学生の学習方式が対面授業から本格的なオンライン学習へと移行していることから、世界で大規模で、かつ影響が大きい教育様式の変化が起きている。このような歴史的な変革は、教育資源、方法、手段、さらには教育内容、理念、管理などの面でも重大な変化をもたらすことになる。中国語の教育にも大きな影響が与えられている。そこで中国語教育の研究者たちは、新様式の中国語教授法について積極的に考えている。本稿はこれまでの議論をまとめることで、コロナ時期における中国語教授法について提案する。

2. コロナ時期における中国語教育の現状

　21世紀に入ってから、マルチメディア教育の発展により、中国語の国際教育の情報化やデジタル化の程度が絶えずに向上しているので、「中国大学mooc」をはじめ、多数の中国国内オンライン学習プラットフォームが増えている。ライブ授業、ビデオ授業、遠隔指導などの授業モデルも増えてきており、PBL（Problem-based Learning:問題解決型学習）、BOPPPS （bridge-in,outcome,pre-assessment,participatory-learning,post-assesment,summaryという6ステップからなる教授法）、「対分课堂」（PAD CLASS:半分講義、半分ディスカッションの教授法）などの教育モデルも増えてきている。また、多くの学校の教室には「嘉教室」という教育システムのソフトウェアプラットフォームが設置され、スマート

教育システムが採用されている。(陸俊明, 2020)しかし、李泉(2020b)によると、2019年12月末までには、数十年間、世界の中国語教育は教室での教育を主とし、コンピュータ支援教育やオンライン教育は一部の課程、または関連する課程のごく一部の内容となっていた。総合的に見れば、伝統的な対面授業が主流の授業方式、授業内容は紙媒体の教材を超えない範囲のほか、カリキュラムも教室という環境を中心とされていた。さらに注目すべきなのは、このような伝統的な授業スタイルに慣れている教師と学生が圧倒的に多かった。

2020年に入って、新型コロナウイルスの蔓延により、世界で学生が学校に行けずに休校が続く状態となっている。多くの地域では学校内での授業が再開されるまで、オンライン授業が行われている。

この状況が国際中国語教育に与える影響について、賈益民(2020)は以下のように、「変革」と述べている。

まずは、伝統的な教室での対面授業からオンライン授業へと移行し、学校の形態に変革が起きた。現在、世界中の中国語を教える学校の形は、伝統的な「有形の学校」がほとんどであり、固定された学校の場所で、固定された学生のクラスに、統一的なカリキュラム、教授内容や教授法によって行われる。インターネットのオンライン教育環境の下では、このような単一の「有形の学校」の形態が徐々に打破され、「有形」と「無形」が共存し、結合した学校形態に向かうことになる。いわゆる「無形の学校」の形態は、学校という固定した場所、固定のクラス、統一された授業計画、授業内容や教授法などがない。すべての教育活動はインターネット通信技術の条件の下で、教師と学生が一緒に参加する。授業計画(授業内容と教授法を含む)が一人一人の学生の実際の需要と特徴に合わせて作られる。確実に学習者を中心とし、学習の需要を核心とする。このような「無形の学校」の学校規模は、適切に作れば、「有形の学校」よりも大きくなると予想される。それは年齢、民族、所属、地域、ひいては国の境界を超えることができるからである。そうすると、学校教育の構造にも変化が起きる。一方で、伝統的な「形のある学校」は存続し、発展していく。一方で、「形のない学校」が大量に現れる。これからの相

当長い期間、「形のある学校」と「形のない学校」が共存・結合することになる。すなわち、「有形の学校」は「無形の学校」を発展させながら、「無形の学校」の運営モデルと方法を吸収し、「有形の学校」の運営と教育を豊かにし、「有形の学校」を発展させる。このように、中国語学校の教育構造は、変革を避けられない。同時に、学校と地域社会、学校と社会の関係も大きく変化する。それを十分に認識し、大切にしていかなければならない。

次に、伝統的な教室での対面授業からインターネット上のオンライン授業へと移行し、中国語教育の教授法の大変革が引き起こされた。インターネット環境の下では、特に5Gの普及により、ネットワーク通信速度が大幅に向上された。それで伝統的なオフライン授業でも、オンライン授業でも、インターネット上の良質な教育資源の広範囲の利用が容易になった。例えば、5Gは教材、教具などのスマート化を大幅に促進し、ライブ授業、ビデオ授業、リアルタイムでのインタラクティブ教授・学習、さらに映像教育資源の普及や向上を促進する。このように、教育手段と教育資源が大いに豊かにされ、仮想現実の教育が可能となり、教師の教授と学生の学習はどちらもさらに柔軟かつ多様に、教授法は個性化の発展に向かうと予想される。なお、この領域の教育理論と教授法の研究は現状に遅れているので、これからは増やすべきである。

さらに、伝統的な教室での対面授業からインターネット上のオンライン授業へと移行し、教授・学習資源の開発と利用が大きく変わる。インターネットのオンライン教育技術の応用は教育資源の利用を最大化することができる。中国語学校は学校を運営しているうちに、教育資源の欠乏に苦しむことがあるため、これは中国語学校にとって極めて重要である。例えば、学校の内部資源、つまり資金、教師、設備、場所など、また様々な外部資源、例えば政府資源、コミュニティ資源、社会資源などが、学校の運営を影響している。インターネット環境では、ビッグデータのクラウドコンピューティング技術の応用・共有は、これらのリソースを得るのに「手間をかけない」ことができる。クラウドにアプロードされた膨大な量の教育コンテンツが教育内容を大幅に豊かにする。そのため、教育資源の開発と利用は必ず重大な変革が起きると考えら

れる。必要に応じて資源を見つけることが容易になった。無論、資源の開発に積極的に関わっているかどうか、その資源をどのように活用しているかによっても違う。

姜麗萍(2020)は新型コロナウイルスが国際中国語教育に与える影響について、主にマイナスの側面から以下のように分析している。

第一、学生の減少がもっとも直接的影響である。世界経済への巨大な衝撃や各国の入国制限などにより、一部の中国語学習や研修プロジェクトは減少しており、一部は中断を余儀なくされている。中国国内の学生も減少しており、中国での勉強や研修を予定していた学生も留学プログラムの見直しをせざるを得ない。これだけでなく、長期的影響から見ると、新型コロナウイルスの常態化に伴い、各国の学習者は中国語を学ぶ必要があるのかどうか、どのように中国語を継続的に学ぶのかという選択に直面し、中国語学習の需要に不確実性が現れている。

第二、急速に展開するオンライン授業に挑戦が現れた。この点については3つの問題が述べられた。一つ目、オンラインプラットフォームは国際中国語教育のターゲット性を持っていない。授業の実施中で技術、内容、実現方法が有機的に融合することが難しく、リアルかつ効果的な言語コミュニケーションが低下する傾向が見られる。質問、練習、インタラクション、斉読など、授業の全体像を対面授業のように観察して実施することが難しくなったため、教育の効果に疑いが生じる。二つ目、インターネット利用の設備や端末所有状況のばらつきがオンライン教育の妨げになる。一部の地域では、インターネットや設備の影響で、学生が自宅で授業を受けることができず、授業が中断されることもある。三つ目、オンライン教育コンテンツはまだ十分に系統化されていない。教師は短い期間のうちに技術の応用とオンライン教育コンテンツの分散・欠乏・単一の問題に直面し、集団的ストレスが現れている。

第三、オンラインの国際中国語教育を展開するには、教育理論の研究、教授法の支えと教育効果の評価が必要である。特殊な状況の下で、一時的な対応として、教師はそれぞれの能力を発揮してオンライン授業を展開することは可能であるが、新型コロナウイルスの持続時間が長ければ、単純の

オンライン授業の効果が低下し、中国語学習需要の不確実性がさらに高まる恐れがある。

オンライン中国語教育はすでにはじまったが、授業の効果を理解するために、蘇英霞(2020)は10人の中国語教師のオンラインのリアルタイム授業を調べた。そのうちの、7つが総合授業、3つが会話授業である。そのほか、北京言語大学中国語国際教育学部のオンライン授業の教師26名にアンケート調査を行った。この2つの調査の結果は以下のようにまとめられている。

第一、オンラインとオフラインの授業効果に有意な差はない。ビデオ、ライブ+ビデオの授業形式と比べると、ライブ授業はオフラインの対面授業に最も近く、自然な授業の様子を示すことができる。開講する前、説明会などで、中国国外にいる学生はオンライン上で十分な会話練習の機会を得ることができるかどうかについて特に関心を持っていた。授業中で明らかになったのは、中国国外にいる学生の言語実践の機会が不足していることを考慮して、教師は授業で特に練習することに意識していることである。それに加えて学生の数は対面授業より少ないため、教師と学生のインタラクションがより頻繁になった。学生の参加度は対面授業より明らかに低いことは見られない。しかし、ネットワーク条件に縛られ、一部の教育活動が制限され、教育効果にある程度影響を与えている。アンケート調査では、「授業の効果を左右する最も重要な要素は何か」という質問には、回答者の69.23%が「一部の教育活動はオンラインではできない」と答えた。授業中の観察によると、話し言葉の練習でよく使われる「演技」はオンライン上で行うことが難しく、正音、斉読、グループディスカッションなどもネット環境の制約を受けているため、実施しにくいところがある。しかし、一部の授業活働が制限されていることや、ネット上の理由で応答が遅れ、授業のリズムがやや遅く、たまに中断する現象が発生していることを除けば、各授業は基本的にスムーズに行われ、授業の効果はオフラインの対面授業と大差がないと観察される。

第二、教師と学生のオンライン授業に対する受容度に明らかな変化が現れた。第二言語習得に関する研究では、第二言語環境による習得の促進作用は確実に認められている。オンライン授業はネット環境の影響を受け、オ

フラインの対面授業と同じように、教師と学生、学生と学生がバリアフリーのインタラクションを実現することが難しい。そのため、オンライン授業が始まる前は、教師も学生も、オンラインでの言語教育や学習に対する受容度が低かった。北京言語大学中国語速成学院を例に挙げると、学校の宣伝にもかかわらず、第1期オンライン課程の新規入学者数は、オフライン学習の志願者数の5分の1に満たなかった。しかし、1ヶ月ほどのオンライン授業と実践を経て、教師と学生のオンライン授業への受容度が明らかに高まった。「一定期間を経たオンライン授業について、オンライン授業の受け入れ度は高いですか」という質問には、「高い」と「比較的高い」の合計が76.92%、「高くない」は0%である。また、「オンライン授業を行ってから時間が経っていますが、学生のオンライン授業への受け入れ度は高いですか」という質問に、「高い」と「比較的高い」は合わせて80.77%、「高くない」は7.69%である。また、速成学院の第1期の4週間の通常課程の学生は終了後、オンライン学習に引き続き参加することを選んだ学生は73%であり、このような結果は受講生のオンライン学習への認識を反映している。技術、プラットフォームに、インターネットの条件、教材、授業内容や授業形式などの最適化についてさらに解決すべき問題があるにもかかわらず、調査の結果から、すでに始まったオンライン中国語教育は可能なだけでなく、中国語教育と研究の新興分野になる見通しが立つことが分かった。

3. コロナ時期における中国語教授法への提案

コロナ時期における中国語教育は、大きく影響された以上、教授法を改善し、具体的な対策を求められている。まず、解決すべき問題をまとめ、それからどのような改善案が提案されたのかを見てみよう。

3.1 中国語教育が直面する困難

崔希亮(2020)はインタビューを通して、伝統的な教室での対面授業に比べて、遠隔中国語教育が直面する困難が多いことを明らかにした。その困難は以下の5点にまとめられている。

第一、授業のインタラクションが低下する。外国語の教育は一定の特殊性を持つ。それは、理論の講義と比較して、外国語の授業はインタラクションを必要とし、対面授業環境の中の教師と学生のインタラクション(teacher-students interaction)、学生の間のインタラクション(peers interaction)は不可欠なプロセスである。対面授業のようなリアルな環境の中で、インタラクションが自然に行われ、教師も学生も共感を生みやすい。現在の技術的条件の下では、オンライン授業のインタラクションの形は非常に限られている。教師と学生のインタラクションと学生の間のインタラクションはほとんど問答と対話に限られる。伝統的な対面授業で楽しく教える授業活働(ハエ叩き、単語当てなど)、シチュエーショントレーニング(病院での診察、道を尋ねるなど)、ロールプレイがうまくいかない。

　第二、漢字を教えることが難しい。例えば、初級中国語の総合授業では、教師は書き取り、板書、宿題などを通じて、漢字を教えることができる。しかし、オンライン授業では、教師は監督者の役割が弱まり、学生の書いた漢字の問題点を発見してもすぐにはフィードバックができない。現在、よく用いられる宿題の出し方は口頭での発表のほか、教師がプラットフォームを通じて課題を配布することが多い。漢字をチェックする場合は、学生が書き取りをして写真を撮ってアプロードするしかない。このようなやり方は教師に対して、採点に手間がかかるだけでなく、学生にとっても整理するのが容易ではないため、授業の効果は大きく左右される。

　第三、成績の評価に直面する困難。対面授業での伝統的な筆記試験を実施することができなくなったため、現在のところでは、筆記試験は主に教師がプラットフォームに問題を公開するやり方で行われる。そうすると2つの問題が現れる。まず学生は手書きで漢字を書く必要がなくなり、パソコンで文字を入力するだけでよいため、漢字教育の重みはさらに弱まってしまう。もう一つは、試験を監督することができない。試験中、学生が自律的に問題を解いていくため、公平が保証されなくなった。

　第四、学習者の学習動機や勉強法の違いによる学習者の分化。遠隔教育では、学生の読む・練習するプロセスをチェックするのがうまくできない

ため、学生の学習動機や勉強法が異なることが学生に新たな分化をもたらす。学生は一定の自律と独学の意識がないと、学習時間が保証されなくなった。

　第五、ネットワーク環境の不安定さが教育プロセスに影響する。インターネット教育はインターネットの通信速度と安定性に依存している。今のところでは、すべてのオンライン授業がうまくいくわけではなく、受講できなかったり、途中で中断したりすることもある。それは特に多くの人が同時にインターネットを利用している場合によく見られる。教師がオフラインになれば、学生はどうすればいいのかが分からない。また、学生が一時的にオフラインになると授業の進み具合についていけなくなる。

3.2 問題改善の対策への提案

　コロナ時期における中国語教授法への提案を、キーワードでまとめると、「オフラインとオンラインの結びつき」、「インタラクション」、「コンテンツ」、「技術」である。

　対面授業とオンライン授業を比較する議論も多いが、李泉（2020a）は単純な比較をする必要がないと主張している。李泉（2020a）によると、まずは、対面授業とオンライン授業はそれぞれ独自の特徴をもつ教授法である。両者はそれぞれ長所と短所があり、置き換えられないところがあるため、一方の長所を他方の短所と比べる必要がない。研究して探るべきなのは、どのように長所を生かし、短所からの影響を少なくするか、どのように二つを最大限度に合わせて、教授と学習の手段や資源を最大限にするかである。例えば、オンライン教育は、実は教室環境の下で行うこともできる。それだけでなく、いつでもどこでも可能である。インターネットと端末があればできるので、教室での授業でもオンライン授業の方法を合理的に利用し、一部の教授内容と授業プロセスをオンライン授業を通して完成する価値がある。

　次に、対面授業を主とする現在の時代に、「対面授業はオンライン授業と結びつけなければならない」という国際中国語教育の原則を明確に打ち出し、実践に努めなければならない。この原則は中国語の教授と学習の空間と資源をつくることに役立ち、教師の教授能力と学生の学習能力を広めるこ

とに役立ち、教育レベルと学習効果を向上させることに役立つ。したがって、授業評価の一つの原則とすべきである。「聞く」「話す」「読む」「書く」、いずれのコースも、教育効果に対する評価は、単に授業の表に出ているだけではなく、オンライン教育との結びつきや、授業や学習方法のバリエーションにもよるはずである。

さらに、オンラインを実施するスキルは教師の職業能力の重要な方向性となり、教師を評価する重要な項目となるべきである。これからは、教師の教授能力はもはや通常の対面授業の能力だけではなく、オンライン教育の能力を含めなければならない。教育技術の現代化はオンライン教育に今までなかった発展をさせたため、伝統的で主流のオフライン教育はすでにオンライン教育と組み合わせる条件がそろっている。且つその必要もある。このように、中国語教師はオンライン教育の能力を絶えず向上させるべきであり、教育現場の実際に合わせてオフライン教育とオンライン教育との結びつける方法を探究する必要がある。

中国語教育が新型コロナウイルスの中で直面した問題への対策について、陸倹明（2020）は、複数言語に対応し、管理をより合理的にし、リンクがより簡単にできる、より革新的な国際中国語教育オンライン資源の開発をさらに加速する必要があると述べている。

呉勇毅（2020）は、コロナ時期のオンライン言語学習のカギはインタラクションであると、以下のように主張している。単純な移動ではないため、授業をオフラインからオンラインに引っ越すことが容易ではない。特に言語の教授と学習はその特殊性があり、知識を伝える以外、授業活動を通じる訓練も必要である。すべてが「インタラクション」の土台の上で行わなければならない。オンライン学習プラットフォームにアップロードされた大量のビデオ録画式の授業や講座は単に知識を伝えることであるので、本当の意味でのオンライン授業とすらいえない。環境がどのように変化しても、インタラクション（言語的なものだけでなく、認知的なもの、感情的なものも含む）は成功のカギを握っている。

賈益民（2020）は教育コンテンツと教師の技術の必要性を述べている。賈益民（2020）が提案したのは以下の2つである。

第一、インターネット環境でのクラウド教育コンテンツを増やす。現在、中国語オンライン教育の教育コンテンツはまだ足りない。一刻も早くコンテンツを増やし、クラウドでの共有を実現すべきである。教育コンテンツは分野ごとに作ることができる。具体的に言えば、教材ライブラリ、授業ライブラリ、ツールライブラリ、言語知識ライブラリ、文化知識ライブラリ、映像・テレビライブラリ、漢字ライブラリ、コーパスライブラリ、テストライブラリ、学校ライブラリ、教師ライブラリ、学生ライブラリなどに分けられ、教育コンテンツに不可欠なものである。

　第二、オンライン教育の質を向上させることに力を入れる。インターネット環境が提供するのはあくまでも技術的条件や手段であり、それ自体が質の高い中国語教育を意味するわけではない。無論、インターネット技術の応用がうまくいけば、中国語教育のレベルと質を必然的に向上させることは間違いないが、根本はやはり教育の質を高めることにある。そのために4つのすべきことがある。一つ目は、良い教師を育成し、オンライン教育の能力を持つ教師のチームを作ること。二つ目は、学校は積極的にインターネット環境を構築し、必要なオンライン教育の設備とシステムを配置し、教育研修を行い、オンライン教育の専門教職員を配置する。三つ目は、既存のオンライン教育の教育資源を十分に利用し、できるだけ教師により多くのオンライン教授用資源を提供し、学生により多くのオンライン学習資源を提供し、教師の教授内容と学生の学習内容を豊かにする。四つ目は、教師の教授法と学生の勉強法を変えることを提唱し、特にオンライン教育のインタラクションを強調する必要がある。

　崔永華（2020）も「オフラインとオンラインの結びつき」と「技術」を強調している。崔永華（2020）が述べたのは主に以下の4点である。

　まずは、外国語教育は科学技術と関わっている。新型コロナウイルスの中で、インターネットを中核とする現代科学技術は、全面的に中国語教育を支えている。これは外国語教育の発展を反映している。ウィズコロナ・ポストコロナ時代には、インターネットを中核とする現代科学技術を用いて中国語教育を支援することが必然となっている。

　次に、中国語教育はネットを通じて実現できる。過去は、コンピュータやネッ

トを通じて中国語を教えることが理想的な効果を得ることは不可能であると考えられていた。今のところでは、事実により、中国語はネット上で学習、教授できることが証明されている。オンライン教育はオフライン教育では達成できない効果を得ることができる面もあると言われている。現代の科学技術は、すでにオンライン中国語教育に十分な条件を提供している。我々が懸念する多くの弊害は、理論的に解決策を見出すことができる。重要なことは、中国語教育界が積極的に現代科学技術とのインターフェースを探すことである。本格的なオンライン教育システムを開発できれば、今日の教科書の引越しや教室の引越しだけでなく、中国語教育は必ず新しい時代に入ることであろう。その頃には、ネットで中国語を勉強する人も増えると予想される。

　また、オフラインとオンラインの結びつきは、将来の中国語教育の必須の道であるにもかかわらず、現代の科学技術が対面授業を完全に置き換えることはできない。コミュニケーション能力は社会のコミュニケーションの中で身につけるものである。仮想現実の学習環境でうまくやっていても、中国人に会って一言も話せないこともあるので、現代のテクノロジーは知識を伝え、技能を訓練することはできるが、最終的なコミュニケーション能力を養成することは難しい。そのため、新型コロナウイルスが収束した後の中国語教授法は、オフラインとオンラインを結びつけることが必然である。新しい教授法は様々な様式を含む。伝統的な教室での対面授業とさまざまなオンライン授業だけでなく、教育現場の必要に応じて、異なる割合で、異なる方法で組み合わせた複数の教授法が現れると考えられる。

　最後は、新世代の中国語教師は科学技術の能力を備えなければならない。中国語教育を専攻とする学生は中国語教育の知識だけでなく、科学知識や技能も重視し、科学知識を応用する能力の育成に力を入れるべきである。人材育成は社会発展に応じなければならない。したがって、これからは、現代科学技術能力を訓練する科目を中国語教育専攻の必修課程に入れること、現代科学知識を応用する能力を中国語教育専攻の育成目標に入れることは、必要となる。

　さらに、具体的な提案をしたのは、趙楊(2020)と劉栄艶(2020)がある。

オンライン授業は将来の常態になる可能性が高いが、現在のオンライン教育の最大の問題は、資源が不足しており、使えるかつ質が高い素材が少ないことである。このような状況の中で、教育コンテンツを共有するライブラリを作ることが必須となった。このような教育コンテンツ共有ライブラリをいかにして構築し、活用するかというと、趙楊（2020）は教育コンテンツ共有ライブラリをつくることに提案した。まずは1つのコンテンツが1つの素材を含めることで、それが基本単位となり、ターゲットを絞って使えるようになる。次に、どんな素材でも使えるように、しかも使いやすいように標準化することも必要である。ヒントになる例を挙げると、児童コーパスCHILDES（https://childes.talkbank. org/）がある。このコーパスはデータベース、chat録音システム、clan言語データ分析プログラムから構成されており、研究者は児童の会話の音声・ビデオ資料を、表記規則に従って転写し、イントネーション、会話環境、流暢かどうかなどの情報を記録し、研究に利用できるようにした。これは1984年から作り始めた共有コーパスであり、このコーパスに基づいた研究成果が数千件ある。このコーパスの作り方を参考にして、中国語教教育コンテンツ共有ライブラリをつくる必要がある。教育コンテンツをつくることは国際中国語教育の基礎プロジェクトの1つであり、オンライン教育が常態化となった現時点では、さらに緊急性を増している。

劉栄艶（2020）は、中国語のオンライン授業にTTSとASRという音声技術の活用について、以下のように提案した。

TTS（test to speech音声合成技術）やASR（automatic speech recognition自動音声認識技術）は、音声ナビゲーションやテキストリーダーなど、日常生活で広く使われている。対面授業をオンライン授業にした時期に、TTSとASR音声技術は、オンライン中国語教育に合理的に活用されることができる。

TTSは文字情報をリアルタイムで標準的、流暢な音声に変換して、よくIVONAなどの音声ソフトに使用される。中国語教育では、教師はTTS技術をオンラインでの聴解、会話、読解教育と組み合わせることができる。例えば、聴解授業の場合、教師がTTSを通じて聴解テキストを音声資料に変換すれば、学生が独学やオンライン学習を行える。授業中、教師は学生と、通

常の速度で聞く、倍速で聞く、テキストと合わせて聞くなどの訓練を行うことができる。このプロセスはまたビデオ、写真などの視覚材料を加えて、視覚・聴覚の有機的な融合を行うことができる。TTSは、聴解素材の欠乏という問題を解決できるだけでなく、教師が授業状況に応じて自分で文字素材を書いたり修正したりするための条件を提供しており、倍速転録と再生という機能も教師のニーズにより応じることができる。また、会話授業を例にすると、現在のTTSはacapelaのような多様な音声ライブラリを備えており、多様なスタイルの音声リソースがある。教師はこの音声リソースを活用して、テキストを生き生きとした音声として出力することができる。これは教師の音読能力が限られているという問題を解決し、アウトプットされた資料の種類が多様かつ豊かであり、学生によりリアルな会話シチュエーションを提供している。

　TTSと対照的に、ASR音声認識技術は、リアルタイムで音声を文字に変換する技術である。現在、教師はASR技術をオンライン授業で中国語の会話、聴解練習に利用することができる。会話授業を例にすると、教師は授業中に音声入力法やASR機能を備えたソフトウェアを使って、学生の口頭表現を文字として認識し、出力されたテキストの中に発音や表現の偏りがあるかどうかを調べることができる。授業後のスピーキングの訓練と評価の際に、学生は自分のスピーキングの音声ファイルをアップロードし、教師はそれをテキストに変換して、添削してから学生にフィードバックすることができる。この技術は、あっという間に消えてしまった音声をはっきりと目に見えるテキストにすることで、教授と学習の双方に「無形」を「有形」にすることができ、もともと把握が難しかったオンライン会話の授業に積極的に役立つ。TTSとASR音声技術はオンライン中国語教育に新たな示唆をもたらした。

4. おわりに

　本稿は新型コロナウイルスが中国語教育に与えた影響、コロナ時期の中国語教授法に対する提案について、これまでの議論をまとめた。さまざまな議論があったが、オンライン教育を発展させることが、中国語教育のこれか

らの道であると一致されている。遠隔教育技術、教授法、教育資源、評価基準、教員養成などの問題が議論された。コロナ時期の中国語教育に、「オフラインとオンラインの結びつき」、「インタラクション」、「コンテンツ」、「技術」というキーワードを重視し、教授法を改善すべきであると考えられる。

参照文献

陆俭明等（2020）"新冠疫情对国际中文教育影响形势研判会"观点汇辑，《世界汉语教学》第34卷（2020年第4期）pp. 435-450.

　贾益民（2020）新冠疫情对海外华文教育的影响及应对策略pp. 438-441.

　崔永华（2020）关于汉语教师现代科技素养的培养问题pp. 441-442.

　赵杨（2020）加快国际中文教育共享素材库建设pp. 443-444.

　姜丽萍（2020）新冠疫情对国际中文教学的影响与对策pp. 448-449.

崔希亮（2020）全球突发公共卫生事件背景下的汉语教学，《世界汉语教学》第34卷2020年第3期pp. 291-294.

李宇明等（2020）"新冠疫情下的汉语国际教育：挑战与对策"大家谈（上），《语言教学与研究》2020年第4期（总第204期）pp. 1-11.

　吴勇毅（2020）互动：语言学习的关键———新冠疫情下汉语教学面临的挑战4-5.

　李泉（2020a）大变化、小思考：线上教学的一点启示pp. 5-6.

　苏英霞（2020）关于线上汉语教学效果的调查报告pp. 9-10.

　刘荣艳（2020）疫情下ＴＴＳ和ＡＳＲ语音技术在对外汉语教学中的应用10.

陆俭明等（2020）"新冠疫情下的汉语国际教育：挑战与对策"大家谈（下），《语言教学与研究》2020年第5期（总第205期）pp. 1-16.

　陆俭明（2020）新冠疫情下的汉语国际教育急需采取的两大对策p1.

李泉（2020b） 2020：国际中文教育转型之元年《海外华文教育》2020年第3期pp. 3-10.

第7章

韓国語教育における
教師の訂正フィードバックと学習者の反応について

崔　銀景

1. はじめに

　フィードバックは、学習者の課題に対する教師のコメントとして用いられることが多い。しかし、フィードバックは学習者の言葉に対する教師・他学習者の反応も含めており、より広い意味を持っている。

　Chaudron(1988)はフィードバックについて、学習者の行動や反応に対する結果と定義し、肯定的フィードバック(positive feedback)と否定的フィードバック(negative feedback)の2つに分けた。

　学習者の発話に対し、「いいですね」や「よくできました」などとほめることはその発話を望ましい反応とみなし、今後も繰り返させるため、肯定的フィードバックと分類される。一方、「違います」や「もう一度言ってください」などと指摘することは、その発話を望ましくない反応とみなし、今後繰り返させないため、否定的フィードバックと分類される。

　本稿で扱う「訂正フィードバック(corrective feedback)」は後者の否定的フィードバックに該当するが、「否定的」という言葉は、学習者の誤用を模範解答(model)から離れた正しくない、かつ望ましくないものと捉えているため、現在は「訂正フィードバック」という用語が多く使用されている。

2. 教師の訂正フィードバックと学習者の反応とは何か

　韓国語教育におけるフィードバック研究はHan(2001b)からスタートし、これまで活発に続いている。Han(2001b)は誤用の訂正のみならず、教師の評価や確認なども含めた教師の反応全般をフィードバックと定義し、教室内にお

ける学習者と教師の会話を分析することで、フィードバック研究を韓国語教育分野に取り入れた。

Jin（2005）からは教室で行われる教師と学習者の会話をLyster ＆ Ranta（1997）の訂正フィードバック分類に沿って分析する方法を韓国語研究に導入し、学習者の発話に表れる誤用を訂正するものとして「訂正フィードバック」という用語が使用され始めた。

Han（2001b）とJin（2005）の内容を踏まえ、「学習者の正しい目標言語（target language）産出のために教師が学習者に与えるもの」を訂正フィードバックに対する本稿の定義とし（崔,2020b:6）、訂正フィードバックの種類は以下の表1にまとめる。

表1. 訂正フィードバックの種類

名称	定義
リキャスト （recast）	学習者の意図した発話の正しい又は適切な表現を提示する
明示的訂正 （explicit correction）	「―ではない」などの表現を使用し、誤りがあることを直接的に知らせる
明確化要求 （clarification request）	「すみません」、「もう一度言ってください」などと依頼する
メタ言語的修正 （metalinguistic feedback）	文法的誤用があることを示唆するコメントや質問をする 場合により、文法用語または文法用語に準ずる表現が用いられる
誘導 （elicitation）	正しい部分までを繰り返す、あるいは誤用部分について正用を求める質問をする この場合、正しい表現は明示的に提示されない
繰り返し （repetition）	学習者の誤用を上昇イントネーション[注1]で繰り返す

（Jin, 2005; Lyster & Ranta, 1997; 名部井, 2015を参考に再定義、崔,2020b:7-8より引用）

教師の訂正フィードバックの後には学習者の発話が続くことが多い。この際の学習者の発話を学習者の反応（uptake）と呼び、誤用を修正された学習者による訂正フィードバック後の任意の反応として定義されている（名部井, 2015）。その流れは以下の通りである。

1	S	誤用を含む発話・発話時の問題発生時点
2	T	教師の訂正フィードバック
3	S	＿＿＿＿＿＿＿＿＿＿＿＿＿ ← 学習者の反応

　韓国語教育における学習者の反応に関する研究は、特定の訂正フィードバックに対する学習者の反応を調べるもの（Kim, 2007;Lee, 2009;Lee, 2016など）と、特定の学習者反応が多くみられる教師の訂正フィードバックを調べるもの（Cha, 2010; Choi, 2020b; Jin, 2005など）の2つに分けることができる。

　前者の「特定の訂正フィードバック」としては「リキャスト」が多く研究されており、後者の「特定の学習者反応」としては「訂正完了」が多く研究されている。しかし様々な研究において、学習者反応の中で「訂正完了」をさらに分類せず、1つとして扱っている点には懸念がある（Jin, 2005; 崔, 2020b）。

　「訂正完了」とは、学習者が教師の訂正フィードバックを基に誤用の訂正に成功したことを指しているが、会話の流れを見ると「訂正完了」には教師の訂正フィードバックを単純に繰り返すことで誤用を訂正するパターンと、教師の訂正フィードバックを基に自分の知識で誤用を訂正するパターンの2つがあることが分かる。この点を踏まえ、本稿では前者を「リピート」と、後者を「自力訂正」と名付け、「訂正完了」の下位分類とした。

　学習者の反応には「訂正完了」だけでなく、「訂正未完了」という反応もある。「訂正未完了」とは学習者が教師の訂正フィードバックを基に誤用の訂正が完了しなかったことを指しており、4つに分けることができる。1つ目は同様または異なる誤用が続く「誤用継続」、2つ目は誤用を訂正せず返事だけをする「同意」、3つ目は誤用を訂正せず質問に答えるなどとして会話を続ける「反応無し」、最後の4つ目は訂正の機会を教師または他者により失う「機会無し」である。これらの学習者反応の種類をまとめ、表2に示す。

表2. 学習者反応の分類

上位分類	下位分類
訂正完了	― リピート[注2] ― 自力訂正[注3]
訂正未完了	― 誤用継続 ― 同意 ― 反応無し ― 機会無し 　　○教師要因 　　○他者訂正

(Jin,2005; Choi & Kim,2011を参考に再構成、崔2020a:109より引用)

3. 教師の訂正フィードバックと学習者の反応は会話の中でどのように表れるか

　前節で紹介した教師の訂正フィードバックと学習者の反応がどのように表れるか、以下の例文をもって説明する。

例1

1　S　서울에서 유명하는 카페에 갔어요.
　　　（ソウルで有名いカフェに行きました.）

2　T　서울에서 유명한 카페에 갔어요? 누구하고 갔어요?
　　　（ソウルで有名なカフェに行きましたか? 誰と行きましたか?）
　　　　　　　　　　　　　　　　➡　リキャスト

3　S　서울에서 유명한 카페에 친구하고 갔어요.
　　　（ソウルで有名なカフェに友達と行きました.）
　　　　　　　　　　　　　　　　➡　訂正完了・リピート

　例1のように、「リキャスト」は学習者の誤用に対して、正用の形を用いて言い返すことが特徴であり、学習者が教師の「リキャスト」をそのまま繰り返しながら訂正を完了することが「リピート」である。

例2

1　S　서울에서 유명하는 카페에 갔어요.
　　　　（ソウルで有名いカフェに行きました.）

2　T　'유명하는' 아니고 '유명한'.　　➡　明示的訂正
　　　　（「有名い」ではなくて「有名な」）

3　S　유명한 카페에 갔어요.　　　➡　訂正完了・リピート
　　　　（有名なカフェに行きました.）

　　例2では、学習者の誤用に対して、教師は「―ではない」などの表現を使用し、誤用がある個所をはっきり示す「明示的訂正」が使用されており、学習者は教師の明示的訂正を繰り返すことで訂正を完了する「リピート」の反応を表している。例1の「リキャスト注4」と例2の「明示的訂正」は正用の形を示していることから明示的な訂正フィードバックと分類している (Cha, 2010)。
　　このように正用の形が示されている場合、学習者は与えられたその答えを繰り返す方法で訂正を完了するということが上記の例文から確認できる。

例3

1　S　서울에서 유명하는 카페에 갔어요.
　　　　（ソウルで有名いカフェに行きました.）

2　T　서울에서.. 어떤 카페에 갔다고요?　➡　誘導
　　　　（ソウルで..どんなカフェに行ったって?）

3　S　서울에서 유명한 카페에 갔어요.　➡　訂正完了・自力訂正
　　　　（ソウルで有名なカフェに行きました.）

　　例3では学習者に誤用を認知させるため、正しい部分までを繰り返しつつ誤用部分のみ質問する「誘導」が使用されており、学習者は教師の「誘導」に対して、学習者自らの力で訂正を完了している。
　　例1・2の「リピート」と例3の「自力訂正」を比べると、例3では学習者が教師の訂正フィードバックを正用のヒントにして訂正をしていることが分かる。ま

た、例3で与えられた「誘導」はそのまま繰り返しても訂正完了に繋がらない形である。このように正用の形を出さない訂正フィードバックは暗示的なフィードバックと分類されている（Jin, 2005; Cha, 2010;など）。

　しかし、暗示的なフィードバックは学習者の訂正が成功しない反応も多く観察されるため、教室内では明示的な訂正フィードバックが暗示的なフィードバックより好まれる傾向があると示されている（Kim, 2007; Kim, 2018など）。

例4

1　S　서울에서 유명하는 카페에 갔어요.
　　　　（ソウルで有名いカフェに行きました.）

2　T　음.. 다시 말해 주실래요?　　➡　明確化要求
　　　　（うん.. もう一度言ってもらえますか?）

3　S　아.. 서울의? 유명하는 카페에 갔어요.
　　　　（あ..ソウルの? 有名いカフェに行きました.）

　　　　　　　　　　　　　　　➡　訂正未完了・誤用継続

　例4では、学習者に言い直すよう依頼する「明確化要求」の訂正フィードバックが使用されており、学習者はそれに対して誤用の個所ではない他の個所を訂正する「誤用継続」の反応を示している。これは異なる誤用（different error）とも分類されており（Lyster & Ranta, 1997）、教師が誤用の個所を明確に示していないため、学習者が誤用の個所を勘違いしてしまうことから起きていると思われる。

　また、学習者が教師の「明確化要求」を誤用に対する訂正フィードバックではなく、単に発話が物理的に聞こえなかったことによる依頼、つまり会話継続のための意味交渉として捉え、誤用を訂正せずそのまま発話を繰り返してしまうケースも報告されている（Kim, 2018）。

例5

1　S　서울에서 유명하는 카페에 갔어요.
　　　（ソウルで有名いカフェに行きました.）

2　T　서울에서 유명하는 카페에 갔어요?　➡　繰り返し
　　　（ソウルで有名なカフェに行きましたか?）

3　S　네.　　　　　　　　　　　　➡　訂正未完了・同意
　　　（はい.）

　　例5では、学習者の誤用を上昇イントネーションで繰り返す「繰り返し」が使用されているが、学習者はこれを質問と捉え、「はい」と答えている。この事例もKim（2018）が述べた「明確化要求」と同様、学習者が教師の「繰り返し」を誤用に対する訂正フィードバックではなく、会話の一部として認識したため誤用を訂正せず、「同意」の反応を示したものと思われる。

例6

1　S　서울에서 유명하는 카페에 갔어요.
　　　（ソウルで有名いカフェに行きました.）

2　T　서울에서 유명한 카페에 갔어요? 누구하고 갔어요?
　　　（ソウルで有名なカフェに行きましたか? 誰と行きましたか?）
　　　　　　　　　　　　　　　　　➡　リキャスト

3　S　친구하고 갔어요.　➡　訂正未完了・反応無し
　　　（友達と行きました.）

　　例6でも「リキャスト」が使用されているが、学習者は誤用の訂正をせず、会話を続ける「反応無し」の反応を表している。「反応無し」は原則、教師の訂正フィードバックに続いて学習者が何も発話しないことを指すが、教室において学習者が教師の問いかけ等に対し、全く返事をしないことは稀である。そのため、教師の訂正フィードバックに対し、言語的反応である訂正をしない状態でコミュニケーション自体は続くことが「反応無し」と定義されてい

る (Kim, 2018)。

　このように、リキャストは正用の形を与えつつも会話の流れを妨げないという特徴がある。しかし、学習者が正用の形に気づかない場合、訂正をしないまま会話を継続することが報告されている。この点からリキャストを明示的な訂正フィードバックではなく、暗示的な訂正フィードバックに分類する研究者も多い (Jin, 2005; Kim, 2007; Lee, 2016)。

例7

1　S　서울에서 유명하는 카페에 갔어요.
　　　　（ソウルで有名いカフェに行きました。）
2　T　'유명하다'는 형용사니까 명사 앞에 올 때는
　　　　（「有名だ」は形容詞だから名詞の前に来る時は）
　　　　'유명한'을 써야겠죠. 자, 그럼 다음 페이지로 넘어갑시다.
　　　　（「有名な」にしないといけませんね. では、次のページです。）
　　　　　　　　　　　　　　　➡　メタ言語的修正
3　S　[　　　　　　　　　]　➡　訂正未完了・機会無し（教師要因）

　例7は学習者の誤用に対して、文法用語を用いる「メタ言語的修正」が使用されたが、学習者がその後の発話機会を与えられなかったことによる「機会無し」の事例である。Han (2001a) は教師が学習者に発話のために十分な時間を与えないことが学習者の発話機会を奪うと指摘し、学習者のコミュニケーション能力を育むためには、教師が十分な「待ち時間 (waiting time)」を持つべきであると述べている。

例8

1　S1　서울에서 유명하는 카페에 갔어요.
　　　　（ソウルで有名いカフェに行きました。）
2　T　서울에서.. 그 다음 부분을 다시 말하면?
　　　　（ソウルで..その次の部分もう一度言うと？）　➡　誘導

3　S2　서울에서 유명한 카페에 갔어요.

　　　　（ソウルで有名なカフェに行きました.）

➡　訂正未完了・機会無し（他者訂正）

　例8は学習者の誤用に対して、誤用個所を特定して繰り返させる「誘導」が使用されたが、他の学習者が訂正を完了したことによる「機会無し」の事例である。「機会無し」は学習者が教師の訂正フィードバック後に自己訂正する機会自体を失うことであり（Choi & Kim, 2011）、その要因の違いを例7と例8から確認することができる。

　例7は教師が発話を主導することで学習者が訂正機会を失っていることによる「機会無し（教師要因）」であり、例8は学習者が複数存在することによる「機会無し（他者訂正）」である。これらのケースは両方とも教室の特徴であり、教室環境内で起こり得ると考えられる。特に、例8の「機会無し（他者訂正）」は教師が他の学習者の発話を遮られないため回避し難いが、例7の「機会無し（教師要因）」は教師が十分注意を払い、待ち時間を確保することで回避できると考えられる。

4. おわりに

　韓国語教育を含む言語教育の分野では、学習者の誤用訂正を効率的に導く訂正フィードバックの方法を探るべく、願わくはその後も同じ誤用が表れないようにする「夢の方法」を探し求め、多数の研究が続いているが、訂正フィードバックがこの「夢の方法」になるには2つの限界があることを追記しておきたい。

　まず1つ目は、教師の訂正フィードバックが学習者の長期記憶にまで影響を及ぼすかどうかについて、まだ検証されていない、正確にはまだ検証に成功していない点である。そして2つ目は、学習者が誤用を訂正した時点を「正用が習得された」とは言いにくい点である。

　学習者が教師の訂正フィードバックを基に訂正を完了しても、次の日には

その内容を忘れていることは珍しくない。また、学習者がその場で訂正に失敗したとしてもそのことが記憶に残り、同じ誤用を発生させないこともある。さらには、学習者が誤用の訂正より会話の継続を優先し、教師の訂正フィードバックを認知したにもかかわらず、誤用を訂正せず続きの会話に主力することも報告されている（Kim, 2018）。これらを踏まえると、訂正フィードバックに対する学習者の反応から学習者の習得有無を判断することは難しいと考えられる。

　しかしながら教師のフィードバックが活発に研究されていることにも、2つの理由があることを最後に述べておきたい。

　1つ目は学習者の誤用を訂正するという行為、すなわち教師の訂正フィードバックと学習者の反応の組み合わせは教室内において必ず行われる相互作用という点である。続く2つ目は、学習者の反応が教師にとって簡易インジケーターの役割[注5]をするという点である。

　教師は限られた時間内で授業内容をこなしつつも、学習者の誤用をも訂正しようとする。その中で学習者の誤用訂正が成功しない場合、教師はあの手この手と訂正フィードバックを行い、学習者が訂正を完了するように促すケースが観察されている（崔, 2020b）。

　この点を踏まえると、訂正フィードバックは教師が教室内で必ず与えるものであり、また学習者の反応は教師の言葉が的確に理解されているかを判断する簡易インジケーターとしての役割をしていることが、訂正フィードバックに関する研究の意義であると思われる。

注

1　下降イントネーションを伴う繰り返しは訂正ではなく、学習者の発話を認める役割をする（Hall,2010）。

2　訂正フィードバックの「繰り返し」と区別するため、「リピート」と表現する。

3　従来の訂正フィードバック研究で用いられる「自己訂正」と区別するため、「自力訂正」と表現する。

4　リキャストは研究者によって、暗示的訂正フィードバックに分類されている場合もある。詳細は例6をもって述べる。

5 すでに述べた通り、訂正フィードバックが長期記憶に影響することはまだ証明されていない
　ため、本稿では「簡易」インジケーターとして記す。

引用文献

韓国語

Cha, S. A. (2010). *The effectiveness of teacher's corrective feedback on errors from learner's spoken Korean focused on the proposition marker error made by Chinese learners of the Beginner's Korean.* Studied in Education of Korean Language as a Foreign Language, The Graduate School of Education Yonsei University.

Choi, E. J., & Kim, Y. J. (2011). Teachers' corrective feedback and learners' uptake in Korean beginner class. *Korean Journal of Applied Linguistics, 27(1)*, pp.107-129.

Han, S. M. (2001a). A study on teacher talk on teaching Korean as a foreign language: An analysis of types of teacher talk in the initiative category based on interactional function. *Journal of Korean Language Education, 12(2)*, pp.223-253.

Han, S. M. (2001b). A study on the analysis of types of feedback in the Korean language classroom. *Teaching Korean as a Foreign Language, 25*, pp.453-505.

Jin, J. H. (2005). Corrective feedback and learner uptake in Korean classroom. *Bilingual Research, 28*, pp.371-390.

Kim, Y. E. (2007). Teacher's corrective feedback: Focus on initiations to self-repair. *English Language & Literature Teaching, 13(1)*, pp.111-131.

Kim, S. H. (2018). Investigation of teachers' and learner's perceptions of oral corrective feedback and uptake in Korean language class. *Teaching Korean as a Foreign Language, 51*, pp.1-36.

Lee, S. R.(2009). A study on Korean language learner uptake according to the instructor's error correction type. *Foreign Languages Education, 16(3)*, pp.457-485.

Lee, S, J. (2016). *A study on teacher feedback and learner uptake on the errors in spoken language of the Chinese learner of Korean language.* Major in Korean Language Education and Culture, Graduate School of Kyunghee University.

日本語

崔銀景（2020a）「学習者の発音エラーに対する教師の訂正フィードバックと学習者の反応−日本語母語話者を対象とした韓国語の授業例を中心に−」『言語コミュニケーション文化』17, pp.107-118.

崔銀景（2020b）『教師の訂正フィードバック使用言語による学習者の反応について—日本語母語話者の韓国語学習を中心に−』関西学院大学大学院言語コミュニケーション文化研究科博士論文.

名部井敏代・森博英・田中真理・原田三千代・大関浩美編著(2015)『フィードバック研究への
　　招待 - 第二言語習得とフィードバック』くろしお出版
英語
Chaudron, C.(1988). *Second language classrooms: Research on teaching and
　　learning*. Cambridge University Press: New York.
Hall, J. K.(2010). Interaction as method and result of language teaching. Language
　　Teaching, 43(2), pp.202-215.

あとがき

◇外国語教授法は、外国語教育を柱とする長崎外国語大学の重要な研究課題です。本書は、本学が実施している実践的で先端的な外国語教授法の研究報告です。広く読んでいただきご叱正、ご批判を賜れば幸いです。

◇1857（安政4）年に長崎奉行所西役所で刊行され、長崎のみならず日本最初の英語教則本となった、オランダ人パイルの蘭文英文典を、解説を付して当時の姿で再現できました。原典の利用については当初長崎大学附属図書館経済分館の武藤文庫本の復刻を計画していましたが、改修工事のために利用できずに、急遽早稲田大学図書館洋学文庫の勝俣コレクションを利用させていただきました。掲載の許可をいただいたローリー・ゲイ図書館長に感謝申し上げます。

◇新長崎研究叢書第1巻に続き、今回の第2巻の編集についても長崎文献社の川良真理副編集長のお世話になりました。行き届いた目配りに感謝いたします。

◇第2巻の校正は、新長崎学研究センター運営委員の新美達也、小西哲郎、土居智典の先生方と、職員の浦川美子、中野真琴、高橋浩美が担当しました。

◇写真の掲載については、長崎大学附属図書館、長崎歴史文化博物館、早稲田大学図書館の許可をいただきました。

＊本書の出版にあたり、公益財団法人長崎バス観光開発振興基金から
2020年度助成事業として出版資金の援助をいただきました。また新長崎
学研究センターに寄せられた寄付金の一部も充当させていただきました。
記して感謝申し上げます。

2021年3月31日

姫野　順一

執筆者プロフィール

姫野 順一（長崎外国語大学　副学長・新長崎学研究センター長　外国語学部現代英語学科　特任教授）

九州大学大学院経済学研究科博士課程修了。博士（経済学）。専門は経済学史、社会思想史。長崎大学名誉教授・同大学附属図書館元館長。ケンブリッジ大学クレア・ホール終身会員。主著『J.A.ホブスン人間福祉の経済学』昭和堂2011年、編著『社会経済思想の進化とコミュニティ』ミネルヴァ書房2003年、共著『マルサス　ミル　マーシャル：人間と富の経済思想』昭和堂2013年、編著『知的源泉としてのマルサス人口論』昭和堂2019年、編著『長崎英学史』長崎文献社2020年、翻訳「福祉経済学者としてのJ.A.ホブソン」『創設期の厚生経済学と福祉国家』ミネルヴァ書房2013年所収など。

スティーブン・カリス（Stephen Cullis）（長崎外国語大学　外国語学部英語学科　特任外国人講師）

オックスフォード大学クイーンズカレッジ、修士（東洋学：古代エジプト語・コプト語）。在ロンドン日本大使館領事部勤務。ブリティッシュ・ライブラリおよびオックスフォード大学における前近代日本語ワークショップに参画。ブリティッシュ・ライブラリ日本語コンサルタント。『写真発祥地の原風景／長崎』（目録）東京都写真美術館2018年や松村明『閃光の記憶 −被曝75年−』（写真集）長崎文献社 2020年の英訳を手掛ける。

原田 依子（長崎外国語大学　外国語学部現代英語学科　教授）

慶応義塾大学大学院文学研究科修士課程修了（修士（文学））。専門は英語学、言語学。主な論著に「時制の解釈を分けるアスペクト特性ついて：英語の状態性から見た試論」『東京電機大学総合文化研究』第13号（2015年）、「英語進行形における限界性の機能について」『長崎外大論叢』第24号（2020年）

辰己 明子（長崎外国語大学　外国語学部現代英語学科　准教授）

広島大学大学院教育学研究科博士後期課程修了。博士（教育学）。専門は英語教育、英語教育における通訳・翻訳の使用（TILT）。主な論著に「翻訳研究への招待」『大学英語教育における翻訳指導に関する研究：一般英語授業での翻訳指導実践事例として』第13号、2015年、Developing a Translation Evaluation Scale for Literature Texts as Teaching Materials: Considering the Practicability of Literature in the Classroom Context, International Journal of Curriculum Development and Practice, Vol. 19, 2018など。

クリシャン・クマー（Krishan KUMAR）（長崎外国語大学　外国語学部現代英語学科　講師）
ウェールズ出身。英国、エクセター大学、修士（教育研究）。英国、セントラルランカシャー大学、修士（英語学と応用言語学）。専門は授業法と英語学。主な論著に「日本人大学生の第二言語学習への動機付けに与える海外留学の影響」『長崎外大論叢』第24号、2020年など。

ケイトリン・アイソン-ワシントン（Kaitlin Eison-Washington）（長崎外国語大学　外国語学科現代英語学科　特任外国人講師）
米スミス大学東アジア文化と文学学士課程修了。長崎県長崎市立小学校、中学校のALTになり、日本と米国の教育システムに疑問を持ち始める。米ハーバード大学院で教育リーダーシップ修士号課程修了。論文「ソーシャルモビリティと衡平法：米国と長崎での教育の目的」『長崎外大論叢』第24号、2020年。

坂本 彩希絵（長崎外国語大学　外国語学部国際コミュニケーション学科　准教授）
九州大学大学院人文科学府博士後期課程中退。修士（文学）。専門は近代ドイツ学。主な論著に「現実の不在から生まれる詩的言語 トーマス・マンの『幻滅』について—ニーチェの言語観との関連から」日本独文学会『ドイツ文学』第142号、2011年、共著『晩年のスタイル』松籟社、2020年などがある。

土居 智典（長崎外国語大学　外国語学部国際コミュニケーション学科　准教授）
広島大学大学院文学研究科博士課程修了。博士（文学）。専門は中国近代政治史・財政史。主要な論文に「清末度支部金銀庫の収支に対する一考察」『北大史学』11輯、北京大学歴史学系、2005年、「清末預備立憲時期における財政制度改革　—清理財政局を中心として—」『社会経済史学』80巻2号、社会経済史学会、2014年、「清末諮議局の予算審議と官紳対立」『史学研究』304号、広島史学研究会、2020年等がある。

桂 雯（けい ぶん）（長崎外国語大学　外国語学部国際コミュニケーション学科　特任外国人講師）
筑波大学大学院人文社会科学研究科一貫制博士課程修了。博士（言語学）。専門は中国語学、音声学。論文「中国語母語話者の促音生成についての一考察：北方方言母語話者と広東語母語話者の比較を通して」『実験音声学・言語学研究』第10号、2018年等がある。

崔 銀景（チェ ウンギョン）（長崎外国語大学　外国語学部国際コミュニケーション学科　特別任用外国人講師）
関西学院大学大学院言語コミュニケーション文化研究科博士課程後期課程修了。博士（言語コミュニケーション文化）。韓国ソウル出身。神戸の甲南大学、京都の龍谷大学、京都女子大学、大阪の近畿大学、大阪府警などで韓国語非常勤講師を務め、2020年4月長崎外国語大学に着任。専門分野は言語教育学で、主な研究テーマは学習者に対する教師の訂正フィードバック。日本韓国研究会（JAK）編集委員・語学世話人担当。

新長崎学研究叢書第 2 巻

外国語教授法のフロンティア

附：パイルの『蘭文英文典』（1857）
日本最初の英語教則本（復 刻）

発 行 日	2021 年 3 月 31 日 初版発行
監 修	姫野 順一
発 行 者	長崎学院長崎外国語大学 新長崎学研究センター 長崎市横尾 3 丁目 15 − 1
編集・販売	**株式会社 長崎文献社** 代表取締役社長 片山 仁志 編集長 堀 憲昭 副編集長 川良 真理 〒 850-0057 長崎市大黒町3−1 長崎交通産業ビル 5 階 TEL. 095-823-5247 FAX. 095-823-5252 ホームページ http://www.e-bunken.com
印 刷 所	オムロプリント株式会社

©2021 Nagasaki Bunkensha, Printed in Japan
ISBN978-4-88851-363-0 C0082
◇無断転載、複写を禁じます。
◇定価は表紙に掲載しています。
◇乱丁、落丁本は発行所宛てにお送りください。送料当方負担でお取り換えします。